«J'ai tout caché derrière mes sourires»

Distribution pour le Canada:

QUÉBEC·LIVRES
QUÉBECOR MEDIA

2185, autoroute des Laurentides
Laval (Québec) H7S 1Z6
Téléphone: (450) 687-1210
Télécopieur: (450) 687-1331

Distribution pour la Suisse:
Diffusion Transat S.A.
Case postale 1210
4 ter, route des Jeunes
1211 Genève 26
Téléphone: 022 / 342 77 40
Télécopieur: 022 / 343 46 46

CHANTAL PARY

«J'ai tout caché derrière mes sourires»

PROPOS RECUEILLIS PAR
CLAUDE LECLERC

LES ÉDITIONS
PUBLISTAR
QUEBECOR MEDIA

LES ÉDITIONS PUBLISTAR
Une division des Éditions TVA inc.
7, chemin Bates
Outremont (Québec) H2V 4V7

Directrice des éditions: Annie Tonneau

Direction artistique: Benoît Sauriol

Révision: Paul Lafrance, Corinne De Vailly, Valérie Quintal
Couverture: Michel Denommée
Infographie: Roger Des Roches, SÉRIFSANSERIF
Photo de la couverture: Jocelyn Chevalier

Photos intérieures et photo de la couverture arrière, tirées de la collection
de Chantal Pary

Nous reconnaissons l'aide financière du gouvernement du Canada par l'en-
tremise du Programme d'aide au développement de l'industrie de l'édition
(PADIÉ) pour nos activités d'édition.

© Les Éditions TVA inc., 2002
Dépôt légal: quatrième trimestre 2002
Bibliothèque nationale du Québec
Bibliothèque nationale du Canada
ISBN: 2-89562-072-5

À Carl et à Mélanie,
les plus fidèles amours
de ma vie

Je dédie aussi ce livre à tous ceux et celles qui d'un air fier se félicitent d'avoir pu ériger une forteresse entre leur vie privée et leur vie publique.

Ce qui m'a inspirée à commettre un nouveau livre, ce n'est certainement pas le désir de vivre ma vie privée en public. Il n'est cependant pas toujours en notre pouvoir d'accéder à nos rêves les plus chers. J'aurais préféré ne jamais me livrer à qui que ce soit publiquement. Le destin en a voulu autrement, car on ne m'a jamais enseigné à le faire, malgré mes aspirations constantes à toujours vouloir me taire.

Si jamais vous rencontrez sur votre route un modèle de vie cachée, dites-lui de ma part que, malgré tout, jamais je ne donnerais ma place pour la sienne.

Introduction

Pourquoi ai-je été inspirée à écrire un deuxième livre en si peu de temps? Lorsque j'ai rédigé mon premier ouvrage, qui s'intitule *L'histoire de ma vie*, ce fut à la suite d'une multitude de témoignages de foi que j'avais professés de vive voix dans les églises catholiques, les prisons, les écoles et certaines communautés religieuses. Durant plusieurs années, des groupes s'étaient formés, le plus souvent à mon insu, pour me manifester leur désir ardent de m'entendre parler de ma conversion. Jamais je n'aurais provoqué de mon propre chef tous ces rassemblements et encore moins l'écriture d'un livre sur ma vie spirituelle et religieuse. S'il en fut ainsi, c'est que j'ai finalement cédé à l'encouragement continuel et à l'insistance de nombreuses personnes qui ont réussi à me convaincre que cet ouvrage pourrait leur faire du bien.

J'ai écrit ce deuxième livre intitulé *J'ai tout caché derrière mes sourires* à la suite d'une série d'interminables épreuves qui ont bouleversé ma vie et peut-être celle de bien d'autres qui n'ont jamais compris tous ces revirements de mon existence. Plusieurs d'entre eux n'ont effectivement jamais été expliqués. Ma vie a pu paraître jusqu'à ce jour d'une instabilité très inquiétante. Je peux dire aujourd'hui que celle-ci était provoquée par les souffrances intenses que j'éprouvais secrètement à l'intérieur de moi. Grâce à ma foi et à l'espoir qu'elle engendrait, j'ai heureusement pu conserver une sérénité incroyable qui ne s'est pas démentie durant toutes mes années dans la vallée des larmes.

J'ai cru bon, non par désir de justification mais par amour pour tous les gens qui m'ont sincèrement aimée et suivie tout au long de ma carrière de chanteuse, de prolonger ces instants de confidences en me démaquillant un court moment. J'ai pu ainsi, mine de rien, vous faire découvrir la vérité et la simplicité de l'histoire de ma vie, celle que personne ne connaît, si ce n'est quelques-uns de mes proches. Je ne me livre pas pour le seul plaisir de le faire ou simplement pour dénigrer les autres, car cela me causerait trop de douleur. Étant un personnage public, je sais que j'ai une énorme responsabilité. Tout est si juste parfois; si on a reçu beaucoup, on nous en demandera plus, et si on a peu reçu, on nous en demandera moins.

Ma vie n'a rien d'extraordinaire, et j'en suis terriblement consciente. Cela a d'ailleurs, à maintes reprises, failli me pousser à mettre un terme à l'écriture de cette biographie. Je me rends compte que bien des vies ont pu être plus enrichissantes, plus extraordinaires ou encore marquées par des douleurs bien plus extrêmes que la mienne; et pourtant, elles ne pourront pas être racontées parce que ceux et celles qui les ont vécues ne sont pas célèbres. Devant cette injustice bien réelle, j'aurais pu décider de me taire mais, en toute lucidité, j'ai compris que chaque personne est unique et qu'on ne doit pas vivre en se comparant aux autres. Il faut participer à la construction d'une existence meilleure pour soi et pour tous les êtres qui nous entourent.

Je suis consciente que certaines de mes décisions ou certains de mes gestes qui sont devenus des sujets de premières pages de journaux artistiques ont pu paraître, pour plusieurs, audacieux et très peu charitables. Je sais aussi que le fait de demeurer silencieux ne signifie pas pour autant qu'on soit des modèles de sainteté, car on peut commettre plus de mal, parfois, en omettant de proclamer la vérité. Celle-ci pourra, dans certains cas, libérer les gens qui souffrent et qui ne sont plus en mesure de se défendre. Il y a un temps pour parler et un temps pour se taire.

J'ai le mensonge en horreur et, pendant plus de la moitié de ma vie, j'en ai été victime. Cherchez donc pourquoi? Dieu seul le sait. J'ai connu une enfance dont je me souviens à peine, une adolescence qui a été escamotée en raison d'une carrière prématurée dans la chanson, et un premier mariage à l'âge de 19 ans que j'avais cru le seul vrai et qui devait durer jusqu'à la fin de mes jours, mais qui s'est soldé par un échec 13 ans plus tard. J'ai fait confiance une deuxième fois, ne pouvant pas m'imaginer qu'un autre homme aurait l'audace de me faire souffrir à nouveau par le biais de la supercherie et des faussetés de tout genre. J'ai quitté cette deuxième vie de mensonges après 11 ans de misère et d'angoisses de toutes sortes. Cette seconde séparation ne s'est pas terminée dans la paix et le calme, car j'en suis sortie une fois de plus blessée par les calomnies et les médisances des gens que j'avais pourtant crus mes amis.

J'ai connu la vraie trahison, celle qui, comme un poignard planté dans le cœur, ne s'oubliera jamais. J'ai déjà pardonné, mais oublier, ça, je ne le pourrai pas, car ça risquerait d'ouvrir des portes à toutes ces méchantes personnes qui pourraient encore me faire du mal sans pitié aucune. Je me suis juré de ne plus jamais me laisser piétiner par les forces du mal. Aimer ne signifie pas qu'on accepte de fréquenter ceux qui risquent de nous faire du mal. Aucune rancune n'est restée collée en moi, mais la poussière de la méchanceté ne doit plus venir recouvrir mon cœur et le faire pleurer à nouveau. À 51 ans, je crois avoir le droit de connaître le vrai bonheur et de trouver enfin un petit coin de ciel sur la terre.

Voilà donc le moment venu de parler plus longuement et surtout plus clairement de ma vie, pour que la lumière triomphe enfin des ténèbres.

Chapitre 1

Une enfance remplie de petits bonheurs

D'aussi loin que je me souvienne, j'ai passé ma vie entourée de musique. À la maison, mon père se levait toujours de bonne humeur et fredonnait en se rasant. Ma mère jouait de l'accordéon et suivait des cours de chant classique. Alors que ma mère était soprano, son frère Réal Milette et son père avaient tous deux de belles voix de ténor. Plus tard, lorsque j'ai développé une voix de soprano colorature, j'ai pu me joindre à eux. Pendant les soirées familiales, nous chantions tous tellement fort et avec tant d'enthousiasme que la police a dû intervenir au moins une fois, à la suite de plaintes de nos voisins.

Il n'est donc pas étonnant que très tôt j'aie eu moi aussi le désir de chanter. À trois ans, je me souviens qu'une fois, en visite chez des parents, je me suis hissée sur un pouf et j'ai demandé à tout le monde de cesser de parler pour m'écouter chanter. À 12 ans je participais déjà à des concours d'amateurs et à 13 ans j'ai amorcé une carrière professionnelle qui dure encore aujourd'hui, près de 40 ans plus tard.

Mais j'anticipe un peu. Revenons en 1950, l'année où je suis venue au monde. Je suis née le 17 décembre à

18 h 20, à l'hôpital Sainte-Jeanne-d'Arc, à Montréal. Mes parents habitaient alors un logement à Longueuil, en face de l'église Saint-Pierre-Apôtre. J'ai passé toute mon enfance et une bonne partie de ma vie d'adulte sur la Rive-Sud.

Mes parents m'ont donné le prénom de Lucie. Je suis la deuxième d'une famille de quatre enfants. Je suis née 11 mois et 3 semaines après ma sœur aînée, Diane, et 10 mois et 15 jours avant mon jeune frère, Michel. Une autre petite sœur, Carole, a suivi un an et demi plus tard. Ma mère s'est mariée à 17 ans; elle avait à peine 21 ans que, déjà, la famille Bernier était complète, avec trois enfants encore aux couches. Tout s'est heureusement bien passé lors des accouchements, mais ma petite sœur, Carole, a connu quelques problèmes de santé à la naissance. Elle a dû rester hospitalisée quelque temps pour soigner une double pneumonie et une méningite. Le médecin qui la traitait avait prévenu ma mère que Carole garderait quelques séquelles de ces complications. Elle a eu effectivement un peu de difficultés d'apprentissage à l'école.

Je ne sais pas si c'est à cause de ses problèmes de santé ou parce que c'était le bébé de la famille, mais je me suis toujours sentie très près de ma petite sœur, Carole. Je ressentais le besoin de la protéger, d'être présente pour elle et de lui consacrer plus de temps qu'aux autres. Même au début de ma carrière, alors que j'étais souvent absente de la maison, je trouvais le temps de lui raconter tout ce qui m'arrivait tant sur le plan personnel que professionnel. Elle était éblouie par mes débuts prometteurs et elle est demeurée ma fan numéro un.

Pour revenir à ma naissance, ma mère m'a fait, un peu plus tard, une révélation qui m'a depuis intriguée. Elle m'a avoué un jour qu'elle ne se souvenait pas du moment où j'avais été conçue et qu'elle avait été très surprise lorsque son médecin lui avait confirmé qu'elle était de nouveau enceinte. Pour rire, elle avait répondu au docteur qu'elle avait tout oublié et qu'elle avait dû me faire en rêvant. C'est peut-être pour cette raison que j'ai été si souvent dans la lune et si rêveuse pendant mon enfance, et que je le suis encore aujourd'hui...

•

Je garde un bon souvenir de toutes mes années d'enfance. Même si notre famille avait des revenus plutôt modestes, nous étions heureux. Il y avait beaucoup de rires dans la maison. Est-ce dû au fait que mes parents étaient très jeunes, toujours est-il que nous nous amusions ferme et qu'il y avait de la joie dans notre foyer.

Ma mère était une vraie maman d'intérieur, avec le tablier et tout ce qui venait avec. Malgré sa jeunesse, elle était très maternelle et adorait cuisiner, coudre et prendre soin de nous. Je la trouvais très belle et j'étais très fière d'elle. On s'est d'ailleurs longtemps ressemblé et, comme j'avais l'air un peu plus vieille que mon âge, on passait facilement pour deux sœurs. Enfant, j'étais très près d'elle. En fait, je ne la lâchais pas d'une semelle. Je devais avoir besoin d'attention, car j'étais toujours dans ses jupes. Au lieu de s'en plaindre, elle embarquait dans mon jeu et me faisait participer à de nombreuses petites tâches dans la maison. C'est ainsi que si elle faisait la lessive, je l'aidais à tirer le linge à la sortie du tordeur.

J'essayais de l'imiter dans tout ce qu'elle entreprenait. Quand elle faisait le ménage, je la suivais pas à pas et j'agissais comme elle. Lorsqu'elle étendait son linge, elle m'installait une petite corde et me donnait des vêtements que je pouvais accrocher pour mon plus grand plaisir.

Si en général tout se passait bien, il m'est arrivé en une occasion de commettre une belle gaffe, en voulant une fois de plus imiter ma mère dans ses travaux ménagers. Voulant lui faire plaisir, je m'étais levée avant elle, un matin, pour cirer le plancher comme je l'avais vue faire si souvent. Au lieu de prendre la cire dont elle se servait habituellement, je n'avais trouvé rien de mieux qu'une boîte de sirop de maïs. Le résultat était spectaculaire, et le plancher n'avait jamais tant brillé, mais lorsque ma mère a marché dessus, en se levant, elle a eu la mauvaise surprise de constater que ça lui collait aux pieds. J'ai dû lui montrer ce que j'avais utilisé. Elle a heureusement fait preuve d'une patience exemplaire, ne me grondant pas, alors que je l'aurais bien mérité. Elle s'est mise à rire, en se demandant sans doute ce qu'elle avait fait au bon Dieu pour avoir une fille à l'imagination aussi débordante.

Quant à mon père, c'était mon idole. Il était pour moi le bon Dieu incarné. Je lui vouais une admiration sans bornes. Il était toujours souriant et aimait beaucoup rire. J'ai hérité de ce trait de caractère. Ma mère lui préparait chaque matin son verre de lait dans lequel elle cassait un œuf. Elle y ajoutait de la vanille et brassait le tout. Il semblait avoir tellement de plaisir à boire cette mixture que je le regardais avec émerveillement. Il chantait dès qu'il mettait le pied dans la salle de bains. Je l'entends encore fredonner «*Vive la vie, vive l'amour, vive la compagnie...*» C'était pour le moins entraînant et ça partait la journée du bon pied.

J'ai toujours aimé les gens souriants et je ne me souviens pas avoir vu mon père de mauvaise humeur. Il devait avoir comme tout le monde ses moments d'impatience ou de découragement, mais il ne les laissait jamais paraître. Il m'a beaucoup influencée dans ce sens et plus tard, quand j'ai traversé des périodes difficiles, j'ai su, tout comme lui, garder le sourire envers et contre tous.

Mon père aurait pu être architecte, comme ses frères, car il avait tout comme son propre père un talent naturel pour le dessin. Mon grand-père paternel avait d'ailleurs étudié les beaux-arts quelques années avant de finalement trouver un travail qui lui permettait d'exploiter son talent. Il dessinait les scènes d'accidents d'avion. C'était évidemment avant qu'on décide d'utiliser des photos. Il se rendait sur le lieu des différents écrasements et reproduisait ce genre de scènes. Il devait par la suite témoigner en cour, à titre d'expert.

Mais papa était un peu marginal et il a préféré choisir sa propre voie, quitte à avoir deux emplois, toute sa vie, pour boucler les fins de mois. C'est ainsi qu'il travaillait comme technicien en télécommunication au CNR le jour et qu'il passait des données à la Banque de Montréal la nuit. Pendant 30 ans, il n'a dormi en moyenne que quatre heures. Lorsqu'il était à la maison, il ne fallait pas parler trop fort pour ne pas le réveiller. C'était particulièrement difficile pour moi de ne jamais hausser la voix puisque j'étais une enfant plutôt agitée et bavarde. Je faisais cependant des efforts, car je savais que papa avait besoin de se reposer.

Mon père était aussi un athlète accompli. Il faisait des poids et haltères et aimait être en bonne forme physique. Il jouait régulièrement au golf et surtout il adorait participer à des courses de canots. Il a fait excellente figure dans plusieurs compétitions qui ont eu lieu dans la région de Shawinigan et de La Tuque. À l'époque, on avait même rapporté ses exploits dans les journaux locaux.

Papa aimait bien s'amuser, jouer aux cartes, sortir avec ma mère, en compagnie de différents couples d'amis. Il appréciait aussi, les fins de semaine, entendre jouer de la musique. Il nous réunissait alors, ma mère et tous les enfants, puis il sortait son petit tourne-disque portatif. Il faisait tourner des disques d'Elvis et disait: «Bon, dansons le rock'n'roll.» S'il lui arrivait de faire quelques pas avec ma mère, il préférait nous regarder danser avec elle. Maman nous apprenait les pas de base du rock'n'roll. Nous avions beaucoup de plaisir à nous divertir ainsi tous ensemble. Il y avait tellement de joie, tellement d'amour. Ce petit paradis familial allait beaucoup me manquer quelques années plus tard.

Après la radio et le tourne-disque, nous avons bientôt eu la télévision. Dès 1954, cet appareil est entré chez nous. Mon père, qui travaillait dans le domaine des communications, était comme son propre père fasciné par tous les nouveaux gadgets. Nous avons donc été les premiers de la rue à avoir la télé à la maison. C'était plutôt amusant de voir, certains soirs, des tas de visages aux fenêtres. C'étaient nos voisins qui, trop curieux pour résister, venaient se coller le nez à la vitre pour voir ce nouveau phénomène.

Mon père préférait regarder la télévision en anglais, sans doute parce qu'il travaillait dans un environnement anglophone. C'est ainsi qu'on suivait régulièrement les émissions *I Love Lucy*, *The Jackie Gleason Show* et *The Ed Sullivan Show*. Je m'amusais bien en regardant Lucille

Ball, peut-être parce que le prénom de son personnage était presque le même que le mien, en anglais. Je m'identifiais à elle et je me suis mise à rêver de devenir, un jour, une actrice. Curieusement, ce rêve m'a habitée bien avant celui de devenir chanteuse. J'aurais aimé jouer la comédie autant à la télévision qu'au cinéma. Il me semble que j'aurais été dans mon élément.

•

Pendant toutes ces années que j'ai passées à la maison avant d'aller à l'école, je ne me suis jamais ennuyée. Il se passait toujours quelque chose chez nous. L'été était une période particulièrement propice aux sorties en famille.

L'un de mes plus beaux souvenirs estivaux est à la fois simple et touchant. Pendant les grandes chaleurs, mon père se faisait un devoir, en revenant de travailler et juste avant d'arriver à la maison, de nous acheter de la crème glacée. Il aimait bien nous gâter, malgré ses moyens parfois limités. Je le revois encore descendre de l'autobus avec son journal sous le bras, marchant lentement vers moi. J'étais tellement excitée à l'idée de le revoir que je me postais chaque fois sur le bord du trottoir pour le regarder venir vers la maison.

J'aimais aussi lorsqu'il nous assoyait sur ses genoux tous les quatre, deux sur un genou, deux sur l'autre, pour nous raconter des histoires. Même s'il réussissait parfois à nous faire peur en nous racontant les aventures d'un ogre affamé qui risquait de nous dévorer, je n'aurais changé de place avec personne tant j'étais bien en compagnie de mon père. Comme tous les enfants, j'étais de toute façon très impressionnable, et ça ne me prenait pas grand-chose pour être effrayée. Je craignais par-dessus tout le Bonhomme Sept Heures. Je me souviens d'ailleurs d'une fois où une gardienne avait refusé de répondre à la porte, en prétextant que c'était sans doute un quêteux ou, pire encore, le Bonhomme Sept Heures qui voulait entrer. J'ai eu tellement peur que je suis allée me réfugier dans les toilettes et j'ai mis beaucoup de temps avant d'accepter d'en sortir.

En fait, nous aimions avoir peur et parfois nous étions les premiers à voir des dangers là où il n'y en avait pas vraiment. Une fois, mes parents avaient décidé d'engager un nouveau gardien pour s'occuper de nous pendant l'une de leurs nombreuses sorties du week-end. Il s'agissait d'un ex-détenu que mon père connaissait. En l'engageant pour nous garder, il voulait lui signifier sa confiance et l'encourager à rester dans la bonne voie. Toujours est-il que ce monsieur est arrivé à la maison. Je trouvais personnellement qu'il avait l'air plus bizarre que dangereux, jusqu'à ce qu'il décide de nous impressionner dans le but non avoué d'asseoir son autorité pendant le temps où il allait nous garder. Il voulait peut-être aussi tout simplement nous prouver que nous pouvions lui faire confiance et qu'il était capable de nous défendre, en cas de besoin.

Il a donc commencé par enlever sa chemise pour nous montrer différentes cicatrices qu'il disait avoir été causées par de nombreux coups de couteau. En l'écoutant, je commençais sérieusement à m'inquiéter. Mes craintes ont augmenté quand il a ajouté que tous ces coups lui avaient été donnés en prison. Il nous a aussi avoué qu'il avait été fouetté à plusieurs reprises. Peu rassurés, mon frère, mes sœurs et moi avons atteint un nouveau degré de frayeur lorsque notre gardien a ouvert une petite valise devant nous. Il faut dire que c'était moi qui avais eu l'audace de lui demander ce qu'elle contenait. Déchirée entre la curiosité et la peur, je n'avais pu me retenir de lui poser cette terrible question. L'ex-détenu a donc ouvert la valise, qui contenait de nombreux couteaux de toutes les grosseurs et de toutes les longueurs. À la vue de ces instruments, j'ai cru sincèrement que notre gardien allait à un moment donné nous faire un mauvais parti et que j'allais mourir. À cinq ans, je me trouvais bien jeune pour perdre la vie ainsi. J'étais d'autant plus craintive qu'il prenait bien son temps pour nous montrer un à un lesdits couteaux. Inutile de vous dire que j'avais les fesses serrées. Constatant qu'il avait obtenu l'effet escompté, soit celui de nous convaincre qu'il valait mieux être sages et lui obéir, notre gardien a fermé prestement sa valise et, comme si de rien n'était, nous a invités à le suivre pour aller acheter des cornets de crème glacée.

·

Mes parents profitaient de l'été pour nous emmener pique-niquer dans l'île Sainte-Hélène. Quels beaux souvenirs j'en garde! Je me revois avec émotion traversant le pont Jacques-Cartier à pied (car nous habitions à Longueuil). Carole était confortablement installée dans un carrosse alors que les trois autres enfants étaient à bord d'une brouette tirée par mon père. Nous transportions tout ce qu'il nous fallait pour bien manger et pour nous amuser. Maman nous préparait toujours de délicieux lunchs. De plus, elle savait varier les menus. Elle plaçait tout ce dont elle avait besoin dans une grosse glacière. Il y avait plein de légumes, de fruits, du pain, parfois de la soupe. On ne manquait vraiment de rien. Papa prenait le temps de jouer à la balle avec nous. On s'amusait follement.

L'été, c'était aussi la saison des voyages. Comme nous avions de la famille qui habitait aux États-Unis, plus précisément dans le Connecticut, nous prenions le train (car nous n'avions pas d'automobile à l'époque) pour rendre visite au frère et à la sœur de ma mère. Mon père obtenait des passes gratuites puisqu'il travaillait au CNR.

Ce séjour annuel de deux semaines était un véritable enchantement pour moi. J'adorais y retrouver mon cousin Billy. Il avait, à mes yeux, plusieurs qualités. Il avait mon âge, était plutôt beau garçon. Il était, en plus, gentil et drôle. Comme j'ai toujours aimé les gens qui me font rire, il n'a pas tardé à me séduire. Tout cela se faisait évidemment en toute innocence puisque nous avions à peine six ans à l'époque.

Une belle complicité s'est rapidement installée entre nous deux. Nos familles respectives nous emmenaient à Rocky Neck, une destination privilégiée des Québécois dans ce temps-là, et nous pouvions profiter de belles journées ensoleillées au bord de la mer. Pour deux enfants curieux, pour ne pas dire agités comme nous, la plage était un royaume privilégié pour essayer de nouveaux jeux.

Nous aimions, entre autres, attraper des crabes que nous attachions avec une corde pour les laisser descendre au-dessus des jeunes couples d'amoureux que nous croisions. Inutile de vous dire que notre petit manège mettait souvent fin à la séance de petits becs qu'ils auraient sans doute bien aimé poursuivre plus longtemps. Il arrivait aussi à Billy de faire fumer des grenouilles ou de m'enseigner des mots anglais à connotation sexuelle que je n'aurais pas dû connaître. Ça nous faisait rire et c'était sans grande malice. Je m'amusais tellement avec lui que je ne voyais pas le temps passer. J'étais toujours surprise lorsque nos parents nous annonçaient que nos vacances de deux semaines prenaient fin. Heureusement que je savais que nous reviendrions au Connecticut quelques mois plus tard, pour l'Action de grâce. Je me réjouissais déjà à l'idée que je pourrais alors revoir mon cher Billy.

J'avais tellement hâte d'y retourner que j'étais souvent intenable dans le train qui nous y conduisait. Mon père avait trouvé un truc très efficace pour me calmer un peu. Il me disait de compter les poteaux et il me promettait que nous serions rendus lorsque j'aurais atteint un nombre précis. Il y en avait tellement qu'il devenait rapidement monotone de les compter un à un. Je tombais immanquablement endormie, et mes parents pouvaient enfin respirer un peu et se détendre.

Nos parents nous emmenaient aussi parfois au lac Champlain. Cette fois, nous nous y rendions en autobus. Si tout se passait habituellement très bien lors de ces randonnées, une fois j'avais été très malheureuse. Mon père m'avait confié la responsabilité d'apporter les maillots de bain de toute la famille. Toujours aussi lunatique, et surtout très énervée à l'idée d'un si beau voyage, j'avais oublié les fameux maillots dans l'autobus. Nous avions donc dû, à ma grande honte, nous baigner en petite culotte. Aujourd'hui j'en ris, mais à l'époque j'avais trouvé la mésaventure beaucoup moins amusante.

Lorsque nous restions à la maison, je poursuivais mes jeux d'enfant en compagnie de mon frère, Michel. Comme j'étais un peu plus âgée que lui, j'aimais bien prendre l'initiative. J'étais haïssable comme pas une, mais je faisais faire mes mauvais coups par d'autres. J'avais du chien et c'est souvent moi qui prenais la direction des opérations.

J'avais suggéré un jour que l'on joue à Guillaume Tell, en nous servant d'un jeu de dards que nous possédions. C'est mon petit frère, Michel, qui devait nous servir de cible. Nous lui avions donc placé une pomme sur la tête, et un ami de mon frère lui avait lancé un dard, à ma demande. Je ne craignais pas un accident parce que dans les films que j'avais vus, ça marchait toujours sans problème. L'ami en question avait malheureusement raté sa cible, et le dard s'était planté assez profondément dans la joue de mon pauvre frérot. Nous avions profité du fait que c'était un samedi matin et que mes parents étaient restés au lit un peu plus longtemps. Nous étions sortis de la maison avant qu'ils ne se lèvent. Lorsqu'ils ont appris notre mésaventure, mon père et ma mère ont plutôt bien réagi. Ils ne se sont pas fâchés et ne nous ont pas punis. Ils se sont contentés de nous mettre en garde contre des jeux aussi dangereux. Nous avions de toute façon eu notre leçon et nous n'étions pas près de recommencer.

•

L'hiver avait aussi ses bons côtés, et nous voyions arriver le temps des fêtes avec beaucoup de plaisir. J'ai cru long-temps au père Noël. Je ne comprenais pas comment il pouvait descendre dans la cheminée de notre maison le soir de Noël alors qu'elle n'en avait pas, mais je préférais ne pas poser trop de questions. Je me contentais d'admirer notre bel arbre de Noël, un sapin naturel décoré. Pour une fois, nous avions tous hâte d'aller au lit, sachant qu'après minuit nos parents nous réveilleraient et que nous aurions droit à de beaux cadeaux.

L'hiver était aussi la saison privilégiée pour écouter la radio. J'adorais entendre les chansons de Gloria Lasso, de Dalida et du beau Georges Guétary. À trois ans, je m'imaginais déjà sur scène, en train d'interpréter toutes les chansons que j'avais apprises par cœur. La musique est entrée très tôt dans ma vie et c'était naturel pour moi de chanter. Je ne savais pas encore que j'avais du talent, mais je chantais pour mon plaisir et pour amuser mes proches. Ma mère m'a raconté qu'une fois, alors que j'écoutais la radio, elle avait été surprise de constater à quel point, malgré mon très jeune âge, j'aimais entendre les chansons qu'on y diffusait. Elle avait hâte chaque matin d'allumer le poste pour voir comment je réagirais. Elle m'a dit que je gazouillais comme un petit oiseau, essayant de fredonner les chansons que j'entendais. Elle m'a, plus tard, surnommée la pie car j'aimais, semble-t-il, autant chanter que parler. Il me semblait effectivement que j'avais toujours quelque chose à dire.

Comme ma mère avait une belle voix et que j'aimais l'imiter en tout, elle m'a servi de modèle. Maman m'a confié un jour que dès ma plus tendre enfance, elle a su que j'avais du talent. J'avais déjà une voix soutenue et nuancée et j'avais beaucoup de facilité à retenir les paroles et les mélodies. J'aimais m'imaginer sur une scène et je n'hésitais pas à faire des gestes presque théâtraux, comme si j'étais en train de donner un spectacle. Sans savoir que j'avais un don, je me rendais compte intuitivement que je pouvais apporter de la joie autour de moi, émouvoir et divertir, avec mes chansons. Je ne rêvais pas de gloire, mais plutôt du bonheur que j'aurais si je pouvais rendre les gens heureux, par la magie de la musique.

•

Ma mère tenait à ce que nous la respections, mais elle ne nous a jamais tapés. Elle était toujours douce et élevait rarement la voix. Elle misait plutôt sur son autorité naturelle. Il suffisait de la regarder dans les yeux ou de s'attarder au ton de sa voix pour savoir qu'il valait mieux se tenir tranquille et lui obéir. Mon père, par contre, n'hésitait pas à nous donner une petite tape sur les fesses, au besoin. Il prenait soin cependant de nous donner, auparavant, au moins trois avertissements. Ni l'un ni l'autre n'aimait abuser de ses pouvoirs de parent. De toute façon, même s'il nous arrivait d'être tannants comme tous les enfants de notre âge, nous étions en général plutôt sages et obéissants.

Même s'il était rarement à la maison en semaine, en raison de ses deux emplois, papa tenait à s'investir à sa façon dans notre éducation. C'est pourquoi il se faisait un devoir de nous téléphoner tous les soirs pour parler à chacun de nous. Il nous demandait comment s'était passée la journée et il n'hésitait pas à nous prodiguer de petits conseils s'il le jugeait nécessaire. Nous étions tous très heureux de lui parler, car il nous manquait beaucoup. Quelques années plus tard, quand j'ai commencé ma carrière, il a continué à me téléphoner régulièrement. Chaque fois, il me demandait si mon gérant était satisfait de moi. Pour lui, il était très important que je ne déçoive pas les gens qui avaient mis leur confiance en moi. Lui-même n'aimait pas déplaire aux autres et il m'a inculqué ses valeurs. Il était fier de moi et voulait s'assurer que je sois à la hauteur de ses attentes. Ses intentions étaient bonnes, mais on verra plus tard que j'ai fait l'erreur de suivre trop souvent ses recommandations à la lettre.

Papa était particulièrement enjoué et préférait de loin nous faire rire plutôt que nous faire pleurer en se montrant trop autoritaire. Il adorait blaguer. Il n'était pas rare qu'en revenant de travailler il me demande, avec un regard complice, si le laitier ou le boulanger avait profité de son absence pour venir rendre visite à notre mère. Tout le monde entrait dans son jeu, même ma mère, et le tout se terminait toujours par un immense éclat de rire.

Je les aimais beaucoup tous les deux mais, comme j'étais toujours avec ma mère, j'en arrivais parfois à oublier combien elle était importante pour moi. Avec mon père, ma relation était très spéciale, comme c'est souvent le cas entre un père et une fille.

La fin de semaine, il y avait presque toujours des amis à la maison. Mes parents étaient jeunes et aimaient recevoir. Ça jouait beaucoup aux cartes, et on nous couchait de bonne heure pour que les adultes puissent s'amuser tranquillement. Parfois ça discutait fort et ça nous empêchait de dormir. On devenait alors plus agités et bruyants, et mon père devait intervenir pour nous ordonner de dormir.

Comme tous les enfants, il nous arrivait parfois de jouer des tours pendables. Une fois, j'avais eu l'heureuse idée de saupoudrer généreusement le magnifique manteau de fourrure d'une des invitées de mes parents de poudre pour bébés. Tout ça parce que je n'aimais pas la couleur noire du fameux manteau et que j'avais voulu le blanchir. Vous imaginez la face de ma mère lorsqu'elle a découvert le pot aux roses. Heureusement pour moi que la propriétaire du manteau a pris la chose avec philoso-phie et n'en a pas été trop offusquée. Elle s'est contentée de dire qu'elle le ferait nettoyer, mettant ainsi un terme à l'incident.

Ce que je retiens de ces cinq premières années de ma vie passées dans la maison de mes parents avec mon frère et mes deux sœurs, c'est le souvenir d'une période de joie, de rires, de découvertes, de musique et surtout d'amour. Nous avons eu une très belle enfance tranquille et à l'abri des drames familiaux. Mes parents s'aimaient et ils nous aimaient aussi beaucoup. Il m'arrive parfois de regretter cette période d'innocence et de liberté. Je crois qu'une belle enfance, c'est le plus beau cadeau que nos parents puissent nous donner, et je remercie les miens d'avoir été aussi généreux à notre égard.

Chapitre 2

Mes années d'école primaire

Même si j'avais toujours été très heureuse à la maison, j'avais hâte de commencer l'école. J'espérais m'y faire de nouvelles petites amies, y vivre de nouvelles expériences; surtout, j'avais soif d'apprendre. De toute façon, la coupure n'allait pas être très pénible puisque j'habitais à cinq minutes de l'école, ce qui me allait me permettre de revenir manger à la maison, avec maman tous les midis. J'étais très sociable et j'avais le goût de vivre des aventures inédites. Sortir du cocon familial ne me faisait donc pas peur.

Dès les premiers jours, je suis tombée en amour avec l'école, avec les professeurs, avec les livres, les cahiers, les crayons... Tout m'émerveillait. J'ai aimé mon pupitre dès que je suis entrée dans ma classe. Je me souviens encore comme si c'était hier de l'odeur des crayons, du papier, de tout ce matériel scolaire qui allait me permettre de m'ouvrir au monde par la connaissance. Je me suis sentie à l'aise immédiatement dans ce décor. Il faut dire que je suis tombée, dès mes premières années scolaires, sur des professeurs de qualité. Je garde un souvenir particulièrement heureux de l'une d'entre eux. Elle s'appelait Éliane Benoît. Parmi tous ceux et celles qui m'ont enseigné, c'est elle qui m'a le plus marquée. Elle était tellement douce et si patiente avec ses élèves...

Toujours aussi dégourdie, je me suis adaptée à ma nouvelle vie d'écolière en un temps record. Tous les matins, j'avais hâte de me rendre à l'école. Je m'intéressais à tous les cours et je posais des dizaines de questions. Je voulais toujours savoir le pourquoi des choses. Je ne ressentais aucune gêne, et rien n'aurait pu m'arrêter. Mon seul problème, c'est que j'étais parfois distraite. J'avais aussi la mauvaise habitude de parler avec les autres élèves, ce qui m'obligeait à faire répéter le professeur, car je ne l'avais pas écouté avec suffisamment d'attention. Cela ne m'empêchait pas cependant d'avoir d'excellentes notes et d'être parmi les premières. Il faut dire que je travaillais très fort, que j'étudiais mes leçons et que je faisais mes devoirs avec beaucoup d'application. J'ai toujours été méticuleuse, même toute petite, et cette qualité m'a suivie lorsque j'ai commencé à faire carrière dans la chanson.

Il m'arrivait, à l'occasion, d'aller étudier chez de petites amies. Je m'étais liée d'amitié avec une fillette. Elle m'avait dit qu'elle avait un cœur de bœuf et qu'elle ne vivrait pas très vieille. Sa confession m'avait beaucoup émue et je m'étais attachée à elle.

•

Ma mère nous préparait un bon repas tous les midis. À l'époque, ce n'était pas la mode d'emporter des lunchs à l'école. Un jour, j'avais invité ma professeure à dîner à la maison. Je n'avais cependant pas cru bon d'en avertir ma mère au préalable. Le moins qu'on puisse dire, c'est qu'elle avait été surprise de me voir arriver avec de la compagnie pour le repas. Maman n'avait rien laissé paraître mais, après le départ de ma professeure, elle m'avait demandé de la prévenir la prochaine fois, afin qu'elle puisse préparer quelque chose de plus élaboré.

Pendant le repas, j'avais réussi à mettre ma mère mal à l'aise, en demandant naïvement à la professeure en question combien elle avait d'argent à la banque. Je m'imaginais qu'elle devait être riche, car j'attribuais à la fonction d'enseignante un statut social très élevé. Moins démontée que ma mère, ma professeure s'était contentée de rire lorsque maman m'avait dit que je ne devais pas poser ce genre de question indiscrète aux gens. Obéissante, j'ai répondu: «OK, je ne le ferai plus.»

Mon seul véritable problème à l'école, c'était qu'il m'arrivait de temps à autre de m'évanouir, surtout si je me retrouvais dans un trop gros groupe, s'il manquait d'air ou s'il faisait trop chaud. Ça m'est aussi arrivé une fois où mon père m'avait emmenée à la messe du dimanche. Comme j'étais encore toute petite, mon visage arrivait à la hauteur des fessiers des autres fidèles qui assistaient à la messe. Je me souviens qu'il faisait très chaud, ce jour-là, et que j'avais l'impression d'étouffer. Ça sentait tellement la transpiration que tout s'est mis à tourner dans ma tête et que je suis tombée dans les pommes. Mon père a gardé son calme et m'a prise dans ses bras pour me ramener à la maison. Dans le but de me réconforter, il a eu la gentillesse de me préparer une belle beurrée de confiture.

Je crois que je souffrais, sans le savoir, de claustrophobie. Aussitôt que je me trouvais prise dans un endroit fermé, je paniquais et commençais à me sentir mal. Ça s'est heureusement arrêté avec les années, et j'ai perdu l'habitude de m'évanouir un peu partout.

Malgré cette mauvaise expérience à l'église, j'aimais bien aller à la messe et prier le bon Dieu. J'appréciais tout particulièrement la période du mois de Marie; ma mère me confectionnait alors une jolie robe neuve avec une crinoline pour que je participe à la parade de Marie. Je priais avec ferveur, en récitant des «Je vous salue, Marie» à répétition. Nous avions même eu droit, une fois, à un saint sacrement sur notre galerie. J'avais été très impressionnée de voir tous ces gens venus se recueillir devant notre porte.

Enfant, j'étais très pieuse. J'adorais prier. De plus, j'étais fascinée à la vue d'un crucifix. Je pouvais passer de longues minutes à le fixer dans une sorte d'extase dont on arrivait difficilement à me sortir. J'aimais tout particulièrement prier la sainte Vierge, et tous les prétextes étaient bons pour le faire. Il m'arrivait, entre autres, de prier pour que mon père gagne lorsqu'il se procurait des billets d'une loterie de hockey. Je m'enfermais alors dans ma chambre, je m'assoyais sur le bord de mon lit et je récitais une dizaine de «Je vous salue, Marie».

•

Ce que j'aimais moins, par contre, c'était lorsque ma mère décidait, l'été venu, de me faire couper les cheveux et de couronner cette coupe d'une permanente afin que mes cheveux soient moins difficiles à entretenir pendant les vacances estivales. Je haïssais la tête frisée que ça me donnait. Je me trouvais laide. Je me rends compte aujourd'hui qu'elle le faisait sans mauvaise intention et pour se faciliter un peu la tâche, mais lorsqu'on est une petite fille, on ne comprend pas toujours les motivations des adultes et on cherche parfois à montrer son désaccord. C'est ainsi que j'ai décidé, un beau jour, de donner une petite leçon à ma chère maman.

Je suis allée étudier chez une petite amie et j'y suis restée très tard en soirée. C'était la première fois que j'agissais ainsi et que je quittais la maison aussi longtemps sans dire à mes parents où j'étais. C'est finalement la mère de ma copine qui m'a dit, en voyant l'heure avancée, que je devais rentrer car mes parents allaient sûrement s'inquiéter. Au retour, je n'étais pas pressée d'arriver à destination, car je savais que j'avais mal agi. Je prenais tout mon temps, dansant le twist et faisant un pas en avant, un pas en arrière. J'espérais retarder ainsi le moment où je me trouverais face à ma mère. J'imaginais le pire mais, à ma grande surprise, maman ne m'a pas chicanée lorsque je suis enfin arrivée à la maison. Elle m'a par contre fait comprendre qu'elle avait été très inquiète de mon absence. J'avais un peu honte de moi et je n'ai pas osé lui dire que j'avais agi ainsi parce que j'étais fâchée contre elle. Je ne lui ai d'ailleurs jamais avoué mes sentiments à ce sujet avant aujourd'hui. Elle va les apprendre en lisant ce livre.

Je me sentais tellement ridicule avec cette tête frisée que j'étais convaincue qu'on aurait pu me choisir pour faire le petit saint Jean-Baptiste. Cette perspective me hantait. Il faut dire qu'à cette époque il me manquait parfois une dent ou deux, et j'en étais consciente. J'étais une petite fille fière de son apparence et je n'aimais pas beaucoup ça lorsque je me rendais compte que je n'étais pas à mon avantage.

•

L'année de mes 11 ans fut déterminante à plusieurs points de vue, tant sur le plan personnel que sur celui de mon avenir professionnel. L'enfant insouciante et heureuse que j'avais été jusque-là allait connaître de grandes émotions qui la transformeraient à tout jamais.

Alors que je me rendais à l'école pour ramasser mon bulletin de fin d'année chez les sœurs, je me suis soudain sentie faible. Comme c'était le début de l'été et qu'il faisait chaud, je n'ai pas trop fait attention à la vague de chaleur qui avait soudainement envahi mon corps. À mon retour à la maison, comme je ne me sentais pas mieux, je suis allée aux toilettes, et c'est là que j'ai constaté que j'avais du sang dans mes petites culottes. J'étais inquiète, car je ne savais pas ce qui m'arrivait. Ma mère n'avait pas encore cru bon de me prévenir de ce qui attend toutes les jeunes filles un jour ou l'autre. J'avais probablement certaines notions au sujet des menstruations, car j'avais une sœur âgée d'un an de plus que moi, mais au moment précis où ça s'est passé, j'avais tout oublié. J'ai donc confié mes craintes à ma mère, qui m'a immédiatement rassurée en m'expliquant ce que je devais savoir à ce sujet.

En lui parlant, je me suis rappelée que, quelques années plus tôt, je l'avais surprise dans les toilettes en train d'essuyer du sang qu'elle avait sur elle. Je lui avais demandé, intriguée, si elle était malade. Jugeant qu'il était trop tôt pour m'expliquer le phénomène des menstruations, elle avait préféré me raconter une histoire qui m'avait beaucoup marquée. Elle n'avait, en effet, rien trouvé de mieux à me dire qu'elle saignait lorsqu'un de ses enfants lui avait fait de la peine. J'étais confuse et je me sentais terriblement coupable. À partir de ce jour, j'avais décidé d'être plus obéissante et de faire tout ce que maman me demanderait.

·

Entre l'âge de 11 et 13 ans, j'ai évidemment commencé à avoir de petits *chums*. Il y avait de nombreux garçons parmi nos voisins, et nous aimions nous rencontrer en petits groupes pour jouer, surtout pendant la période estivale. Nous aimions particulièrement les parties de ballon chasseur. Il nous arrivait souvent de nous retrouver face à la galerie de mes parents. Ma mère sortait alors et venait nous rejoindre pour jaser avec nous. À peine âgée de 30 ans, elle aimait être entourée de jeunes. Il faut dire qu'elle s'ennuyait parfois, car elle était toujours seule à la maison. Elle aimait se mêler à nous et avoir ainsi un peu de compagnie. En l'absence de mon père, elle se fiait un peu à ses enfants et à leurs amis pour la divertir. Elle était très sociable et adorait échanger et rire avec nous. Elle passait facilement pour notre grande sœur tant elle était jeune de caractère et enjouée. Nos petits amis nous enviaient d'avoir une mère aussi jeune. Il y avait d'ailleurs des garçons un peu plus vieux dans notre groupe qui la trouvaient de leur goût. Ma mère savait cependant garder sa place et, si l'un d'eux avait osé lui faire des avances un peu trop explicites, elle l'aurait sûrement remis à la sienne. Si maman faisait preuve d'un caractère très jeune lorsqu'elle venait se joindre à nous, elle savait, par ailleurs, reprendre son rôle de mère lorsqu'on rentrait à la maison. Il fallait alors lui obéir au doigt et à l'œil.

Comme toutes les jeunes filles de mon âge, j'ai donc commencé à m'intéresser aux garçons et à regarder de plus près ceux qui faisaient partie de mon entourage. Il y en avait certains que je trouvais plus beaux que d'autres. Pour moi, l'amitié était à l'époque quelque chose de plus important que l'amour. Je ne voulais pas avoir de petit ami régulier, car j'avais peur de déplaire au reste du groupe et de perdre l'amitié des autres. Les garçons étaient donc à mes yeux davantage des copains et des compagnons de jeu que des amoureux. Lorsqu'il m'arrivait de me rendre à des soirées, je n'appréciais pas que certains d'entre eux me collent de trop près en dansant ou, encore pire, essaient de me donner un petit bec. Le moins qu'on puisse dire, c'est que je devenais farouche.

C'est lors d'une de ces soirées que j'avais dansé avec un garçon un peu trop entreprenant. Il m'avait tellement collée en dansant que j'avais pu sentir combien il était excité: une bosse suspecte avait grossi dans son pantalon. En revenant à la maison, j'étais morte d'inquiétude. J'avais peur de tomber enceinte à la suite de cette aventure. J'ai passé la nuit à demander à ma sœur Diane si je risquais que ça m'arrive. Il est évident que je ne courais aucun danger puisque que je n'avais eu aucun contact sexuel avec ce garçon. Je constate aujourd'hui que notre génération n'était guère informée des mystères de la vie.

Après cette mésaventure, je n'ai plus jamais voulu danser de *slow* collée contre qui que ce soit. Ma réputation de fille prude a fait en sorte que, rapidement, les garçons se sont désintéressés de moi et que plus personne ne m'invitait à danser. Pour me désennuyer dans les soirées, je m'étais donné comme mission de surveiller ma grande sœur qui était un peu plus dégourdie que moi, tout en sachant garder sa place. En fin de compte, c'est elle qui réagissait normalement dans ce genre de situation. Malgré mes avertissements, elle ne se gênait pas pour danser collée contre les garçons et en embrasser certains lorsqu'ils lui plaisaient.

Je me souviens d'une autre fois où un garçon m'avait demandé de l'accompagner au cinéma Avalon, à Longueuil. Il s'appelait Michel, et je le trouvais de mon goût. Après tout, je n'étais pas faite en bois, et mes sens commençaient à s'éveiller. Avant de quitter la maison, j'avais cependant dû subir la mise en garde suivante de mon père: «N'oublie pas que si tu embrasses un garçon, tu risques d'attraper des microbes.» Mon père m'a avoué plus tard que c'était une blague qu'il avait voulu me faire, mais je crois que comme tous les papas il était inquiet de voir sa fille partir pour son premier rendez-vous amoureux. Toujours est-il que, soumise et influençable comme je l'étais alors, je me suis rendue au cinéma avec cette idée en tête que je ne devais pas embrasser le garçon qui m'accompagnait cette journée-là. Nous sommes allés voir un film d'Elvis Presley, *Blue Hawaii*. Le cinéma était rempli, comme tous les samedis après-midi, de couples de notre âge. Après un certain moment, mon cavalier d'un jour a voulu se rapprocher de moi pour tenter de faire ce que faisaient tous les autres jeunes autour de nous. Il m'a d'abord passé le bras autour du cou. Je n'étais pas très à l'aise, car je me sentais déchirée entre la mise en garde de mon père et le goût que j'avais de me laisser embrasser. Il a finalement réussi à me donner un petit bec, mais je l'ai vite repoussé et il n'a pas pu recommencer. À ma grande honte, je me suis réveillée le lendemain matin avec un gros feu sauvage sur la lèvre. J'étais d'autant plus gênée que j'ai croisé le même jour le garçon qui m'avait embrassée.

À cet âge, je ne me trouvais pas particulièrement jolie. Je me rendais bien compte que mon corps changeait et que je devenais lentement une femme. Je trouvais cependant que mes seins ne poussaient pas assez vite. Certains garçons du voisinage n'hésitaient d'ailleurs pas à me trai-ter de «cenelle», en comparant mes seins minuscules à de petites baies. C'est un fait qu'à 11 ans j'avais très peu de poitrine. J'étais si mince que je ressemblais à l'actrice Audrey Hepburn. J'aurais bien aimé avoir de plus gros seins et pouvoir porter un soutien-gorge qui les aurait mis en valeur. Les garçons semblaient préférer les filles qui étaient plus gâtées que moi de ce côté, et ça me désolait.

Même si j'étais mince et relativement bien propor-tionnée, je trouvais que ma sœur aînée était plus sédui-sante et plus *sexy* que moi. Cependant je ne l'enviais pas. Ça n'a jamais été dans ma nature d'être jalouse. Lorsque je me comparais aux autres filles de mon âge, je les trou-vais la plupart du temps plus belles que moi. Je m'étais liée d'amitié avec une jolie jeune fille blonde aux yeux bleus. Comme c'est souvent le cas lorsqu'on est une brune aux yeux bruns, on envie ces blondes qui ont l'air si doux et qui font tourner la tête des garçons. Ne dit-on pas que tout le plaisir est pour les blondes? J'aimais beaucoup cette fille, qui formait tout un contraste avec moi. J'ai eu beaucoup de peine lorsqu'elle est décédée de la leucémie, deux ans plus tard.

Je regrettais aussi de ne pas être mieux habillée. J'aurais voulu posséder de plus beaux vêtements. À l'école, nous portions un uniforme. J'avais donc dans ma garde-robe deux jupes grises et deux vestons assortis. À part ça, je n'avais pas grand-chose à me mettre. J'ai commencé à m'habiller à mon goût un peu plus tard, lorsque j'ai pu ga-gner des sous en chantant.

Il faut dire que mes parents n'étaient pas riches. Comme ma mère avait commencé une carrière de chan-teuse, le peu d'argent qu'ils avaient de surplus servait à lui acheter des vêtements de scène. Elle était toujours très bien habillée, tant sur scène que lorsqu'elle avait à sortir avec mon père. Maman était très belle, et comme elle avait dû sacrifier une partie de sa jeunesse pour élever ses quatre enfants, elle voulait profiter de la vie avant qu'il ne soit trop tard. Je la comprenais et je n'étais pas du tout envieuse. Je ne me suis d'ailleurs jamais sentie en compétition avec elle. Même si parfois j'en avais assez qu'elle passe pour ma grande sœur, j'étais heureuse qu'elle ait l'air si jeune et je l'admirais beaucoup. À 30 ans, elle était encore très séduisante. Elle avait un beau corps élancé et, comme elle était fière, elle aimait être bien habillée pour que son mari soit heureux de l'avoir à son bras.

•

Nous nous sommes parfois sentis délaissés, mes sœurs, mon frère et moi, parce que nos parents faisaient leur vie de jeunesse et sortaient beaucoup avec des amis, surtout les fins de semaine. Ils aimaient s'amuser et ils avaient bien raison, car ils nous avaient sacrifié leurs 20 ans. Ils nous avaient énormément donné de temps et d'attention durant nos premières années, et il était temps qu'ils pensent davantage à eux.

Ils aimaient donc sortir, voir des spectacles, aller danser. Pour eux, c'était normal d'agir ainsi. Parfois ça faisait aussi notre affaire de les voir partir, car ça nous laissait plus de liberté. C'est ainsi que nous avons appris très jeunes à être autonomes et à nous débrouiller seuls. Nous avons aussi appris à ne pas avoir peur des responsabilités. Personnellement, j'aimais bien m'occuper de mon frère, Michel, et de ma sœur Carole en l'absence de mes parents.

Je pouvais les materner à mon goût. Je me sentais grande et mature, et ça me donnait un sentiment de fierté.

Malgré ces quelques regrets, j'étais le plus souvent une adolescente heureuse, tout comme j'avais été une enfant heureuse. J'aimais la vie profondément. Je pense même que si j'avais eu à traverser de grosses épreuves à cette époque, j'aurais trouvé en moi la force et le courage d'y faire face. Je crois que j'ai eu un don pour le bonheur dès ma naissance. J'ai toujours su voir le bon côté des choses, même quand tout allait mal dans ma vie. J'évitais de m'apitoyer sur mon sort et de me regarder le nombril lorsque tout n'allait pas à mon goût. Ça me permettait de retrouver le sourire rapidement après une petite déception. Devenue adulte, j'ai conservé cette habitude de me tourner vers les autres pour oublier mes propres problèmes. C'est la meilleure façon de chasser sa peine, car venir en aide aux autres nous apporte tellement de richesse!

Alors que tant d'adolescents sont malheureux, en révolte contre toutes les formes d'autorité, moi, je traversais la vie avec le sourire, sans trop me soucier de ce qui n'allait pas. Je trouvais des excuses à tous ceux qui parfois me chagrinaient. Sans être parfaite, j'essayais de ne pas imposer mes défauts aux autres. J'avais le pardon facile lorsque je me chicanais avec mon frère ou mes sœurs. Ma mère, qui n'aimait pas la chicane, n'avait pas à insister longtemps pour que je fasse la paix avec un membre de la famille si le ton avait monté entre nous. Je n'avais pas de rancune même lorsque je me sentais contrariée.

J'avais malheureusement les défauts de mes qualités. J'étais parfois trop soumise et je ne m'imposais pas assez, même si j'avais raison. Dans ce sens, on peut dire que ma sœur Diane avait une personnalité plus forte que la mienne. Elle ne s'en laissait pas imposer, même par mes parents, si elle jugeait qu'ils avaient tort dans une situation donnée. Elle était moins dépendante que moi et surtout moins influençable. Mon frère, Michel, était comme elle. Quant à moi, je ressemblais plus à ma petite sœur, Carole. Nous manquions toutes les deux de confiance en nous.

C'est grâce à Carole que j'ai appris à me tourner vers les autres. Je sentais le besoin de la protéger. Le dimanche, on jouait à l'école, et j'avais beaucoup de plaisir à lui apprendre des choses. Pendant que nos parents dormaient, je m'improvisais professeure. Ma sœur Diane et mon frère, Michel, se joignaient parfois à Carole et à moi. Pour en revenir à Carole, je dirais qu'à cette époque ma petite sœur avait un complexe, car elle n'apprenait pas vite en classe. Elle manquait beaucoup de confiance en elle et se trouvait tellement laide que souvent elle se cachait sous le lit lorsque des visiteurs venaient à la maison. Obligée de porter d'épaisses lunettes pour corriger un léger strabisme, elle était malheureuse et se sentait diminuée. Il n'y avait que moi qui pouvais la convaincre, après de longues minutes de discussion, de sortir de sous le lit. J'essayais alors de la persuader qu'elle était aussi jolie que les autres et qu'elle n'avait pas à s'en faire. C'est d'ailleurs un fait qu'aujourd'hui elle a de très beaux yeux puisque son petit défaut a été corrigé.

Chaque fois que je rencontrais quelqu'un qui avait un complexe quelconque, j'avais de la facilité à me mettre dans sa peau et à lui venir en aide. J'ai toujours été protectrice, et il n'y a rien que j'aime mieux encore aujourd'hui que de venir en aide à quelqu'un qui croise ma route et qui a besoin d'un petit coup de pouce.

À l'époque, mon père voulait que j'aille à la messe tous les dimanches mais, comme les jeunes de mon âge, je commençais à me désintéresser de la pratique religieuse. Je trouvais que mon père était mal placé pour m'obliger à faire cela, car lui-même allait à l'église plus ou moins régulièrement. Il faut dire qu'il travaillait tellement fort que le dimanche était pour lui un jour de repos bien mérité. Mes parents, comme les autres adultes, étaient de plus en plus désabusés par les préceptes de l'Église qui changeaient constamment. Ce qui était obligatoire autrefois ne l'était plus maintenant (comme l'obligation d'avoir des enfants). Les cérémonies religieuses traditionnelles s'ouvraient aussi à la musique *gogo*, et finalement tout changeait sous prétexte de se moderniser.

Toujours est-il que je préférais, le dimanche matin, rejoindre mes amis au restaurant Chez Paul, plutôt que d'assister à la messe. La plupart des jeunes s'y donnaient rendez-vous pour boire une boisson gazeuse et manger une frite.

•

Même si j'ai peu chanté à l'école au cours de mon primaire, je continuais à m'intéresser beaucoup à la chanson. C'est sans doute pour cette raison que j'ai demandé, un jour, à mes parents de m'inscrire à un concours amateur qui avait lieu à l'école Ernest-Crépeau et qui était diffusé à la radio. J'écoutais cette émission régulièrement et je savais que je pourrais y faire bonne figure.

J'ai tellement insisté que mes parents ont finalement cédé et m'ont emmenée à ce concours qui pouvait me permettre, si je le gagnais, de repartir avec une caisse de bouteilles de boisson gazeuse Dr. Pepper. Je ne sais pas si c'est ce prix qui m'impressionnait ou si je voulais tout simplement chanter pour divertir les gens, mais je me suis retrouvée, un peu plus tard, en file pour entrer là où se tenaient les auditions. Toujours aussi frondeuse, j'ai décidé que je n'avais pas de temps à perdre et j'ai foncé, déterminée, vers la porte d'entrée. Je suis passée devant tout le monde sans sourciller. Malgré quelques protestations de la part des autres participants qui faisaient sagement la file, je suis entrée sans plus de formalité. À peine à l'intérieur, j'ai dit à la ronde: «Je suis Lucie Bernier et je ne suis pas capable d'attendre. J'ai peur de tomber sans connaissance si je reste trop longtemps en ligne.»

L'animateur, Paul-Émile Corbeil, était tellement surpris de me voir débarquer ainsi qu'il s'est mis à rire, en déclarant que je pouvais interpréter ma chanson immédiatement. Loin de perdre ma contenance, j'ai répondu que les musiciens devraient me suivre, car je n'avais pas l'expérience de chanter avec un orchestre. Ç'a été au tour des musiciens de pouffer de rire. L'un d'eux m'a fait remarquer avec à-propos que je devrais cependant apprendre à suivre la musique si je voulais, un jour, faire une carrière professionnelle. J'ai répondu: «C'est OK!» J'avais saisi le message et je n'étais pas près de l'oublier.

J'ai chanté, pour cette audition, un succès de Françoise Hardy, *Tous les garçons et les filles de mon âge*. Quand on m'a demandé dans quelle tonalité je voulais l'interpréter, j'ai répondu que je ne le savais pas, puis j'ai commencé à chanter avec conviction, en y mettant tout mon cœur. Je ne me suis arrêtée qu'une fois la chanson terminée. Malgré mon manque d'expérience, j'étais sûre de moi. Plus rien n'existait autour de moi. Ma voix était mélodieuse, avec de belles intonations. Je vivais ma chanson avec les mêmes gestes et la même présence que si j'avais été sur une scène. J'ai dû être convaincante, car à la fin j'ai eu droit aux applaudissements de tous ceux qui étaient là. Alors qu'on devait habituellement attendre quelques semaines avant de savoir si on était sélectionné pour participer au concours, Monsieur Corbeil a décidé que je passerais en ondes le jour même. J'ai reçu cette nouvelle comme si ce qui m'arrivait était normal. Je n'étais pas nerveuse, car me je me sentais prête à relever ce défi et à gagner la caisse de Dr. Pepper.

Plus tard, j'ai appris de la bouche de mon père que Monsieur Corbeil lui avait dit que j'avais du talent et qu'il fallait faire quelque chose de moi, sinon ce serait un talent gâché. Ce jour-là, j'ai gagné le concours et je suis repartie avec la caisse de Dr. Pepper. C'était mon premier concours et ma première victoire.

Mon goût pour la chanson a connu de nouveaux sommets lorsque ma mère a commencé à suivre des cours de chant classique avec Gérard Lavoie. Je lui avais demandé de l'accompagner, et elle avait accepté, car elle était heureuse de ne pas s'y rendre seule. Elle avait cependant posé une condition, qui était que je l'attende sagement dans le corridor pendant qu'elle répétait. J'entendais heureusement tout ce qui se passait dans la salle de cours et je faisais les vocalises qu'on enseignait à ma mère en même temps qu'elle. Je me souviens avoir appris par cœur l'opéra *Carmen*. J'écoutais religieusement tous les conseils du professeur et j'essayais d'assimiler toutes les techniques qu'il enseignait à ses élèves. C'est ainsi que j'ai appris à développer ma voix, à bien respirer, à contrôler mon vibrato. J'étais fascinée par ce milieu. J'avais l'impression d'avoir 20 ans et de faire partie des chanteurs de ces cours.

Au moment où j'ai gagné mon premier concours d'amateurs, ma mère a décidé de changer de professeur. Elle est allée chez Jacques Noël. Consciente que j'avais moi aussi une belle voix, elle a accepté cette fois que je suive des cours avec elle. Cette décision arrivait au bon moment, car si j'avais acquis une bonne technique de chant classique avec Monsieur Lavoie, j'avais besoin de *coaching* vocal pour interpréter des chansons populaires, ce qui était mon désir le plus cher.

Jacques Noël était le professeur idéal pour m'aider à poursuivre ma formation musicale. Ma mère l'avait rencontré lorsqu'elle avait commencé à suivre des cours d'expression corporelle chez Éliane Catela. Comme toujours, elle avait accepté que je l'accompagne. Jacques Noël était pianiste sur place, car à l'époque on ne travaillait pas avec des bandes sonores. C'était aussi un accompagnateur de chansonniers. En suivant des cours de chant avec lui, ma mère et moi pouvions choisir les chansons que nous voulions travailler. Nous nous rendions chez Archambault pour acheter des partitions que nous apportions ensuite dans nos cours. Notre professeur nous enseignait à suivre la musique et à garder le bon tempo.

Un jour, la belle-sœur de ma mère, dont le nom de scène était Takia et qui travaillait à La Casa Loma comme danseuse exotique avec un serpent, a appris que la direction d'un cabaret cherchait de nouveaux chanteurs pour donner des spectacles. Comme elle savait que ma mère suivait des cours de chant, elle lui a suggéré de poser sa candidature. Maman s'est donc rendue sur place et a immédiatement été engagée. C'est ainsi qu'elle a commencé une brève carrière de chanteuse de clubs. Deux semaines plus tard, elle a appris à son tour qu'on cherchit une autre chanteuse à Saint-Sauveur. Ne faisant ni une ni deux, elle m'a proposée pour ce travail, évitant évidemment de dire que je n'avais aucune expérience. Elle a si bien plaidé ma cause que j'ai été engagée. J'ai appris cependant à la dernière minute que je devrais aussi être maîtresse de cérémonie. Même si j'étais morte de trac à l'idée de devoir parler en public, j'ai accepté de relever ce défi. Ce premier engagement professionnel a eu lieu à l'hôtel Val Rian de Saint-Sauveur.

Comme j'avais à peine 13 ans, mon père m'a dit avec pertinence que je devais me vieillir un peu et essayer d'avoir l'air un peu plus sexy pour séduire mon auditoire. Il m'a convaincue de porter des coussinets puisque je n'avais toujours pas beaucoup de buste. J'ai dû aussi emprunter des robes de ma mère puisque ma garde-robe était extrêmement limitée. Ce fut relativement facile puisque nous avions à peu près la même taille. Je mettais aussi ses souliers à talons hauts et je me maquillais pour me vieillir. Je me sentais un peu déchirée entre l'image de belle jeune femme à la poitrine généreuse et sexy que j'adoptais sur scène, et la petite fille que j'étais vraiment, avec tout ce que ça pouvait comporter de naïveté et d'inexpérience avec les hommes. Cette contradiction qui m'habitait m'a fait passer presque directement de l'enfance à l'âge adulte, sans vraiment vivre mes années d'adolescence comme les au-tres filles de ma génération. Pendant qu'elles s'amusaient à des jeux de leur âge, moi, je devais me comporter en adulte, en chantant dans des clubs où l'alcool et la cigarette circulaient librement.

Si l'idée de chanter ne m'angoissait pas, mon rôle de maîtresse de cérémonie me terrifiait. Ça ne s'est d'ailleurs pas très bien passé à mon premier essai. Je devais présenter, l'un après l'autre, un équilibriste et une danseuse exotique qui portait des voiles. Morte de trac, j'ai tout mélangé, et les deux artistes se sont retrouvés sur la scène en même temps. Ils se nuisaient évidemment l'un à l'autre. Heureusement que j'avais mieux fait comme chanteuse, sinon ma carrière aurait bien mal commencé. J'ai touché un cachet de 15 $ pour cette première soirée de travail. Ce n'était pas beaucoup, mais c'était un début.

Ma mère et moi avons donc, pendant un certain temps, mené des carrières parallèles de chanteuses. Le nom de scène de maman était Janie Berre, un diminutif de son véritable nom, Jeanne-Mance Bernier. Un peu plus tard, elle a cependant renoncé au métier de chanteuse, car ça la rendait trop nerveuse. Elle trouvait peut-être qu'elle avait commencé sa carrière sur le tard, à 33 ans. Elle a constaté qu'elle préférait consacrer toutes ses énergies à s'occuper de ma propre carrière et à me suivre partout où je donnais des spectacles. C'était une excellente idée car, à 13 ans, j'avais évidemment besoin que quelqu'un me serve de chaperon.

•

Alors que je donnais un spectacle à Princeville, le patron de la boîte m'a annoncé qu'il n'aimait pas mon nom, qu'il prononçait d'ailleurs Lucie BARNIER. Il trouvait que ça ne faisait pas assez professionnel. Il a donc décidé un soir de me présenter, sans me prévenir au préalable, sous le nom de Marilyn Salvador. J'ai détesté ce nom de scène dès que je l'ai entendu. Je trouvais que ça avait plutôt l'air d'un nom de danseuse exotique. Pour ne plus me faire prendre, j'ai décidé de choisir moi-même mon nom d'artiste. Ma mère allait me proposer quelque temps plus tard un nom de scène auquel elle avait d'abord pensé pour elle-même. Ce pseudonyme allait me séduire sur-le-champ.

Je ne le savais pas encore, mais j'étais sur le point d'entreprendre une véritable carrière professionnelle. Pour le moment, je devais partager mon temps entre l'école la semaine et le showbiz les fins de semaine. Ce n'était pas toujours facile, et certaines religieuses n'appréciaient pas le style de vie que je menais. L'une d'entre elles m'avait même entraînée une fois vers la fontaine pour me demander de me nettoyer le visage et d'enlever toutes traces de maquillage. J'avais refusé en disant que je voulais être actrice et que c'était important que je m'entraîne à me maquiller dès maintenant. J'ai dû encore une fois être convaincante, car elle m'a laissée tranquille. J'ai donc pu continuer à mener deux vies de front, celle d'étudiante et celle de chanteuse populaire qui gagne sa vie dans les clubs.

Le fait de devoir me vieillir pour chanter dans les clubs créait parfois des situations un peu loufoques. Ma mère avait, en effet, eu l'idée de se faire passer pour ma sœur afin que je n'aie pas l'air de la petite fille que sa maman suit partout. Un musicien de 22 ans (le batteur qui jouait dans l'orchestre), me croyant sans doute plus âgée, avait un petit béguin pour moi. Il avait pris l'habitude de s'asseoir avec ma supposée sœur et moi pendant les pauses. Un soir, mon père est arrivé au club à l'improviste pour m'entendre chanter (ce qu'il faisait régulièrement car il adorait me voir en spectacle).

Vous imaginez la situation. Nous avions tous le fou rire, et le pauvre musicien qui était avec nous ne comprenait pas la raison de notre soudaine bonne humeur. Il n'était évidemment pas question que ma mère (qui pour lui était ma sœur) présente mon père sous sa véritable identité. Maman a finalement inventé une histoire dans laquelle mon père, qui était le plus surpris de tous, devenait mon beau-frère et portait le nom de Ludger. Le musicien qui s'intéressait à moi n'a jamais su le véritable lien familial qui nous unissait tous et, comme notre histoire a été sans lendemain, il n'a pas été utile de l'en informer.

En 1965, ma carrière naissante allait franchir une autre étape importante. Ma mère, qui songeait à mettre fin à sa carrière de chanteuse et à qui l'on avait offert de participer à un concours d'amateurs diffusé sur les ondes de CKVL, décida de m'y inscrire. Elle avait réussi à convaincre la recherchiste, tante Pauline, d'accepter ma candidature. Celle-ci devait trouver de nouveaux talents pour ce concours radiophonique qui faisait partie de l'émission intitulée *Vive la vie*, animée par Claude Séguin et Jacques Desbaillets. La rencontre entre tante Pauline et ma mère avait eu lieu dans un club de Sorel, où maman chantait à ce moment-là. C'est en revenant à la maison, à la fin de la soirée, que mon père et ma mère se sont mis d'accord pour que je change de nom. Comme celui de Chantal Pary que ma mère me suggérait me convenait, j'ai donné mon accord. Ils ont profité de cette discussion pour me demander de participer au concours radiophonique de CKVL.

Mon père se sentait particulièrement soulagé que je change ainsi de nom, car il se disait que si je faisais mauvaise figure au fameux concours de CKVL, je me sentirais moins gênée, puisque personne ne saurait que Lucie Bernier et Chantal Pary étaient une seule et même personne. Il voulait aussi éviter que les filles de l'école soient jalouses de moi si je gagnais le concours.

La semaine suivante, j'ai donc fait une première apparition à ce concours radiophonique très populaire à l'époque, et j'ai gagné. En fait, je l'ai remporté sept jours d'affilée. Sans que je le sache encore, un producteur de disques avait entendu parler de ma performance et il s'apprêtait à me faire une offre que je ne pourrais pas refuser.

Chapitre 3

Mes débuts professionnels

À la suite de ma série de sept victoires consécutives à CKVL, les deux animateurs du concours m'avaient consacrée «artiste professionnelle». Jacques Desbaillets et Claude Séguin animaient aussi *Télé Métro*, une émission quotidienne à l'antenne du Canal 10. Diffusée à l'heure du souper, cette émission remportait un vif succès. Pour confirmer mon nouveau statut de professionnelle, ils avaient eu la gentillesse de m'y inviter. Je me souviens que c'était Rod Tremblay qui était au piano. J'avais interprété une chanson, et ça s'était bien passé. Je venais, à l'âge de 14 ans, de participer à ma première émission de télévision.

Les choses évoluaient de plus en plus rapidement dans ma carrière. C'est à ce moment que le chanteur Roger Miron, qui produisait aussi des disques, a décidé d'entrer en contact avec mes parents et moi par le biais de son assistant, Yvan. Monsieur Miron m'avait entendue chanter au concours de CKVL et avait, semble-t-il, immédiatement perçu que j'avais du potentiel pour faire des disques. Il a donc voulu savoir si j'étais libre afin de m'offrir un premier contrat d'enregistrement. Comme j'étais mineure, il a dû s'entendre avec mes parents, qui ont donné leur accord.

Pour la première année de ce contrat, je devais participer avec d'autres chanteurs à une série d'enregistrements d'albums qui regroupaient les succès du mois. C'est ainsi que j'ai enregistré entre autres une chanson de Claire Lepage, *Bang bang*, de même que *Je serai toujours à toi* et *Pense à notre amour*. Il suffisait qu'une chanson prenne la tête du palmarès des disques 45 tours pour qu'elle soit placée sur ces albums compilations qui obtenaient de bons succès de ventes.

J'étais ravie d'enregistrer ce matériel, même si c'étaient des chansons que d'autres artistes avaient popularisées. J'ai appris beaucoup au cours de cette année-là. Ça me donnait l'occasion de travailler avec de très bons musiciens. Mais le plus important, c'est que j'ai pu acquérir de l'expérience en studio. Lorsqu'est venu le temps d'enregistrer mes propres chansons, cette expérience m'a été fort utile.

Yvan, qui avait communiqué avec moi au nom de Roger Miron, est alors devenu mon premier gérant. Contrebassiste, il menait sa propre carrière de chanteur de jazz. Il se produisait régulièrement en duo, entre les spectacles des artistes invités à l'hôtel Plaza, situé dans le Vieux-Montréal. Son expérience du métier aurait pu m'être bénéfique et il aurait pu m'aider considérablement dans ma carrière, mais je me rends compte aujourd'hui que son influence n'a pas toujours été positive pour moi. J'étais encore très jeune, et ma confiance en moi était fragile. Au lieu de m'encourager, en vantant mon talent qui ne cherchait qu'à grandir, il s'est rapidement évertué à miner mon moral par des remarques pas toujours très pertinentes.

C'est ainsi qu'il m'a dit un jour: «Si tu veux réussir dans la vie et dans ta carrière, dis-toi toujours que tu es moins talentueuse que les autres. Tu ne seras jamais bonne, c'est pourquoi tu devras travailler plus fort pour réussir dans ce difficile métier de chanteuse.» Comme motivation, il aurait pu trouver mieux! Il s'était même permis de dire à mon père que celui-ci avait de trop grandes ambitions pour sa fille. Il lui avait conseillé de calmer ses attentes et de se montrer plus réaliste quant à l'avenir de ma carrière.

Il avait aussi pris l'habitude de venir régulièrement chez nous et de se mêler de ma vie privée. C'est ainsi qu'il me répétait sans cesse qu'il était important que j'aille à la messe tous les dimanches. Il tentait aussi de me convaincre qu'il était essentiel pour ma carrière que je n'aie pas de petit ami. Il me disait: «Il faut que tu n'aies personne autour de toi afin que tu puisses te consacrer entièrement à ton métier.» Ma mère en était d'ailleurs venue à se demander s'il n'avait pas le béguin pour moi.

Lorsque j'allais répéter de nouvelles chansons dans son bureau, il lui arrivait fréquemment de manquer de patience avec moi, d'élever la voix et même de sacrer. Il faut dire qu'il me faisait souvent reprendre des chansons de jazz de Nancy Wilson et que ce n'était pas facile pour moi de chanter en anglais. Son attitude agressive me perturbait, d'autant plus que mes parents m'avaient élevée dans la douceur, loin des cris et des chicanes. Mon gérant n'était pas toujours gentil avec moi et, comme j'étais très sensible, j'avais de la difficulté à supporter son ego très fort. Je pense aujourd'hui que c'était peut-être un chanteur frustré qui déversait sa hargne sur moi. Je n'osais cependant pas me plaindre à mes parents, car j'avais peur qu'ils m'interdisent de poursuivre ma carrière, en craignant que ce soit trop difficile pour une jeune fille de mon âge.

Ce premier gérant aurait dû se rendre compte que je chantais d'abord et avant tout pour mon plaisir, non pour la gloire. Sans doute que s'il avait mieux compris mon état d'esprit, il aurait cessé de me dire des choses négatives qui me faisaient me sentir constamment diminuée. En raison de la pression qu'il mettait sur mes épaules, j'ai commencé à perdre lentement cette belle naïveté d'enfant qui m'avait permis jusque-là de n'avoir peur de rien. Je me suis mise à douter de moi. Chanter était devenu une tâche plutôt qu'une joie.

Je continuais cependant à enregistrer des succès du mois et à en faire la promotion. C'est d'ailleurs pendant l'une de ces tournées de promotion que j'allais faire la connaissance d'un animateur de radio qui, quelques années plus tard, changerait ma vie. André Sylvain était animateur à CHRS. Je l'ai rencontré lors d'une entrevue radiophonique. Je dois avouer que je l'ai immédiatement trouvé séduisant avec ses beaux cheveux blonds et ses grands yeux bleus. De plus, il avait le charme de la maturité (j'ai appris plus tard qu'il avait 11 ans de plus que moi). Il parlait très bien, d'une voix chaude et grave, avec une diction parfaite. Il s'était montré très gentil avec moi. Je l'avais trouvé doux, calme et surtout rassurant. J'avais seulement 14 ans, et il avait su me mettre en confiance dès les premières minutes de notre rencontre.

Il faut dire que j'étais un peu nerveuse lors de cette entrevue et que mes réponses tardaient parfois à venir. Timide, je me contentais parfois de sourire plutôt que de répondre aux questions, oubliant que les silences à la radio sont inacceptables. Bon prince, André Sylvain répondait à ma place lorsque je manquais d'assurance. C'est un fait que je n'ai jamais eu la parole facile et que certaines questions de l'animateur sur le sens de la vie ou sur mes expériences personnelles m'apparaissaient un peu complexes. Quand on est encore adolescente, certaines réponses nous viennent moins facilement. Je me sentais stupide et je me rendais compte qu'à part chanter, il n'y avait pas grand-chose de facile dans l'exercice de ce métier encore tout nouveau pour moi.

Le premier contact avec André Sylvain a donc été sympathique et très positif, d'autant plus qu'il chantait lui aussi et qu'il jouait de la guitare. Nous avions des champs d'intérêt professionnels communs. Je ne ressentais cependant pas encore d'amour pour lui, car j'étais trop jeune et trop inexpérimentée dans les choses du cœur. Après cette première rencontre, André a gardé contact avec moi. Il me téléphonait tous les trois mois pour prendre de mes nouvelles. Il l'a fait jusqu'à ce que notre relation d'amitié évolue et se transforme en autre chose. En y repensant, je pense qu'il avait déjà des sentiments amoureux envers moi. L'air de rien, il lui arrivait de me demander si j'avais un petit ami, et il semblait soulagé lorsque je lui répondais non.

•

Parallèlement à l'enregistrement des *Succès du mois*, je continuais à donner des spectacles, les fins de semaine, dans les différents cabarets de la province. À un moment donné, j'ai dû faire un choix entre ma carrière et mes études. Mon père a alors convoqué un conseil de famille réunissant ma mère, mon frère et mes deux sœurs. Il m'a dit: «Il faut que tu décides ce que tu veux vraiment faire de ta vie.» Papa avait bien raison de poser le problème en ces termes, car la situation était devenue intenable pour moi, et il fallait prendre une décision. Même si ce n'était pas facile pour une jeune fille de 15 ans de chanter dans des cabarets souvent bruyants devant des clients qui buvaient parfois trop et avec des musiciens qui n'arrivaient pas toujours à suivre le rythme, parce que certains consommaient autant que les clients, je voulais poursuivre ma carrière.

De toute façon, ce n'était pas plus drôle à l'école, car je devais composer avec des élèves dont plusieurs étaient jalouses de mes succès. On m'avait en plus changée d'école, ce qui n'arrangeait rien puisque j'avais perdu toutes mes amies et que je ne connaissais personne là-bas. Curieusement, même si j'habitais encore Longueuil, on m'avait placée pour deux mois dans une école de Varennes afin que je puisse terminer ma 10e année.

Comme si tout cela ne suffisait pas, un professeur semblait s'intéresser un peu trop à moi. Il m'avait demandé de chanter devant toute la classe. Malgré son insistance, j'avais refusé, ne voulant pas attirer l'attention sur moi, sachant bien que ça créerait encore plus de tensions entre moi et les autres filles. Au lieu de passer à autre chose, le professeur a décidé d'interrompre son cours et de s'asseoir à mes côtés. Les autres filles étaient évidemment vertes de jalousie, croyant à tort que j'étais contente de la tournure des événements qui faisait de moi le centre d'attraction de la classe. Or, c'était tout le contraire, et je n'avais qu'une chose en tête, c'était qu'il s'éloigne au plus vite. Je savais trop bien que son attitude allait créer des frictions.

Je ne m'étais pas trompée et, à la fin des classes, un groupe de filles m'attendaient dans les toilettes pour me corriger de belle façon. Il me semble qu'elles étaient au moins 50 à vouloir me donner une leçon que je n'oublierais pas de sitôt. Pour empirer les choses, il y avait parmi elles une fille dont le petit ami m'avait demandé de sortir avec lui. Même si j'avais dit non, la fille en question m'en voulait terriblement. C'est sûrement elle qui avait monté toutes les autres contre moi. Je ne me souviens pas exactement de ce qui s'est passé, mais lorsqu'elles se sont précipitées pour me faire un mauvais parti, j'ai senti naître en moi une force dont je ne me serais pas crue capable. Toujours est-il qu'à la fin de l'assaut j'étais saine et sauve, sans aucune marque ni égratignure, alors que plusieurs de mes assaillantes étaient dans un piteux état. Je me suis battue avec l'énergie du désespoir. Ce sont sans doute mes nerfs qui m'ont sauvée, d'autant plus que j'étais seule pour les affronter, car la seule amie que j'avais s'était enfuie, prenant ses jambes à son cou juste avant le début des hostilités. Tout à coup, je n'avais plus eu peur de rien. Les leçons de boxe que mon père m'avait données quelques années plus tôt m'avaient sans doute aidée à asséner quelques bons coups. Mes consœurs de classe n'ont plus jamais osé m'attaquer par la suite.

Le fameux professeur qui était à l'origine de toute cette controverse n'allait pas lâcher prise aussi facilement. Il avait profité de la situation tendue qui régnait après la bataille pour me proposer de me raccompagner en voiture, sous prétexte que ce serait sans doute dangereux pour moi de me retrouver avec mes assaillantes dans l'autobus scolaire qui devait nous ramener chacune chez nous. Il m'a donc reconduite chez mes parents ce soir-là. Ma mère l'a reçu les bras ouverts, avec sa gentillesse et sa naïveté habituelles. Elle le voyait comme le héros qui avait protégé sa fille de la jalousie des autres élèves.

Mon professeur profita de ce chaleureux accueil pour demander à maman s'il pouvait m'inviter à manger au Ramada Inn. Même si je ne voulais rien savoir de lui, j'ai entendu ma mère lui répondre qu'elle n'y voyait pas d'objection. J'étais tellement furieuse de la tournure des événements que j'ai décidé de me rajeunir volontairement pour ce souper et de m'habiller tout croche, même si je me doutais bien que mon professeur m'invitait dans un restaurant chic puisqu'il avait la réputation d'être à l'aise financièrement. En plus d'être enseignant, il possédait en effet une bijouterie.

Je dus me résoudre à accompagner cet homme que je trouvais laid et sans intérêt. Je me suis cependant bien vengée, car une fois au restaurant, j'ai commandé un hot dog alors que j'aurais pu avoir droit au grand service et à des plats gastronomiques. Je tentais ainsi de le mettre mal à l'aise et de lui faire comprendre une fois pour toutes que je ne voulais rien savoir de lui. Mon attitude négative, qui frôlait l'insolence, n'a pas semblé le décourager, car pendant le repas il m'a confié qu'il aimerait bien m'épouser un jour. D'ailleurs, en route vers le restaurant, il ne s'était pas gêné pour me dire qu'il me trouvait de son goût, en posant sur moi des regards langoureux. J'avais eu tellement peur de lui que j'avais cru un moment qu'il tenterait peut-être de me violer. Effrayée, je gardais la main serrée sur la poignée de la portière, en me disant que si les choses se corsaient, j'allais sauter sur le boulevard

Métropolitain pour échapper à ses avances. Devant mon peu d'intérêt, il s'était cependant ravisé et avait calmé ses élans amoureux.

À notre retour à la maison, il avait bien compris que je n'accepterais jamais ses avances. Alors que je croyais ma soirée de cauchemar enfin terminée, ne voilà-t-il pas qu'il entre dans la maison avec moi pour saluer, une dernière fois, ma mère qui, ignorant ce qui s'était passé entre nous, ne trouva rien de mieux que de lui offrir une boisson gazeuse. Voulant me venger de toute cette histoire, je lui ai servi sa boisson dans un verre que notre chien avait l'habitude de mâchouiller. Ma pauvre mère était gênée, et laissez-moi vous dire que la soirée ne s'est pas prolongée outre mesure.

Cette mésaventure nous avait convaincus, mes parents et moi, que je n'avais plus ma place à l'école, d'autant plus que ma carrière commençait sérieusement à prendre de l'ampleur. Le petit conseil de famille, convoqué par mon père, avait donc pour but de consulter ceux qui vivaient sous le même toit que moi pour leur demander s'ils avaient des objections au fait que je lâche l'école pour me consacrer entièrement à ma carrière. Cela sous-entendait que ma mère serait souvent absente de la maison, car elle devrait me suivre dans tous mes déplacements. Pour mon plus grand bonheur, tout le monde donna son accord. Il faut dire que mon frère et mes sœurs étaient sans doute contents de pouvoir jouir ainsi d'une plus grande liberté d'action. Si mes parents leur avaient parfois manqué lorsqu'ils étaient enfants, une fois adolescents, ils appréciaient l'autonomie que leurs absences leur donnaient.

Quant à moi, j'étais malheureuse dans les deux situations et j'espérais que le fait d'éliminer un problème, en m'éloignant de la jalousie des autres élèves, m'enlèverait un peu de pression. Je n'aimais guère le climat qui régnait dans les cabarets où je me produisais, mais j'arrivais à tout oublier lorsque je montais sur scène et que je me mettais à chanter. Je savais déjà à cette époque que je ferais ce métier toute ma vie, envers et contre tous. C'était la seule chose dont j'étais vraiment sûre: il n'y avait rien d'autre que j'aimais mieux que chanter.

•

Tel que stipulé dans mon contrat, mon producteur me proposa, au bout de presque un an, d'enregistrer mon premier 45 tours. C'est ainsi qu'après avoir endisqué les succès des autres, je pouvais enfin défendre une chanson qui m'était spécifiquement destinée. Il s'agissait de *L'amour vient, l'amour va.* Ce fut mon premier succès au palmarès, et j'en ai vendu presque 25 000 exemplaires. Même si ça n'a pas été très payant puisque je ne touchais alors que 1,5 ¢ par copie vendue, ça m'a permis de mieux me faire connaître et de participer à de nombreuses émissions de radio et de télévision. Les journaux ont aussi commencé à s'intéresser à moi.

J'avais déjà participé plus ou moins régulièrement à des émissions de télévision diffusées dans la région de Sherbrooke, à partir de la station CHLT. Roger Miron, mon producteur de disques, animait une émission là-bas, et il m'invitait à titre de figurante pour faire la promotion des albums des grands succès. Il ne ratait jamais une occasion de dire pendant son émission que j'allais bientôt endisquer un 45 tours. C'était une excellente façon de me faire connaître du public, presque un an à l'avance.

Lorsque j'ai commencé à faire la promotion de *L'amour vient, l'amour va*, je n'étais donc pas tout à fait une inconnue.

Il fallait cependant que je fasse de la télévision à Montréal pour qu'on me connaisse dans toute la province. À l'époque, *Jeunesse d'aujourd'hui* était le meilleur véhicule promotionnel pour les artistes qui avaient un disque à vendre. Je me souviens de ma première participation à cette prestigieuse émission. Curieusement, je n'étais pas du tout impressionnée. On aurait dit que j'avais passé ma vie devant les caméras. S'il m'arrivait d'avoir le trac avant le début d'une émission, celui-ci s'estompait dès que je commençais à chanter. Alors que j'étais si timide dans la vie, je me transformais devant les caméras et j'oubliais qu'il y avait des milliers de téléspectateurs qui me regardaient.

J'ai donc fait énormément de promotion pour la sortie de mon premier disque, qui est rapidement devenu un succès, se hissant aux premières places du palmarès. À force de me voir à la télévision, les gens ont commencé à me reconnaître dans la rue, et j'ai dû apprendre à composer avec la gloire et la notoriété. Je n'aimais pas vraiment cela. J'aurais préféré rester dans l'anonymat et pouvoir vivre comme n'importe quelle autre personne. C'était évidemment un peu naïf de ma part, car c'est normal que le public soit curieux de parler et même de toucher une vedette lorsqu'il la croise dans la rue.

Craignant constamment d'être reconnue, je me suis mise à porter des lunettes noires, comme les stars de cinéma. Ma mère avait beau me répéter que c'était une béquille, je persistais à vouloir me cacher derrière des verres fumés, espérant passer inaperçue. J'essayais d'aller dans les magasins en dehors des heures d'affluence, pour éviter les foules. J'avais d'ailleurs déniché une jolie petite boutique dans laquelle je me rendais régulièrement. Avec le temps, les propriétaires étaient devenues des amies et elles me conseillaient dans mes achats, à l'abri des regards indiscrets.

J'avais acheté la robe que je portais pour ma première apparition à *Jeunesse d'aujourd'hui* chez Reitman's. Je ne l'avais pas payée cher, car mes moyens étaient encore limités dans ce temps-là. Je l'aimais bien, mais lorsque j'ai commencé à la comparer à celles que portaient les autres chanteuses qui participaient à la même émission que moi, j'ai été gênée. Par la suite, j'ai souvent eu l'impression d'être moins bien habillée que les autres vedettes féminines, qui avaient sans doute plus d'argent que moi et qui n'hésitaient pas à dépenser beaucoup pour leurs vêtements de scène. Il faut dire que certaines d'entre elles ne se gênaient pas pour se vanter des sommes parfois astronomiques qu'elles investissaient dans leur garde-robe. Je n'osais pas parler, car je savais que mon budget était trop serré pour me permettre des extravagances vestimentaires.

Si, à mes débuts, j'étais parfois intimidée en public, je ne le montrais cependant jamais. Je projetais l'image d'une artiste très sûre d'elle. Jamais je n'aurais laissé paraître ce que je ressentais réellement. Toute ma vie, j'ai affronté mes peurs sans jamais reculer.

Le public m'a heureusement adoptée très rapidement. Je pense aujourd'hui que les gens se sont reconnus en moi. Je ne jouais pas à la star et j'évitais les maquillages trop prononcés, les coiffures trop élaborées et les vêtements trop chics. Le public était sans doute séduit par cette jeune fille modeste, et plusieurs personnes se sont identifiées à moi en raison de l'image que je donnais. D'ailleurs, je me voyais moi-même de cette façon. Je me sentais comme une fille bien ordinaire quand je comparais mon look à celui des autres vedettes. Je n'avais pas l'impression de faire partie de leur groupe, et cela, même si j'avais autant de succès qu'elles. Mes fans comprenaient ce que je ressentais, et c'est probablement ce qui nous rapprochait.

Parallèlement à ma carrière sur disque qui débutait de belle façon, je poursuivais mes tournées de spectacles, car c'était mon véritable gagne-pain. Ce n'était pas toujours facile et, malgré ma détermination, il m'est arrivé de connaître des soirées vraiment plus agitées que d'autres. C'est ainsi qu'un soir où je chantais à l'hôtel Plaza, une bataille a éclaté entre deux clients. Malgré le danger réel qui me menaçait, j'ai continué à chanter comme si de rien n'était. Je me souvenais d'avoir vu un film dans lequel l'actrice qui interprétait une chanteuse poursuivait courageusement son spectacle pendant qu'on se battait autour d'elle. Ma mère me criait de sortir de la scène. Les bouteilles de bière me passaient de chaque côté de la tête, mais je m'entêtais à vouloir terminer mon tour de chant. Je me disais intérieurement: *«The show must go on.»* Je ne sais pas si j'aurais la même inconscience aujourd'hui. Heureusement que tout s'est bien terminé et que je n'ai pas été blessée ce soir-là!

Une autre fois, c'est mon amour-propre qui en a pris un coup. Alors que je donnais mon tour de chant, un homme m'a crié «CHOU!» Je ne me suis pas laissé démonter par son manque de politesse et je me suis même permis de lui faire un peu la leçon, en lui disant que s'il n'aimait pas ma voix et ma façon de chanter, il n'avait qu'à ne pas venir à mes spectacles. J'étais fière de moi, car pour une fois je ne m'étais pas laissé humilier sans répliquer. Le seul problème, c'est que le pauvre homme que j'avais ainsi apostrophé devant tout le monde est venu me voir en pleurs, après ma dernière chanson. En se confondant en excuses, il m'a expliqué qu'il n'avait pas voulu m'insulter, mais qu'il avait tout simplement le rhume et qu'il avait été victime d'une quinte d'éternuements, d'où le fameux «ATCHOU» que j'avais pris pour un «CHOU».

•

Désirant toujours me perfectionner dans mon métier, j'ai commencé à suivre des cours d'art dramatique. Mon gérant d'alors, qui n'avait pas que des défauts, m'avait d'ailleurs encouragée à le faire, me disant que je pourrais ainsi améliorer ma présence sur scène. J'ai déjà dit que j'aurais aimé être comédienne. Les cours de Madame Ridez, qui étaient vraiment excellents, n'ont pas fait de moi une actrice, mais ils m'ont aidée à améliorer ma diction, ma prononciation, ma pause de voix et mon expression corporelle.

En 1967, j'ai participé à une tournée de spectacles organisée par Jean Grimaldi. Ma mère avait accepté de remplacer au pied levé une comédienne qui avait dû annuler sa participation à cette tournée, et nous avons donc eu le plaisir de travailler ensemble. Maman n'était pas gênée par son manque d'expérience et elle a appris le rôle très rapidement. Elle était très bonne et donnait une excellente prestation à chacun des spectacles. Quant à moi, je me contentais de chanter, ça me suffisait amplement. Nous avons donné 52 spectacles en 45 jours dans des sous-sols d'églises et dans des théâtres. La chanteuse Nadia, Norman Knight et le groupe les Hou-Lops faisaient aussi partie de cette tournée.

J'ai participé, la même année, à l'ouverture officielle d'Expo 67 dans un spectacle présenté à la biosphère. Les comédiens Jean Coutu et Andrée Lachapelle animaient cet événement de prestige, avec le talent qu'on leur connaît.

•

À la suite du succès de mon premier 45 tours, *L'amour vient, l'amour va*, mon producteur m'avait demandé d'enregistrer deux autres *singles* qui n'ont malheureusement jamais été mis en marché, et cela pour des raisons obscures. Ce que je ne savais pas à l'époque, c'est que deux autres producteurs de disques et gérants d'artistes voulaient prendre ma carrière en main et que de nombreuses pressions étaient exercées sur Roger Miron pour qu'il me libère du contrat qui nous liait.

Le plus intéressé était Gilles Talbot, qui était déjà en affaires avec Ginette Reno et Bob Watier, le mari de celle-ci. Était-il vraiment impressionné par mon potentiel et par mon talent ou voulait-il tout simplement prendre le contrôle de ma carrière pour éviter que je sois en compétition trop directe avec Ginette Reno? Je ne l'ai jamais su, mais toujours est-il qu'il a multiplié les contacts avec Roger Miron pour le convaincre de me laisser partir. Il est même venu un jour, en compagnie de Ginette et de son mari, assister à un spectacle que je donnais dans un hôtel de Saint-Gabriel-de-Brandon.

Pendant ce temps, le chanteur Tony Roman voulait aussi me voir pour discuter de l'avenir de ma carrière. Je chantais à ce moment-là à La Casa Loma, en première partie des Classels. J'étais curieuse de le rencontrer, car il avait la réputation d'être un producteur branché. Il était entouré de plusieurs jeunes artistes de talent, dont Nanette Workman que j'aimais beaucoup. Mon père avait des réserves à son sujet (il le trouvait un peu trop «flyé»), mais il m'a tout de même conseillé de le rencontrer pour me faire ma propre opinion afin d'effectuer un choix plus éclairé.

Je suis allée le voir en compagnie de ma mère mais, arrivée sur les lieux, elle a préféré m'attendre à l'extérieur. Dès que j'ai été en présence de Tony Roman, j'ai constaté qu'il avait décidé de jouer le grand jeu avec moi. Il m'a reçue en fumant un gros cigare et m'a déclaré d'un air sûr de lui qu'il ferait de moi une star. Peu impressionnée, je lui ai répondu que je n'avais jamais voulu être une vedette mais que je cherchais plutôt à bien faire mon métier de chanteuse, entourée de gens compétents. Toujours avec un ton un peu hautain, il a poursuivi, disant que je devrais cependant modifier mon style. Là encore, nous n'étions pas sur la même longueur d'onde, car je me sentais à l'aise dans le genre de chansons que je faisais. Je lui ai rétorqué plutôt froidement que je n'avais pas l'intention de modifier quoi que ce soit dans mon répertoire. Je suis ressortie de cette rencontre très peu impressionnée et je me suis rendu compte que je n'avais guère envie de confier mon avenir professionnel à Monsieur Roman.

Tout s'est finalement réglé à l'amiable entre Roger Miron et Gilles Talbot. Pour une somme que je ne connais pas, le premier a cédé au second son contrat de gérance et de production de disques. J'allais donc avoir désormais le même agent que Ginette Reno, et cela, pour le meilleur et pour le pire. Comme j'étais encore mineure, c'est mon père qui a dû signer ce nouveau contrat de gérance qui m'assurait d'enregistrer des 45 tours. Il m'avait tout de même demandé si j'étais d'accord pour travailler avec Gilles Talbot. Malgré mon jeune âge, mon père tenait à ce que je sois consultée sur tous les aspects de ma carrière.

Même si j'ai rapidement constaté que je n'aurais pas le premier choix des chansons à endisquer et que je passerais toujours en second, après Ginette Reno, qui était actionnaire dans la compagnie, j'étais heureuse de la tournure des événements. Gilles Talbot était l'un des meilleurs gérants de l'époque, et avec lui ma carrière risquait de connaître un nouvel essor. Il n'a d'ailleurs pas tardé à se rendre compte que notre union professionnelle était prometteuse, puisque tous les disques que j'ai enregistrés sous sa gouverne ont obtenu beaucoup de succès.

Quelques mois plus tard, Gilles Talbot m'a fait endisquer la version française de *I'm Sorry*, de Brenda Lee: *C'est fini,* qui s'est écoulée à plus de 50 000 exemplaires. C'est ce deuxième succès sur disque qui m'a fait véritablement connaître dans tout le Québec. Il faut dire que des extraits de cette chanson ont été diffusés un nombre incalculable de fois pendant les intermèdes qu'il y avait dans ce temps-là sur les ondes du Canal 10. On en profitait alors pour passer des segments de *Jeunesse d'aujourd'hui.* Cette visibilité extraordinaire allait me permettre d'atteindre le statut de vedette en un temps record.

Avec ces deux succès consécutifs, ma carrière sur disque était lancée, et tous les espoirs étaient permis.

Chapitre 4

L'ascension vers la gloire

S i la chanson *C'est fini* a marqué une étape importante dans mon ascension vers le vedettariat, je
dois souligner que mon nouveau gérant m'a fait endisquer au cours de l'été suivant un duo avec le chanteur
Serge Turbide. Cette chanson qui avait pour titre *Pendant
les vacances* est devenue le succès de l'été 1968. Je me souviens de notre passage à *Jeunesse d'aujourd'hui* pour la
promotion de ce disque. Serge et moi avions mis au point
une jolie chorégraphie qui a séduit immédiatement le public et contribué pour une bonne part à la popularité de
cette chanson, à la fois légère et entraînante.

Gilles Talbot avait pensé nous réunir sur disque
puisque nous étions tous les deux sous contrat avec lui.
J'ai bien aimé l'expérience, car Serge Turbide était un
être vraiment charmant avec qui j'ai eu beaucoup de plaisir à travailler. Ce que j'ai moins aimé par contre, c'est une
petite mésaventure qui aurait pu tourner à la tragédie.
Serge et moi étions en route vers Sherbrooke pour y faire
la promotion de notre disque. Le printemps était frisquet
cette année-là et il y avait une fine couche de glace sur la
route. Même si ce n'était pas très prudent, j'avais décidé
de m'asseoir devant avec le chauffeur et Serge, même s'il

n'y avait que deux banquettes et si ma tête frôlait le toit de l'auto. Nous étions un peu insouciants à l'époque, et il faut dire que les lois sur la circulation routière étaient moins strictes qu'aujourd'hui. Toujours est-il qu'à un moment donné je me suis rendu compte que notre chauffeur commençait à avoir le pied un peu trop pesant et que l'auto roulait à une vitesse excessive.

J'ai alors eu une sorte d'intuition qui m'a fait craindre que la voiture manque de freins, que nous dérapions et que nous ayons un accident. Quand où j'ai fait part de mes craintes au chauffeur, il a tenté de me rassurer en disant qu'il venait de faire réparer les freins et qu'ils étaient donc très sécuritaires. Mais c'était déjà trop tard. Nous sommes arrivés près d'un poste de péage comme il y en avait encore à l'époque. Un gros camion qui nous précédait a freiné comme il devait le faire à l'approche du poste, ce qui a obligé notre chauffeur à faire de même. Ce qui devait arriver arriva. L'auto dans laquelle nous avions pris place a manqué de freins et s'est mise à glisser en diagonale. Un bloc de ciment a heureusement freiné la glissade de notre véhicule juste avant qu'il ne tombe dans un précipice.

Nous étions tous sains et saufs et sans blessures graves. J'avais tout de même été solidement cognée, et une de mes cuisses était passablement endolorie. J'en ai été quitte pour un gros bleu pendant quelques mois et j'en ai conservé des séquelles musculaires durant plusieurs années. Lorsque la police est arrivée sur les lieux, on a voulu que j'aille à l'hôpital, mais j'ai refusé. Curieusement, j'étais en proie à un fou rire incontrôlable. C'était sans doute ma façon d'évacuer l'angoisse que je venais de vivre.

De cette mésaventure, je retiens que souvent dans ma vie j'ai eu des intuitions qui se sont pour la plupart concrétisées. Dès mon plus jeune âge, j'ai eu certaines prémonitions fort révélatrices. Je me souviens d'une fois où, alors que j'étais encore toute petite, j'avais dit à ma grand-mère qui me gardait que mes parents allaient avoir un accident. J'étais en proie à une grande frayeur et je n'arrêtais pas de crier qu'ils étaient en danger. Ma grand-mère avait beau essayer de me calmer et de me dire que j'angoissais à la perspective que mes parents soient loin de moi (ils devaient se rendre à La Tuque pour une compétition de canoë), je continuais à m'inquiéter.

Pendant que ma grand-mère et moi nous obstinions, nous avons tout à coup entendu un gros bang. La voiture de mes parents venait d'être heurtée au coin de la rue par une autre automobile dont le conducteur n'avait pas fait son arrêt obligatoire. Il n'y avait heureusement aucun blessé. Sans doute secouée, ma grand-mère s'était contentée de dire que tout cela n'était que le fruit du hasard. Je n'avais pas répliqué, mais je savais bien au fond de moi que je ne m'étais pas inquiétée pour rien.

•

En septembre 1968, la chanson *L'amour est passé* a été lancée et a rapidement pris la tête des palmarès. Ce nouveau succès allait confirmer une fois pour toutes la place prépondérante que j'allais occuper dans le milieu extrêmement compétitif de la chanson populaire. Mon producteur a fait paraître deux mois plus tard mon premier album, qui s'intitulait curieusement *C'est fini* alors que ma carrière sur disque commençait à peine. À l'époque, on enregistrait en moyenne trois ou quatre 45 tours par année, lesquels étaient immanquablement suivis par un album. Aujourd'hui, on travaille différemment, surtout au Québec où le marché des *singles* est pratiquement inexistant. Les producteurs lancent d'abord un album dont on tire un extrait qui servira à la promotion. Dans les années 60 et 70, le marché des 45 tours était extrêmement fort, plus fort en fait que celui des albums.

Quelque temps après, la direction de la Société Radio-Canada m'a demandé de représenter mon pays au concours international Chansons sur mesure, présenté à Bruxelles. Je devais y interpréter *Je n'ai pas de temps à perdre*, chanson écrite par Hubert Loiselle et Pierre Brabant, ceux-là mêmes qui ont composé le très beau thème musical du célèbre téléroman *Rue des Pignons*. Même si ce n'était pas vraiment une chanson pour moi, j'ai tout de même fait bonne figure à ce concours international, en prenant la cinquième place. Marc Gélinas, qui faisait aussi partie de la compétition, avait terminé sixième. Je pense que j'aurais fait mieux si j'avais eu à défendre une chanson à voix, alors que celle-là était poétique et ne demandait pas un registre vocal très étendu. Elle aurait, en fait, mieux convenu à un chansonnier qu'à une chanteuse populaire.

Mon gérant n'avait pas eu trop de problème à me convaincre de participer à ce concours, car ça allait me permettre d'effectuer un premier voyage en Europe. Après la Belgique, nous devions nous rendre à Paris pour établir dans cette ville certains contacts avec les gens du métier, lesquels m'ouvriraient des portes vers une carrière dans l'ensemble des pays francophones.

Même si j'ai aimé l'expérience acquise lors de ce concours, je n'ai pas vraiment eu le temps de comprendre tout ce qui m'arrivait en raison de tout le travail que j'avais à faire. On m'avait, en effet, remis la chanson à la dernière minute, soit la veille de mon départ. J'ai dû apprendre les paroles dans l'avion pendant la nuit, alors que tout le monde dormait paisiblement autour de moi. J'ai dû aussi mémoriser en un temps record une mélodie qui n'était pas facile à retenir, car elle n'était pas très commerciale. Comme si tout cela ne suffisait pas, j'ai dû me rendre aux répétitions dès ma descente de l'avion. Le moins qu'on puisse dire, c'est que je n'étais pas vraiment en forme pour répéter avec un orchestre imposant de 100 musiciens.

Je ne pouvais cependant pas m'y soustraire si je voulais être à la hauteur des attentes qu'on avait placées en moi. Il s'agissait après tout d'un festival prestigieux qui allait être diffusé à la radio de Radio-Canada. Il n'était donc pas question que je rate mon coup.

Lorsque nous avons enfin pu nous rendre à l'hôtel pour un repos bien mérité, après les répétitions, il m'est arrivé un petit accident qui me fait sourire aujourd'hui, mais qui m'avait fort perturbée à l'époque. Comme c'était mon premier voyage en Europe, je ne savais pas qu'il fallait un adaptateur pour brancher un appareil électrique quelconque en provenance du Canada. On avait oublié de m'en aviser et lorsque j'ai voulu brancher mon séchoir à cheveux, j'ai eu la mauvaise surprise de constater que j'avais provoqué une panne d'électricité. J'ai su le lendemain qu'elle s'était étendue à tout l'hôtel. Je n'étais évidemment pas très fière de moi et je me suis bien gardée de révéler ma gaffe à la direction. Je me suis contentée de cacher mon séchoir, qui avait d'ailleurs pris feu, dans un sac dont je me suis débarrassée discrètement dans le corridor de l'étage.

Je me dis, en repensant à cet incident, qu'à 17 ans j'agissais encore parfois comme une adolescente qui avait peur d'être prise en défaut. Lorsqu'on m'a raconté la panne généralisée, le matin suivant, j'ai fait comme si je n'étais pas au courant, prétextant que j'étais allée au lit très tôt la veille. Je venais de faire un pieux mensonge, mais mon honneur était sauf.

J'avais choisi pour ce concours une robe qui me plaisait mais qui ne faisait pas l'affaire de mon gérant. Je me suis finalement laissé convaincre d'acheter une nouvelle robe sur place pour lui faire plaisir. Le pire, c'est que cette robe que j'avais payée relativement cher pour l'époque, soit 500 $, ne me plaisait pas du tout. Encore une fois, je m'étais laissé influencer par mon entourage. La robe était en velours blanc avec le haut en cuir. Le problème, c'est qu'elle était beaucoup trop ajustée au niveau du buste. Elle m'aplatissait tellement les seins que j'avais l'air de ne plus en avoir. Visiblement inspirée de la mode Twiggy, cette robe devait me faire paraître plus jeune et moins pulpeuse. Je n'étais pas d'accord, d'autant plus que j'avais déjà un visage mature qui ne s'harmonisait pas avec ce genre de tenue.

Malgré tous ces contretemps et le délai très court que j'avais eu pour apprendre la chanson, tout s'est finalement bien passé sur scène. J'étais contente du résultat, mais surtout fière que le public dans la salle ait semblé apprécier ma performance.

•

Tout de suite après le concours, nous avons pris un avion pour nous rendre à Paris. La plus belle partie du voyage commençait pour moi, car je n'avais plus à chanter et je pouvais enfin me relaxer. J'étais surtout contente de pouvoir visiter Paris. Quelle ville merveilleuse! Il me semblait que je n'avais pas assez de mes deux yeux pour tout regarder. Je me souviens que nous sommes allés voir Jean-Pierre Ferland à Bobino. Son gérant, Guy Latraverse, était d'ailleurs à Paris en même temps que nous pour vérifier sur place comment se débrouillait son artiste.

Nous avons aussi dîné dans d'excellents restaurants où des artistes célèbres aimaient se retrouver. C'est lors d'un de ces repas que j'ai bu mon premier verre de vin. Je n'ai pas dû trop apprécier l'expérience, car je n'ai jamais été, par la suite, une grande consommatrice de boissons alcoolisées. Je n'avais pas aimé la sensation de vertige que j'avais ressentie après avoir bu mon verre de vin, et c'est pourquoi j'ai décidé pour le reste du voyage de m'en tenir au Seven-up. J'ai par contre été très impressionnée par la qualité du service. Lorsque j'entrais dans un restaurant, il y avait toujours quatre ou cinq garçons qui se précipitaient pour s'occuper de moi et tirer ma chaise.

Je me rappelle aussi que nous sommes allés visiter la cathédrale Notre-Dame et la tour Eiffel. Partout, je reconnaissais avec un plaisir indescriptible des endroits que j'avais vus dans des films français et je tombais littéralement sous le charme. Pour une jeune femme de 17 ans, une première visite à Paris revêt un cachet que je qualifierais de romantique. C'était épatant, comme auraient dit les Françaises de mon âge.

Des journalistes et des photographes québécois nous avaient suivis à Paris pour réaliser des reportages, ce qui m'a permis de conserver des images de ce merveilleux séjour dans la capitale française. Mon public a pu vivre un peu de ce que j'ai connu cette semaine-là en lisant ces différents articles. Même si je ne travaillais pas «officiellement», j'ai profité de mon séjour à Paris pour participer à une émission de télévision animée par le célèbre Jacques Martin. La chanteuse France Gall était aussi sur le plateau, et c'est ainsi que nous avons pu faire connaissance. Elle s'est montrée très gentille avec moi et a eu la générosité de nous inviter à souper, mon gérant et moi, dans le magnifique penthouse qu'elle partageait à l'époque avec son père. Nous avons été reçus comme des rois, avec le grand service et des mets exquis. Il y avait un magnifique piano blanc dans le salon, ce qui donnait beaucoup de classe à la pièce.

Je crois que France Gall aurait bien aimé que nous devenions des amies. Nous avions à peu près le même âge (elle avait peut-être deux ou trois ans de plus que moi), nous faisions le même métier et nous semblions avoir des goûts communs. Je l'ai trouvée très ouverte et, même si elle était déjà une star en France, elle a agi envers moi avec grande simplicité et beaucoup de chaleur. À la fin du repas, elle m'a tirée à l'écart et m'a offert un beau coffre de maquillage avec toutes ses photos autographiées.

Nous aurions sans doute pu effectivement devenir de bonnes amies si nous n'avions pas vécu et fait carrière sur deux continents différents. Elle est venue à quelques reprises au Québec pour faire la promotion de ses disques, et chaque fois elle s'informait de moi et demandait à me voir. À l'époque, je faisais malheureusement la tournée des cabarets et j'étais souvent en dehors de Montréal. Je ne l'ai donc jamais revue, mais je conserve un excellent souvenir d'elle.

Pendant notre séjour à Paris, nous sommes allés dans une discothèque à la mode fréquentée presque exclusivement par des artistes. J'y ai croisé la très belle Marina Vlady, qui était accompagnée, ce soir-là, par l'acteur Robert Hossein. J'avais trouvé qu'ils formaient un très beau couple. J'étais contente de les voir, mais je ne leur ai pas parlé, non parce que j'étais impressionnée, mais parce que je ne voulais tout simplement pas les déranger. Je me sentais très à l'aise dans cet endroit plutôt chic. Je trouvais naturel d'être là et j'avais l'impression de faire partie du clan. Je ne me rendais pas tout à fait compte de ce qui m'arrivait, mais j'étais heureuse et je profitais vraiment des beaux moments que je vivais au cours de ce voyage. Moi qui avais rêvé, dès ma plus tendre enfance, de devenir une vedette de cinéma, je me disais que c'était dans l'ordre des choses que je me trouve, quelques années plus tard, en compagnie de gens aux talents à la fois semblables et complémentaires aux miens.

Mon gérant, Gilles Talbot, semblait plus impressionné que moi par toutes les stars que nous rencontrions. Je lui reprochais d'ailleurs de se comporter parfois comme un groupie. Je ne manquais pas de lui faire remarquer que c'étaient des gens comme nous, avec les mêmes limites et les mêmes besoins que nous. «Ils vont aux toilettes comme tout le monde», lui ai-je dit un soir pour calmer ses réactions un peu trop démonstratives.

Gilles m'annonça un matin qu'il avait pris rendez-vous avec le réputé Bruno Coquatrix, propriétaire de l'Olympia. C'est dans cet endroit mythique que les plus célèbres chanteurs du monde francophone se produisaient (et se produisent encore). Mon gérant ne cachait pas son désir de me voir me produire dans cette salle où les plus grands avaient triomphé. J'étais beaucoup moins emballée que lui par cette perspective. Il me semblait que je passais ma vie à donner des spectacles, et je commençais à en avoir assez. À sa grande surprise, je lui ai répondu que j'allais y penser. Il en a eu le souffle coupé, car il ne comprenait pas que je puisse passer à côté d'une si belle occasion de lancer ma carrière sur le plan international. En y repensant aujourd'hui, je crois que mon refus venait davantage d'un manque de confiance en moi. À 17 ans, je ne me sentais pas encore prête à faire le grand saut. Je ne me voyais pas chanter à l'endroit même où l'immortelle Édith Piaf avait donné des concerts si mémorables. Je me disais que je ne serais jamais à la hauteur devant un tel défi. Gilles Talbot avait beau me répéter à tout bout de champ que j'étais un des plus grands talents qu'il avait rencontrés dans son métier de gérant, je ne le croyais pas.

•

Il faut dire pour expliquer mon attitude parfois défaitiste qu'il m'arrivait souvent d'entendre en coulisses, lorsque je participais à des émissions de télé, des commentaires peu élogieux à mon endroit. Je saisissais parfois des remarques du genre: «On sait bien, ELLE, elle ne fait rien et tout lui réussit sans effort.» Je comprends aujourd'hui que ces propos malveillants provenaient de certains artistes probablement jaloux de mon talent et de mon succès. Il faut comprendre aussi que la compétition était vive et que certaines carrières étaient éphémères. Il pouvait arriver, en effet, qu'elles prennent fin après un seul succès sur disque. Tout cela contribuait évidemment à me faire douter de mon propre avenir.

Ce manque de confiance n'était cependant pas justifié, car je savais au fond de moi que j'avais une belle voix et que je méritais amplement tout ce qui m'arrivait puisque je travaillais très fort et que j'étais très disciplinée. Je n'avais jamais de problème à retenir les paroles de mes chansons, à bien suivre le rythme de la musique et à chanter juste. En studio, contrairement à d'autres chanteuses, il m'arrivait souvent de réussir la prise parfaite dès le premier essai. On dépassait rarement deux prises et, si on le faisait, c'était pour sécuriser ceux qui s'occupaient de la réalisation du disque. Tout cela me venait facilement. Si je faisais autant d'efforts, c'est tout simplement parce que j'étais très exigeante et que je ne voulais surtout pas décevoir mon public.

Je croyais si peu en moi que je me sentais obligée de mettre les bouchées doubles pour être à la hauteur des autres artistes. Je savais pourtant que certaines vedettes travaillaient beaucoup moins fort que moi, préférant passer des nuits à fêter plutôt que de répéter leurs chansons comme je le faisais jusqu'aux petites heures du matin. Comme je vivais encore chez mes parents et que ma chambre n'était pas très bien isolée (il y avait un rideau en guise de porte), je me cachais sous mes couvertures pour répéter toute la nuit jusqu'à ce que je tombe d'épuisement et que je m'endorme pour quelques heures.

Alors que j'étais jeune, jolie (selon mon entourage), déjà célèbre et surtout libre comme l'air, je n'en profitais pas du tout. Je ne sortais pas, je ne buvais pas, préférant m'isoler dans ma bulle. Ça ne me dérangeait pas cependant que les autres artistes s'amusent et profitent ainsi de leur notoriété. C'était leur choix et je n'avais pas à les juger. Mais je ne m'identifiais pas à eux, car ce n'était pas ce que je voulais faire de ma vie. Je recevais les confidences de certains d'entre eux qui me décrivaient en détail leur rythme de vie effréné. Moi, j'étais trop perfectionniste pour m'accorder un peu de temps libre, et ce, même si je l'aurais bien mérité. En y repensant aujourd'hui, je me demande si je n'aurais pas dû me laisser aller un peu plus et m'intégrer davantage à mon milieu. Je n'avais pas encore 20 ans et je me tenais à l'écart de tout ce qui m'aurait permis de me détendre un peu et de vivre des expériences semblables à celles des jeunes de mon âge.

Je trouve aujourd'hui inconcevable qu'à 17 ans je n'avais pas encore d'amoureux. Je côtoyais pourtant beaucoup de beaux garçons, et certains me manifestaient leur intérêt. Ils auraient sans doute voulu sortir avec moi, mais je ne voyais rien. J'étais ob-sédée par mes chansons et par ma carrière.

Avec le recul, je me demande si le fait de devoir participer à tant d'émissions de radio et de télévision, de faire tant de reportages pour les journaux artistiques de l'époque et de donner de si nombreux spectacles ne commençait pas à m'user prématurément, alors que je n'étais encore qu'au tout début de ma carrière. Je crois que mon problème résidait dans mon attitude. C'était devenu une sorte d'automatisme pour moi de donner une bonne performance, et il m'arrivait parfois de prendre moins de plaisir à faire mon métier. J'aurais eu besoin, dans ces moments-là, de trouver un meilleur équilibre entre ma vie personnelle et ma vie professionnelle. Je n'avais malheureusement personne pour me guider. Comme je n'étais pas portée à aller vers les autres pour demander de l'aide, j'ai dû passer à côté de belles occasions et de certaines rencontres qui m'auraient enrichie.

●

Si la majorité des hommes que je croisais savaient garder leur place lorsque je leur manifestais plus ou moins d'intérêt, je me souviens avec beaucoup de peine d'un certain Monsieur Y (je tais son nom par respect pour sa famille, car il est décédé aujourd'hui) qui n'a pas eu la même délicatesse à mon égard. C'était un réalisateur de disques de talent et il avait à son actif plusieurs succès. Il s'agissait aussi d'un ami personnel de mon gérant. Il me tournait autour depuis un certain temps. Il voulait toujours m'embrasser et me tasser dans un coin. Je crois sincèrement qu'il souffrait d'un sérieux problème face à sa sexualité.

À un moment donné, alors que je devais me rendre à Québec pour faire la promotion d'un de mes disques et que mon gérant ne trouvait personne pour me conduire là-bas, Monsieur Y s'est gentiment offert pour me servir de chauffeur. J'ai accepté naïvement, croyant que, comme j'avais toujours refusé ses avances, il avait enfin compris et qu'il me ficherait la paix pendant ce voyage. C'était malheureusement mal le connaître. Chemin faisant, alors que nous étions encore sur l'autoroute 20, il suggéra de louer une chambre dans un motel pour la nuit, puisqu'il était déjà tard. Il a ajouté qu'ainsi nous serions plus frais et dispos le lendemain matin pour commencer la journée de promotion.

Même si l'idée de partager une chambre avec lui ne me convenait pas du tout, je n'ai pas osé refuser, car j'ai eu peur que dans un accès de colère il me force à descendre de l'auto et me laisse en plan au bord de la route, en pleine nuit. Je suis donc entrée dans son jeu et je l'ai même laissé me prendre la main, en me disant que rendue à Québec je pourrais sûrement trouver une façon de m'enfuir, au besoin. Quand nous sommes arrivés à Québec, il a loué une chambre, et j'ai dû me résoudre à le suivre. Le problème, c'est que mon gérant avait donné tout l'argent pour le voyage à Monsieur Y et que je n'avais pas un sou sur moi.

Ça faisait à peine quelques minutes que nous étions dans la chambre quand il m'a lancé d'un ton frondeur: «Tu ne te déshabilles pas? Tu ne te coucheras quand même pas tout habillée...» Il a alors commencé à se dévêtir comme si de rien n'était et à se promener complètement nu devant moi avec son gros pénis en érection. Comme c'était le premier que je voyais, je vous avoue que j'étais quelque peu effrayée par la taille de son engin. J'avais l'impression que j'étais en train de devenir folle.

J'ai tout de même trouvé la force de lui dire «NON» et de refuser toutes ses avances. Je lui ai fait comprendre que je n'étais pas une fille facile et qu'il n'obtiendrait pas ce qu'il voulait de moi. Il était évidemment très fâché, mais il n'a pas osé aller plus loin. Je ne savais pas alors qu'il était marié. Il craignait probablement le scandale, si jamais je portais plainte contre lui. Toujours est-il qu'il s'est finalement couché et qu'il s'est endormi, malgré sa frustration évidente.

J'ai décidé de m'étendre sur le divan, car il n'était pas question que j'aille le rejoindre dans le lit. Inutile de vous dire que je n'ai pas fermé l'œil du reste de la nuit. Au matin, je me suis précipitée hors de la chambre et je suis allée téléphoner au promoteur de Québec que nous devions rejoindre, afin qu'il vienne me chercher et qu'il me trouve une chambre dans un autre motel où je pourrais dormir seule et en paix.

•

J'ai déjà mentionné que le fait que Ginette Reno soit actionnaire de la compagnie pour laquelle j'endisquais me limitait dans le choix des chansons que j'aurais aimé enregistrer. C'est ainsi que j'ai dû renoncer à endisquer *La dernière valse* que Ginette voulait garder pour elle et me rabattre sur *L'amour est passé*, qui heureusement a obtenu beaucoup de succès. En y repensant, je me dis que de toute façon je n'aimais pas particulièrement cette chanson qui convenait sans doute mieux au style de Ginette.

Cette situation s'est répétée à quelques reprises par la suite. Je me souviens que c'est moi qui devais initialement enregistrer en duo avec l'animateur Jacques Boulanger la chanson *Le soleil et la mer*. C'est finalement Ginette qui a décidé de faire ce duo avec Jacques. On m'a avisée à la dernière minute que ce n'était plus moi qui l'enregistrerais. Gilles m'a offert plus tard de faire la chanson *T'es mon amour, t'es ma maîtresse* avec Jean-Pierre Ferland. Pour une rare fois, j'ai eu le premier choix, mais c'est moi qui ai décidé de ne pas enregistrer ce duo. J'étais alors nouvellement mariée avec André Sylvain et je me voyais mal chantant un duo d'amour avec un autre homme que mon mari. Ça m'aurait gênée de dire dans une chanson à Jean-Pierre Ferland que *«je l'aimais de la tête aux fesses»*. C'est donc Ginette qui a hérité de ce duo, lequel a obtenu le succès que l'on connaît.

[85]

Malgré ces quelques tensions professionnelles, j'avais beaucoup d'admiration pour Ginette Reno. Ce sont les gens autour de nous qui nous mettaient en compétition, probablement parce qu'à l'époque nous étions à peu près les seules chanteuses à voix du Québec. Les gens que je croisais dans mes tournées de promotion nous comparaient souvent, Ginette et moi, disant que nous étions leurs deux chanteuses préférées. Je ne me suis jamais sentie mal à l'aise avec ce genre de remarque. D'ailleurs, on me comparait aussi régulièrement à d'autres chanteuses de calibre international, dont la célèbre Mireille Mathieu.

Même si je m'en doutais, je ne savais pas (car personne ne me l'avait dit officiellement) que Ginette Reno avait priorité sur moi dans la compagnie en ce qui concernait le choix des chansons. De toute façon, j'acceptais de bonne grâce cette situation. Je n'étais pas rancunière et je n'en voulais surtout pas à Ginette de faire ce qui était le mieux pour sa carrière. Le fait que j'obtienne beaucoup de succès avec les chansons que j'endisquais et qu'elles plaisent au public était la chose la plus importante pour moi. Ça voulait dire que les gens appréciaient les chansons de mon répertoire.

J'ai toujours sincèrement cru qu'il y avait de la place pour deux chanteuses de talent dans le cœur des Québécois. C'était vrai hier et c'est encore vrai aujourd'hui. Je constate que j'ai eu beaucoup de chance tout au long de ma carrière, car je n'ai jamais vraiment eu de flops sur disque. J'ai pu jouir jusqu'à aujourd'hui de la fidélité indéfectible d'un large public.

Pour en revenir à Ginette, je dois ajouter que je la fréquentais régulièrement, car elle venait souvent me chercher pour aller magasiner. Nous profitions de ces sorties pour manger de merveilleux *banana splits*. Je termine au sujet de notre compétition amicale en vous révélant une petite anecdote fort révélatrice de l'attitude de plusieurs personnes envers Ginette et moi. Un jour que ma mère et moi étions allées entendre Ginette, nous nous sommes retrouvées aux toilettes après le spectacle. Voulant sans doute me motiver, ma mère n'avait pu alors s'empêcher de me dire qu'il fallait absolument que je devienne aussi bonne et aussi célèbre qu'elle. La remarque de ma mère m'avait surprise, d'autant plus que j'avais déjà, à cette époque, quelques gros succès sur disque à mon actif et que ma carrière allait bon train. Un peu vexée, je lui avais répondu que jamais je ne modèlerais ma vie et encore moins ma carrière sur celles d'une autre chanteuse, si talentueuse soit-elle.

J'avais poursuivi la conversation en disant que, de toute façon, Ginette n'était pas le même genre de personne que moi et qu'il n'était pas question que je change pour lui ressembler. J'avais ma propre personnalité et je comptais bien la garder. Ma mère n'avait pas osé répliquer. Curieusement, j'avais à peine terminé ma mise au point qu'une femme qui entrait dans les toilettes m'a reconnue immédiatement. En se tournant vers ma mère, elle a dit: «Vous devez être fière de votre fille, c'est sûrement votre chanteuse préférée.» À ma grande surprise, ma mère avait répondu que non, que c'était Ginette Reno qu'elle admirait le plus. Inutile de vous dire que tout le monde présent se sentait un peu mal à l'aise. En y repensant, je me dis que ma mère avait sans doute donné cette réponse pour que je demeure la petite fille gentille et humble que les gens aimaient.

•

Au début de l'année 1969, j'ai fait la tournée des Forces armées canadiennes basées à Val d'Or, en compagnie de Suzanne Lapointe, de Patsy Gallant et de Shirley Théroux. Toujours en 1969, le Festival du disque canadien, présenté par Jacqueline Vézina en collaboration avec le ministère des Affaires culturelles, m'a remis une bourse de 2 000 $ pour m'inciter à poursuivre ma carrière. J'ai aussi reçu le prix Mademoiselle Poster à titre de chanteuse la plus populaire de l'année. Ce prix déterminé par un vote du grand public et effectué par le biais de certains journaux artistiques de l'époque m'a été remis à la Place des Arts par Dominique Michel et Sir Lawrence Olivier.

Mon gérant m'avait prévenue à la dernière minute que j'allais recevoir ce prix, alors que j'étais à Québec pour une série de spectacles. J'avais donc dû revenir à Montréal en toute hâte dans la voiture d'un ami. J'avais été obligée de m'habiller, de me maquiller et de me coiffer du mieux que je le pouvais, au cours du trajet entre Québec et Montréal. J'étais arrivée à bout de souffle à la Place des Arts, cinq minutes avant la remise de mon trophée. Je me revois d'ailleurs en train de dire, affolée, à des gardiens de sécurité de me laisser passer, car j'étais la prochaine récipiendaire. Heureusement qu'ils m'ont reconnue. Rendue sur scène, j'ai cependant retrouvé mon calme et j'ai agi comme si de rien n'était. J'ai accepté l'honneur que mon public me faisait avec un sourire sincère, et ce, malgré la course folle que je venais de faire. Après avoir reçu mon trophée, j'ai dû repartir à toute vitesse en direction de Québec, car je devais y chanter le soir même.

Quelques mois plus tard, j'ai été nommée Révélation de l'année. Ce titre tant convoité m'a été accordé pendant le Gala des Artistes qui a eu lieu le 6 juin de cette année-là au Forum de Montréal. La salle était bondée, et c'est Renée Martel, la Révélation de l'année précédente, qui m'a remis mon trophée.

Tous ces prix confirmaient que c'était une année exceptionnelle dans ma carrière. À 18 ans, j'entrais de plain-pied dans le monde du vedettariat québécois. J'étais comblée sur le plan professionnel puisque, en plus de tous ces honneurs, j'obtenais beaucoup de succès sur disque et mes salles de spectacles étaient toujours remplies.

Au cours de l'été 1969, j'ai été invitée à participer à la grande tournée *Musicorama*, produite par Pierre David et diffusée sur les ondes de la station de radio CJMS. On a fait 30 spectacles en 30 jours, et dans une trentaine de villes différentes. C'était passablement épuisant puisqu'on avait très peu de temps pour se reposer entre chacun des spectacles. On devait constamment voyager de ville en ville. Il arrivait souvent de devoir le faire la nuit, après le spectacle. Selon les distances à parcourir pour se rendre d'une place à l'autre, le trajet était plus ou moins long. Cette année-là, j'avais partagé la vedette de cette tournée avec entre autres les Bel Air, Chantal Renaud, les Coquettes et Jacques Michel. Nous avions tous été choisis parce que nous avions enregistré les plus grands succès sur disque de l'année.

J'avais acheté ma première automobile, une Grand Prix, quelques jours seulement avant le départ de la tournée *Musicorama*. Je l'avais choisie grise et noire avec un toit moulé en vinyle. J'en étais très fière, car c'était mon premier achat important. J'étais contente de pouvoir m'en servir pour la tournée. Ça me permettait de m'exercer à la conduite automobile puisque nous avions beaucoup de route à faire.

Pendant la tournée *Musicorama*, en plus du spectacle, nous devions participer tous les jours, à midi pile, à un grand défilé dans les rues de la ville hôtesse. Il n'était pas question de nous y soustraire. Nous devions ensuite rencontrer le maire et les dignitaires de la municipalité en question. Nous en avions pour deux heures à saluer les gens et à serrer des mains. J'en avais parfois des crampes aux mâchoires à force de sourire à tout ce beau monde. Partout où nous passions, les foules étaient massées pour nous regarder de plus près et nous manifester leur amour.

Après cet exercice plutôt épuisant de relations publiques, nous avions un peu de temps pour manger et pour nous reposer avant le spectacle, qui était présenté à 20 h, le plus souvent dans des arénas. Nous devions faire chacun quatre ou cinq chansons. Le spectacle terminé, il fallait plier bagages et repartir pour une nouvelle destination. J'ai eu beaucoup de mal à supporter le rythme infernal que nous imposait cette série de spectacles et je suis d'ailleurs tombée malade à la fin de la tournée.

Tout se passait généralement très bien au cours de ce genre de tournée. Nous étions bien encadrés, et les événements étaient planifiés avec beaucoup de soin. Je ne me souviens en fait que d'un incident fâcheux qui aurait pu mal tourner. Ce soir-là, nous étions à Chicoutimi. J'avais loué une chambre qui me semblait immense puisqu'elle contenait pas moins de trois lits. Au moment de la location, j'avais trouvé le propriétaire du motel un peu bizarre. Il m'avait, en effet, dévisagée d'une drôle de façon en me remettant ma clé. J'aurais dû me méfier, mais j'étais tellement épuisée après le spectacle que je ne m'étais pas trop posé de questions. J'avais pris la décision de dormir sur place, car je me trouvais encore trop inexpérimentée pour conduire la nuit, d'autant plus qu'il fallait traverser le parc des Laurentides. On m'avait raconté qu'il y avait parfois des orignaux sur la route, et j'avais sincèrement peur d'en frapper un. Je craignais aussi de m'endormir au volant, tant j'étais fatiguée. Je m'étais donc dit que je n'aurais qu'à partir très tôt le lendemain matin pour arriver à temps à notre prochaine destination.

La plupart des artistes et des techniciens de la tournée avaient décidé de partir le soir même. Ne voulant pas rester seule de mon groupe dans ce motel, j'avais réussi à convaincre, après plusieurs minutes de discussion, les filles des Coquettes de partager ma grande chambre, afin qu'elles me tiennent compagnie. Heureusement pour moi qu'elles ont accepté mon invitation, car quelques heures plus tard, au beau milieu de la nuit, alors que nous dormions toutes à poings fermés, j'ai été réveillée en sursaut par les cris de mes compagnes. Elles étaient affolées par la présence dans la chambre de deux hommes visiblement ivres.

Ils s'y étaient introduits en croyant probablement que je serais seule et qu'ils pourraient s'en prendre à moi sans témoins. Ils devaient avoir la clé de la chambre puisqu'ils n'étaient pas entrés par effraction. J'ai immédiatement repensé à l'air étrange du propriétaire lorsqu'il m'avait loué la chambre, et j'ai eu alors la certitude qu'il était de mèche avec nos deux lascars. Nous avons tellement hurlé, en les voyant, que deux hommes qui dormaient dans la chambre voisine se sont réveillés à leur tour et sont venus nous porter secours. Ils ont réussi à sortir les deux intrus et nous en avons été quittes pour une bonne frousse.

J'avais cependant pleinement conscience que ces hommes avaient sans doute eu l'idée de me violer et que je venais de l'échapper belle. C'était encore une fois mon intuition qui m'avait sauvée, en me convainquant de ne pas rester seule dans ma chambre cette nuit-là.

•

J'ai eu l'occasion, en 1970, de me produire pour la première fois à la Place des Arts. Je l'ai fait d'ailleurs deux fois plutôt qu'une, en première partie de deux grandes vedettes françaises de l'époque, soit Sacha Distel puis, quelques mois plus tard, Enrico Macias. Ç'a été une très belle expérience même si je n'ai jamais été payée pour ces spectacles. Mon gérant avait prétexté qu'il s'agissait là d'une excellente promotion pour ma carrière, et ce, même si ça ne me rapportait rien sur le plan financier. Toujours aussi naïve, j'avais accepté cette situation sans rechigner. J'étais pourtant déjà au sommet et je n'avais pas besoin d'associer mon nom à celui d'autres artistes pour remplir une salle. J'avais dû payer moi-même ma robe de scène qui avait été réalisée, en exclusivité, par le couturier de Radio-Canada, Yvon Duhaime. J'avais dû aussi répéter avec mon chef d'orchestre, Léon Bernier, et mes musiciens, alors que j'aurais pu profiter de ce temps pour remplir un autre engagement plus rentable. Je me dis aujourd'hui qu'il y a sûrement quelqu'un quelque part qui s'est enrichi dans cette aventure, mais ça n'a pas été moi.

Charles Aznavour était venu me voir le soir où je chantais en première partie de Sacha Distel. Il m'avait parlé après le spectacle et m'avait complimentée sur ma performance. Il m'avait confirmé ce que d'autres m'avaient dit avant lui, que j'avais suffisamment de talent et de potentiel pour prétendre à une carrière internationale. Je l'avais remercié sans cependant donner suite à ses propos. C'est là toute l'histoire de ma vie professionnelle. Je ne compte plus les occasions qui se sont présentées et les propositions que j'ai reçues pour faire une carrière internationale. Mon manque de confiance en moi m'aura empêchée de saisir les chances en or que j'ai eues au fil des ans. En plus d'Aznavour, je me souviens qu'Al Martino m'avait fait part de son admiration, me proposant de le suivre aux États-Unis après m'avoir vue à *Jeunesse d'aujourd'hui*.

•

C'était ça, ma vie d'artiste. Sous des apparences *glamour* qui devaient faire rêver plus d'une jeune fille, je passais tout mon temps à courir pour remplir mes engagements. Même si j'avais la chance de croiser des gens intéressants dans mon métier, je ne faisais partie d'aucun clan et je n'arrivais pas à me lier d'amitié avec les autres artistes. Ils n'étaient pas portés à venir vers moi et, comme j'étais trop gênée pour faire les premiers pas, je restais souvent seule dans mon coin.

Mon bilan de ces premières années de carrière est mitigé. Alors que je connaissais une ascension fulgurante vers la gloire, je n'étais pas du tout consciente de ce qui m'arrivait. Tout ce dont j'étais consciente, c'est que ma course vers le succès était épuisante et me coupait du reste du monde, tout en m'obligeant à de nombreux sacrifices alors que je sortais à peine de l'adolescence.

C'était beaucoup de stress, d'autant plus que j'avais trop peu de temps à consacrer à ma famille et à mes amis. À 17 ans, je n'avais toujours pas d'amoureux officiel avec qui j'aurais pu partager tout ce qui m'arrivait. Je me sentais très seule, même si j'étais entourée de beaucoup de monde sur le plan professionnel. Malgré cette solitude et la tristesse qui m'habitait souvent, je continuais à sourire et à faire docilement ce qu'on attendait de moi.

Je me demande où je pouvais trouver la force de continuer à ce rythme infernal en dépit de l'immense fatigue qui m'envahissait parfois. Heureusement que j'étais rêveuse et que je pouvais de temps à autre m'enfuir dans un monde imaginaire et féerique. Ça me permettait d'oublier pour un moment que le seul véritable amour que je connaissais alors c'était celui que je donnais à mon public et que je recevais lui.

J'étais tellement occupée, à cette époque, que je devais enregistrer mes disques la nuit, après mes spectacles. Le jour, j'avais des séances de photos à faire pour les journaux et les magazines. Je devais aussi participer aux enregistrements d'un nombre incalculable d'émissions de radio et de télévision.

Il y avait une effervescence extraordinaire dans le milieu artistique québécois à la fin des années 60, mais la compétition était vive. Des vedettes naissaient et disparaissaient à un rythme effarant. Un jour on était une star et le lendemain on retombait dans l'oubli. Il fallait être fait fort pour survivre dans cette jungle. On devait tous travailler comme des fous et profiter le plus possible de sa popularité, car on ne savait pas combien de temps elle allait durer.

Même si pour moi la quête de la gloire n'était pas une priorité, je prenais ma carrière très au sérieux, car j'étais consciente qu'il fallait s'investir totalement pour réussir, quitte à sacrifier un peu de son bonheur et de sa vie personnelle.

*Mes parents, Laurent Bernier et
Jeanne-Mance Milette,
se sont épousés le 24 juillet 1948.*

*Cette photo a été prise
le 26 août 1951.
J'avais huit mois.*

Me voici à deux ans.
En choisissant les photos,
j'ai remarqué qu'enfant,
j'avais souvent des friandises
dans la bouche.

Avec ma mère
et ma sœur Diane,
en mars 1954.
Je me trouve tellement coquette
avec mon bonnet
à petites oreilles angora
et mes belles petites bottes
en lapin.
Attention Hollywood,
j'arrive !

À trois ans.

*Maman,
mon frère Michel,
moi à gauche
et ma sœur aînée,
Diane, à droite,
en août 1954.*

*Au jour de l'An 1955,
ma mère tient
ma sœur cadette, Carole,
dans ses bras et, à ma droite,
Diane semble intimidée.
Mon père est derrière
Michel.*

*À ma première communion,
le 5 mai 1957, accompagnée
de maman.*

*À la première
communion
de Michel,
voilà Carole
dans sa belle
robe blanche.
Diane est juste
derrière elle.
Je suis toute
discrète
au milieu de tout
ce beau monde.*

*Je viens à peine d'avoir
6 ans et je pose fièrement
avec maman.
Enfant, j'avais besoin
de beaucoup d'affection
et de sécurité
et c'est pour cela
que je me collais
fréquemment
contre ma mère.*

*J'ai 14 ans et je porte
désormais le nom
de Chantal Pary.
Je viens de remporter
un concours à CKVL.
Il s'agit de ma première
photo professionnelle
et je porte une robe
qui appartient à maman.
Quelle poitrine!
Vive les bourrures!*

CHANTAL PARY

*Maman a emprunté
le nom de Janie Berre
— diminutif
de Jeanne-Mance
Bernier — avant
d'entreprendre
une brève carrière
de chanteuse.
Cette photo
et la précédente
ont été prises
la même journée.
Ma mère a alors
seulement 33 ans.*

JANIE BERRE

Avec Serge Turbide,
au cours de la promotion
de la chanson Pendant les
vacances *que nous avions*
enregistrée en duo.
À l'extrême droite, on voit
Bob Watier, partenaire
et mari de Ginette Reno.

Marc Gélinas
me tient la main
dans les rues
de Bruxelles.
Il ne voulait pas
que je sois trop
dépaysée
en Belgique!
Blague à part,
nous participions
au prestigieux
Festival de Spa.

Sur un plateau de télé en France avec l'animateur Jacques Martin.
L'équipe de l'émission pensait que j'étais une Indienne du Canada.
À cette époque, certains Français croyaient que nous vivions encore
dans des tentes.

Je suis allée encourager Jean-Pierre Ferland
à Bobino, à Paris.

*Toujours dans la Ville lumière, entourée de mon gérant Gilles Talbot
à gauche et du producteur Guy Latraverse.*

*France Gall m'a invitée dans son penthouse du centre-ville de Paris.
Je garde un bon souvenir de cette chanteuse.*

En 1968, j'ai fait la tournée des Forces armées canadiennes, en compagnie de Patsy Gallant, Suzanne Lapointe et Shirley Théroux. Au centre se trouve le représentant de l'événement, qui avait lieu à Val-d'Or.

Dans les journaux artistiques, les entreprises Grand Prix nous félicitent, Ginette Reno et moi, pour les honneurs que nous avons reçus au Gala.

Révélation 1969. C'est dans le Forum rempli à craquer que je suis allée chercher mon trophée.

En 1970, aux côtés de Sacha Distel à la Place des Arts.

Une autre photo pas très réussie, avec Aznavour, qui s'est rendu à la Place des Arts afin de me voir et de me féliciter pour le tour de chant que j'ai donné en première partie de Sacha Distel.

C'est à Jeunesse d'aujourd'hui, en mai 1970, que je me suis mariée avec André Sylvain devant quelques millions de téléspectateurs. À nos côtés, l'animateur de l'émission, Pierre Lalonde.

Au Festival de la chanson de Mexico, en 1971.

On dirait sur cette photo que j'en ai assez
de l'indifférence de Mme Frida Boccara.
J'ai préféré me retrouver aux côtés de Paul Mauriat,
qui était plus sympathique.

André Perry est un réalisateur
et un ingénieur de son
avec qui j'ai adoré travailler.

*Ma vie c'est toi a été
le premier 45 tours sur
lequel nous avons mis mon
visage. J'ai toujours aimé
cette chanson. Ce single
a été mon premier
disque platine.*

*En Jamaïque,
pour la publicité
des 14 soleils
d'Air Canada.
Même si rien
ne le laisse
deviner, j'avais
commencé,
à ce moment-là,
à souffrir
d'insomnie.*

Au début des années 70,
au parc Jarry,
lors d'un grand événement musical.

Avec tout le succès qu'il a connu là-bas, je suis heureuse d'avoir cédé ma place à René Simard pour le concours de Tokyo.

La famille au grand complet, lors du 25ᵉ anniversaire de mariage de mes parents, que j'avais organisé. Les jubilaires à l'avant, et de gauche à droite à l'arrière : Diane, Michel, Carole et... devinez qui ?

Enfin enceinte !
Chaque fois que
je chante Ma mélodie
d'amour, ma grossesse
revient dans mes
pensées. Je me souviens
que Mélanie bougeait
beaucoup dans
mon ventre lorsque
j'ai enregistré
cette chanson en studio.

C'est le mauvais poupon
qu'on présente sur la page couverture
de ce journal comme étant Mélanie.

PHOTO-JOURNAL
LE JOURNAL DE LA QUÉBÉCOISE MODERNE

PRIMEUR   FILLE DE 9 LIVRES

CHANTAL PARY a
souffert le martyre

Chapitre 5

Mon mariage à la télévision

Dès que j'ai commencé à chanter de façon professionnelle, j'ai été séparée de mes amis d'enfance. J'étais trop occupée pour avoir une vie normale avec des jeunes de mon âge. Je n'avais pas de temps, non plus, pour les petites amourettes. On peut dire que ma carrière précoce m'a fait passer directement de l'enfance à l'âge adulte. À 15 ans, j'enregistrais mon premier 45 tours et j'avais commencé quelques années plus tôt à me produire dans les cabarets.

Je me souviens qu'une fois ou deux mon attention a été attirée par des garçons que je trouvais beaux. J'ai même accepté quelques invitations, mais ces sorties ont été sans lendemain. Si quelqu'un s'est vraiment intéressé à moi à cette époque, je ne m'en suis pas rendu compte. Ma carrière qui débutait prenait déjà toute la place et je n'avais plus de vie privée. Je n'avais d'autre choix que de passer mon temps à répéter mes chansons et à donner des spectacles plutôt que d'avoir une vie amoureuse qui m'aurait sans doute comblée davantage que ma vie professionnelle.

Je ne pensais pas à l'amour. Je n'avais pas le temps d'aimer. Aucune idylle ne pouvait donc naître. Les garçons, même les plus séduisants, passaient à côté de moi sans que je les voie. Je me rends compte aujourd'hui que j'aurais pu être plus heureuse si j'avais laissé une petite place à l'amour dans mon cœur. Même si j'étais encore bien jeune pour vivre un grand amour, il aurait fallu que je me montre plus réceptive à certains regards, à certains sourires ou à certains gestes.

Pendant ce temps, il y avait tout de même un homme qui, sans être vraiment présent à mes côtés, continuait discrètement à prendre de mes nouvelles. C'était André Sylvain. Ma mère était plus ou moins d'accord avec le fait que cet homme, alors âgé de 25 ans, communique régulièrement avec sa fille de 14 ans. Elle trouvait sans doute que cette différence d'âge était trop grande et elle jugeait avec raison qu'il était trop tôt pour que je pense sérieusement à l'amour.

Elle n'a pas trop eu à s'inquiéter, car pendant trois ans André s'est contenté, la plupart du temps, de prendre de mes nouvelles à distance, sans jamais s'imposer dans ma vie de tous les jours. Nous nous sommes tout de même croisés à quelques reprises pendant mes tournées de promotion. Ces rencontres étaient toutefois très innocentes, et il n'en a jamais profité pour me faire des avances. Sa patience a été récompensée, car nous avons commencé, en 1968, à nous voir sur une base plus régulière. J'avais alors 17 ans et j'étais suffisamment mûre pour avoir un premier flirt.

Notre histoire d'amour a débuté de façon plutôt étonnante. André était venu me chercher à quelques reprises dans les cabarets où je chantais. Puis, un jour, il m'a demandé de l'accompagner au Luna Rosa, un club de danseuses nues situé sur le boulevard Taschereau, à Longueuil. Il a profité de cette occasion pour le moins spéciale pour m'annoncer qu'il voulait sortir sérieusement avec moi. Il m'a du même coup confié qu'il devait d'abord rompre avec sa blonde du moment. J'avais été très heureuse de la tournure des événements et j'avais surtout apprécié qu'il me dise la vérité concernant sa relation avec une autre femme.

Lors de cette première sortie officielle, j'ai pris conscience que je m'intéressais plus à André que je n'avais osé me l'avouer jusque-là. Mes sentiments étaient cependant encore confus à son égard. Je le voyais surtout comme un père, ou tout au moins comme un homme plus âgé que moi qui avait plus d'expérience tant sur le plan professionnel que sur le plan personnel. Il représentait une certaine sécurité. Comme je manquais énormément de confiance en moi, j'étais heureuse de pouvoir profiter de ses conseils. Il jouait de la guitare. Il chantait. C'était un animateur de radio qui parlait bien et qui était cultivé. Je prenais conscience qu'il pourrait tout m'enseigner et, comme j'avais encore tout à apprendre de la vie, cette perspective m'emballait.

C'est ce que je croyais à l'époque, mais je sais aujourd'hui que j'aurais sans doute pu poursuivre ma carrière avec succès sans l'aide d'André. Alors que j'aurais dû avoir davantage confiance en moi, je comptais encore sur l'opinion des autres pour me confirmer que j'avais du talent et que je travaillais bien. Malgré que je vieillissais et que je gagnais en maturité, malgré tous mes succès professionnels, malgré tous mes trophées, j'avais encore besoin que quelqu'un en qui j'avais confiance me dise que j'étais talentueuse.

Le fait qu'André Sylvain connaissait bien le métier et qu'il affichait beaucoup d'assurance lui a sans doute permis de réussir là où d'autres hommes avaient échoué avant lui. Il a pu ainsi attirer mon attention pour mieux me séduire. À 17 ans, il était temps que je me tourne vers les choses de l'amour, et André, avec son charme viril et sa maturité rassurante, était le candidat idéal pour m'aider à franchir cette étape.

Je commençais d'ailleurs à m'attacher sérieusement à lui et à le voir avec d'autres yeux. Je lui trouvais de plus en plus de qualités. C'était d'abord un très bel homme. Trois ans après notre première rencontre, il n'avait rien perdu de sa séduction. Ses beaux yeux bleus étaient toujours aussi pénétrants, et le fait que je semblais être le seul objet de son attention me plaisait plus que je ne voulais l'admettre. André était très *straight*. Il ne prenait jamais d'alcool. Il ne se droguait pas. Il n'élevait jamais la voix. Il savait aussi trouver les mots pour me rassurer. C'était le compagnon parfait pour une fille sérieuse comme moi.

Après notre première soirée dans un club de danseuses, André m'a rappelée très rapidement, pour m'inviter à une sortie beaucoup plus intime. Il voulait que je l'accompagne pour regarder avec lui le clair de lune. C'était si romantique comme invitation que je me suis dit qu'il profiterait sûrement de l'occasion pour me donner mon premier baiser. Je réagissais aussi fébrilement qu'une jeune fille qui va à son premier rendez-vous amoureux. C'était presque le cas. À 17 ans, je constatais que j'étais vraiment ignorante et que je manquais totalement d'expérience dans les affaires de cœur.

André m'emmena donc à l'endroit convenu. C'était un joli boisé situé près de la réserve indienne de Kahnawake.

Je revois cette scène comme si c'était hier et je crois que je ne l'oublierai jamais. Nous nous tenions immobiles, nos têtes levées vers le ciel. Malgré la beauté du paysage, j'ai commencé à m'impatienter après quelques minutes et je me suis mise à espérer qu'il se passe quelque chose. Rien n'arriva cependant. Même pas un petit bec innocent. Un peu surprise de la tournure des événements et surtout déçue, je me suis finalement convaincue que c'était mieux ainsi puisque André voulait sans doute me montrer qu'il me respectait. Notre première soirée d'amoureux s'est donc terminée de cette façon, et nous sommes revenus sagement à la maison de mes parents.

Ç'a été très long avant qu'André ne me montre des premiers signes d'affection. Je constate aujourd'hui que ce n'était pas un homme chaleureux et qu'il manquait souvent d'égards envers moi. Un jour, il m'avait demandé de me préparer afin de l'accompagner lors d'une visite chez ses parents, à Granby. Il m'avait dit qu'il viendrait me chercher à 10 h ce matin-là. Je me suis donc habillée, maquillée et coiffée pour l'occasion, afin qu'il soit fier de moi. Je l'ai attendu patiemment jusqu'à 17 h. Ne le voyant pas arriver, je me suis finalement décidée à téléphoner chez ses parents pour savoir ce qui se passait. J'ai alors appris qu'il était là depuis le matin.

Ça faisait un an qu'on sortait ensemble et ce n'était pas la première fois qu'il me faisait ce genre d'affront. Je comprends maintenant que c'était un manque de respect de sa part, mais à l'époque je lui trouvais toujours des excuses lorsqu'il agissait ainsi. Cette fois-là, ça s'est cependant passé autrement. Même si j'étais encore très jeune et surtout très naïve, je n'étais pas complètement idiote et je me rendais compte que ce n'était pas normal qu'il se soit comporté ainsi avec moi. Son attitude n'était pas celle d'un homme vraiment amoureux. Je me disais qu'une personne qui en aime une autre n'agit pas ainsi. J'ai donc décidé de rompre dès que je le reverrais, en lui disant alors que je sentais au fond de moi qu'il n'y avait pas d'avenir pour notre couple.

Au cours de l'année précédente, il s'était passé plein de trucs entre nous, qui me faisaient douter de la viabilité à long terme de notre relation amoureuse. Je ne voulais pas croire que c'était ça, l'amour. Je me disais qu'un homme aimant n'oublie pas de venir chercher l'élue de son cœur après l'avoir invitée à l'accompagner chez ses parents.

M'avait-il vraiment oubliée ou avait-il changé d'idée à la dernière minute, sans me prévenir? Il agissait souvent de façon bizarre. J'avais l'intuition qu'il me mentait, car il lui arrivait fréquemment de se contredire. Sans en avoir la preuve, je commençais sérieusement à me demander s'il n'avait pas de petites aventures à gauche et à droite. Je voyais bien qu'il n'y avait jamais rien de vraiment clair avec lui. Tout restait toujours dans le flou. J'en étais venue à me questionner à savoir s'il était aussi mature et responsable qu'il voulait bien le laisser paraître. Je me rappelais avoir dû payer, à quelques occasions, ses contraventions afin de lui éviter des problèmes qui auraient peut-être pu le conduire en prison. Un homme vraiment mature et responsable pouvait-il se montrer aussi négligent quand venait le temps de régler ses comptes?

Son compagnon de chambre de l'époque m'avait d'ailleurs mis en garde au sujet d'André. Il m'avait même conseillé de ne jamais l'épouser, me disant que je ne connaissais pas vraiment l'homme que je fréquentais. Je n'avais pas tenu compte de ses propos, car je pensais qu'il était sans doute jaloux du bonheur d'André et qu'il voulait saboter nos chances d'être heureux ensemble. Je me cachais toujours la vérité, mais cette fois-là j'avais bien l'intention de tenir mon bout et j'étais sincèrement décidée à rompre définitivement avec lui. J'avais d'ailleurs l'appui de ma mère qui voulait elle aussi que je rompe, après m'avoir vue pleurer seule dans ma chambre. Elle ne pouvait supporter de me voir si triste.

Le soir où j'ai eu avec lui cette discussion importante, nous étions assis dans son automobile, stationnée dans l'entrée devant la maison de mes parents. Après m'avoir écoutée attentivement, André ne s'est pas laissé démonter par l'annonce de ma décision de rompre. Il a su, au contraire, trouver les mots pour me convaincre de faire marche arrière. Il s'est excusé, en prenant son air de chien battu. Voyant que malgré ses belles paroles j'avais encore des réserves à son sujet, il a même laissé entendre qu'il pourrait songer au suicide si je le laissais tomber, car il ne voyait pas comment il pourrait survivre à notre rupture.

Paniquée à l'idée que je pourrais avoir sa mort sur la conscience pour le reste de mes jours, je fus évidemment ébranlée. Tout en le rassurant sur le fait que je voulais bien lui donner une seconde chance, j'ai tout de même décidé d'attendre un peu avant de recommencer à le voir sur une base régulière. Pendant cette pause, il n'a pas lâché prise et a continué à me téléphoner, en me faisant chaque fois sentir coupable de le faire souffrir par mon attitude distante. J'ai finalement cédé, et nous avons recommencé à nous fréquenter.

Il faut dire qu'André avait trouvé un autre argument pour le moins convaincant afin que j'accepte de reprendre avec lui. Il m'avait proposé rien de moins que le mariage. Il voulait me montrer ainsi qu'il était sérieux et qu'il m'aimait vraiment. Je me suis dit qu'effectivement un homme qui propose le mariage à une femme doit être sûr de ses sentiments à son égard. J'admets aussi que l'idée de me marier avec André ne me déplaisait pas, et ce, malgré tous nos petits différends. J'en avais assez d'être seule et de consacrer tout mon temps à ma carrière. Je voulais avoir d'autres priorités dans ma vie que le showbiz.

J'avais aussi envie de quitter le foyer familial et de voler de mes propres ailes, en me créant mon propre petit nid d'amour avec l'homme que j'aimais et qui m'aimait. Je me disais qu'une vie stable avec un mari bien à moi m'aiderait sur le plan personnel à mieux supporter les pressions du métier. Je n'étais pas vraiment heureuse à l'époque et je croyais que le mariage était le premier pas vers un bonheur que je désirais depuis tant d'années. Un mari, une maison et plus tard des enfants, c'était ça la vraie vie pour moi. Je trouvais naturel de commencer à planifier une petite famille avec l'appui indéfectible de mon conjoint. Ça allait tellement de soi que je n'ai pas cru bon en parler à André. Je me disais que s'il m'avait proposé le mariage, c'est qu'il voulait comme moi avoir des enfants.

J'aurais dû me méfier et aller au fond des choses en ayant avec lui une série de discussions franches et ouvertes. Ça nous aurait sans doute permis de mieux nous connaître et de vérifier si nous avions vraiment des aspirations communes et surtout la même vision d'un mariage réussi. Ma naïveté et mon manque d'expérience sur le plan amoureux m'ont malheureusement empêchée d'être vigilante avant de m'engager plus avant avec André.

Je constate aujourd'hui que pendant nos deux ans de fréquentations, ça n'a jamais été la grande passion entre nous. Comme je manquais d'expérience en la matière, je croyais que c'était ça, l'amour, et que je ne devais pas attendre plus de l'homme que j'aimais. Curieusement, il ne me prenait jamais la main. Il m'embrassait rarement. Il n'avait en fait, à mon égard, aucun de ces petits gestes d'affection qui font tellement plaisir et qui solidifient un couple. J'avais l'impression que c'était tout simplement un homme froid qui n'aimait pas montrer de façon tangible ses sentiments.

Là encore je cherchais des excuses, essayant de me convaincre que notre différence d'âge expliquait sans doute certaines de nos divergences. André avait déjà du vécu et il avait eu de nombreuses blondes avant moi. Il me l'avait d'ailleurs confirmé à quelques reprises. Je l'excusais en me disant que c'était normal pour un homme qui approchait de la trentaine d'avoir eu des aventures. Je pensais aussi qu'après notre mariage il n'y aurait de place que pour moi dans sa vie. J'en étais venue à la conclusion que j'en demandais probablement trop à l'amour et que j'étais trop romantique puisque c'était mon premier vrai *chum*.

Malgré toutes ces réserves, nous nous sommes finalement fiancés chez la mère d'André, à Granby. Mes parents étaient venus pour l'occasion. Même si elles ont été fort agréables, ces fiançailles n'ont pas amélioré la qualité de notre relation. André ne s'est pas montré plus empressé envers moi, et ça n'a pas vraiment resserré les liens entre nous. Je crois que nous nous sommes fiancés plus par convention que par conviction. Lorsque je fais ce genre de remarque, je ne blâme pas seulement André. Si j'ai accepté de continuer, c'est que je me sentais à l'aise dans cette relation et que je conservais l'espoir au fond de mon cœur que les choses iraient en s'améliorant après notre mariage.

•

Plus notre mariage approchait et plus j'avais hâte de quitter le toit familial et de prendre un peu mes distances face à mes proches. Au fil des ans et de mon ascension dans le milieu artistique, des tensions avaient commencé à croître dans ma famille. J'étais la première à admettre que ma carrière monopolisait beaucoup du temps libre de mes parents. Ma mère, surtout, devait m'accompagner un peu partout, alors que mon père devait toujours cumuler ses deux emplois. Mon frère, Michel, aurait sans doute apprécié recevoir un peu plus d'attention. Je crois qu'il était fragile intérieurement. J'aurais dû me douter que quelque chose n'allait pas car, à part mes parents, aucun autre membre de famille ne venait m'entendre chanter et voir mes spectacles. Seule ma petite sœur, Carole, prenait des nouvelles de ma carrière et semblait heureuse de mon succès. Je l'ai d'ailleurs invitée à me suivre à quelques reprises lorsque je faisais de la promotion.

Sans que mes parents me l'aient jamais dit et peut-être sans qu'ils l'aient pensé clairement, j'avais l'intuition qu'il valait mieux que je parte au plus vite avant que des querelles n'éclatent au sein de notre famille. Je me sentais de plus en plus coupable de mes succès et j'avais peur que mon frère et mes sœurs soient laissés pour compte. Il m'arrivait d'ailleurs d'entendre, de temps à autre, une remarque ou une allusion malveillante qui confirmait mes appréhensions.

J'aurais voulu être plus proche de ma sœur Diane puisque nous avions presque le même âge. Ce n'était guère possible, car j'étais souvent absente de la maison en raison de mes spectacles. Elle avait son propre cercle d'amis dont je ne faisais malheureusement pas partie. Diane avait décidé de mener sa vie de jeunesse sans moi puisque je semblais n'avoir du temps que pour ma carrière. Même si nous n'étions pas très liées, Diane m'avait demandé un jour de m'installer en appartement avec elle. Elle aurait voulu qu'on quitte la maison familiale en même temps, mais j'ai préféré refuser et faire ma vie de mon côté. J'avais peur de chagriner mes parents si j'acceptais son invitation. Même si elle n'était pas d'accord avec mes craintes, Diane a respecté mon choix et ne m'en a pas tenu rigueur.

Mes relations avec Carole étaient plus chaleureuses. J'étais son idole. Mon père me disait qu'elle répétait souvent mes chansons lorsque je n'étais pas à la maison et qu'elle faisait des vocalises, comme moi. Il m'arrivait parfois, en revenant d'un de mes spectacles, et cela même s'il était très tard, de la réveiller en pleine nuit pour lui raconter tout ce qui s'était passé au cours de la soirée. Je savais qu'elle adorait ce genre de confidences qui nous rendaient complices. J'ai appris qu'à l'époque elle me percevait comme une grande vedette. Je ne voulais pourtant pas jouer à la star devant elle, mais intuitivement je sentais qu'elle avait besoin que je lui parle de toutes les choses merveilleuses qui m'arrivaient. Ça lui faisait du bien et ça m'en faisait aussi d'avoir quelqu'un à qui me confier. Je savais qu'elle était isolée des autres enfants de son âge et que le destin de sa grande sœur la faisait rêver et lui permettait d'oublier parfois sa propre solitude.

Carole m'aimait vraiment, sans me juger et surtout sans m'envier. C'est sans doute pour cette raison que je me suis toujours sentie aussi proche d'elle.

•

Lorsqu'André s'est décidé à faire la grande demande à mes parents, j'étais prête à le suivre et à devenir sa femme pour le meilleur et pour le pire. Pour toutes les raisons que j'ai mentionnées auparavant, ça arrivait au bon moment. À 19 ans, j'avais la maturité nécessaire pour franchir cette nouvelle étape de ma vie. Mon père n'était cependant pas très chaud à l'idée de ce mariage. Il m'a avoué qu'il trouvait que notre différence d'âge était trop grande. Il m'a tout de même donné sa bénédiction et m'a laissée agir à ma guise puisque de toute façon j'étais désormais majeure.

J'avais dit à André que je voulais un mariage simple et intime avec nos familles respectives, loin des caméras et du tapage médiatique. Comme il n'avait pas commenté, j'avais tenu pour acquis que nous étions d'accord sur cette question. Nous avions pris l'habitude de manger avec mon gérant, Gilles Talbot, une fois par semaine pour discuter de ma carrière et planifier tous les engagements que je devais remplir. Nous avons donc profité d'un de ces soupers pour lui annoncer la nouvelle de notre mariage.

Le réalisateur de l'émission *Jeunesse d'aujourd'hui* au Canal 10, Jacques Charles Gilliot, un ami de mon gérant, était présent ce soir-là. Tel qu'entendu, j'ai donc annoncé à Gilles Talbot qu'André et moi allions bientôt nous épouser et que je voulais une cérémonie intime. Gilles a alors suggéré, à ma grande surprise, que la célébration de mon mariage soit diffusée à la télévision dans le cadre de *Jeunesse d'au-*

jourd'hui. Pour me convaincre, il m'a rappelé que le chanteur américain Tiny Tim s'était marié à la télé, et que ça avait obtenu beaucoup de succès, de grandes cotes d'écoute. Il a rajouté que ça serait bon pour ma carrière et que ça me donnerait une publicité extraordinaire.

Lorsque j'ai entendu ces paroles, mon cœur a fait trois tours. Je n'en croyais pas mes oreilles et j'en suis restée bouche bée. J'attendais avec impatience qu'André intervienne, mais il n'a rien dit, se contentant de baisser les yeux. J'aurais voulu qu'il oppose un non catégorique. J'étais tellement déçue de la tournure des événements que je n'arrivais pas à trouver les mots pour manifester mon désaccord. Je me rendais compte, tout à coup, que je ne pouvais plus contrôler ma vie privée. Alors que ce mariage aurait dû être le plus beau moment de ma vie, tout tournait au cauchemar. Je n'osais cependant pas imposer mon point de vue, car j'avais peur de déplaire à mon gérant.

Je réagissais comme je l'avais toujours fait. Par crainte de déplaire aux autres, je mettais mes propres sentiments en veilleuse. En petite fille obéissante, comme mon père m'avait enseigné à l'être, je n'ai pas su trouver les arguments pour imposer mon point de vue et, tout comme André, j'ai baissé les yeux. Après quelques secondes de silence, j'ai finalement trouvé la force de dire que j'allais y réfléchir et que je donnerais ma réponse quelques jours plus tard.

C'était normal que Gilles Talbot et surtout Jacques Charles Gilliot fassent cette suggestion, car ils estimaient sans doute avec raison que ce serait bon pour tout le monde. Le Canal 10 aurait des cotes d'écoute extraordinaires, mon gérant vendrait davantage de mes disques, et moi, je deviendrais encore plus célèbre. Le problème c'est que ce n'était pas cela que je voulais. Notre principale erreur, à André et à moi, a été de ne pas nous être immédiatement opposés à ce projet de façon ferme et claire. Ce fut d'autant plus regrettable que la direction du Canal 10 n'a pas attendu ma réponse et qu'on a commencé à publiciser l'événement avant même que je ne donne mon accord. À partir de ce moment, je n'avais plus vraiment le choix. Je ne pouvais pas me permettre de décevoir mon public, qui était évidemment ravi de partager avec André et moi ce moment privilégié.

J'étais dépassée par les événements et je ne pouvais plus me défiler, car j'aurais eu l'air, dans les médias, de ne pas savoir ce que je voulais. J'ai donc dû accepter que mon mariage devienne un véritable cirque médiatique. Je n'en veux pas du tout à la direction du Canal 10, qui avait sans doute reçu le OK de mon gérant. Une fois de plus, il avait parlé en mon nom, sans me consulter. Le réalisateur Jacques Charles Gilliot a dit récemment dans une émission télévisée qu'il était convaincu, à l'époque, que j'étais d'accord avec ce projet de diffuser mon mariage. Je lui apprends aujourd'hui que ce n'était pas le cas.

•

Je me souviens que j'avais choisi une première robe de mariée, dont la photo a aussitôt été publiée dans tous les journaux de l'époque. Voyant cela, j'ai décidé, à la dernière minute, d'en commander une autre afin de créer une certaine surprise et d'éviter que tout le monde sache à l'avance ce que j'allais porter ce jour-là.

Le matin de mon mariage, je n'étais pas particulièrement heureuse et enthousiaste, car j'avais l'impression de me préparer à faire une émission de télévision plutôt qu'à me marier. Je n'étais donc pas nerveuse comme le sont la plupart des futures mariées. Pour moi, c'était de la routine puisque mon mariage était devenu une activité professionnelle comme une autre. J'avais cependant exigé qu'il n'y ait pas de public en studio, comme c'était habituellement le cas lors des enregistrements de *Jeunesse d'aujourd'hui*. Il n'était pas question que j'entende hurler des fans en délire au moment où j'allais dire le fameux «oui». J'ai donc demandé que seuls les membres de nos deux familles et nos amis soient présents en studio. La direction du Canal 10 a accédé gentiment à ma demande.

C'est le père Legault qui a officié. Il nous avait rencontrés quelques semaines plus tôt et avait semblé plus ou moins d'accord avec le fait que la cérémonie n'ait pas lieu dans une église et qu'elle soit présentée à la télévision. Il a finalement accepté de bénir notre union. Ça prenait une permission spéciale de ma paroisse et de deux autres autorités ecclésiastiques, parce que je me mariais dans un diocèse différent de celui où je vivais et qu'en plus la cérémonie allait être diffusée en direct à partir d'un studio de télévision. Tout s'est passé très vite et les trois permissions ont été obtenues sans trop de problème. Tout était désormais en place pour que le mariage le plus médiatisé de l'époque ait lieu comme prévu.

Je me suis donc présentée au Canal 10, prête à participer à un événement télévisuel qui aurait dû normalement être le plus beau jour de ma vie. Il était convenu que les créateurs de ma robe me l'apporteraient en studio. J'ai donc attendu leur arrivée sans trop m'en faire. Quand après un certain temps j'ai vu que l'heure de la cérémonie approchait et que je n'avais toujours pas reçu ma robe de mariée, j'ai commencé à m'inquiéter. Je ne savais pas, à ce moment-là, que les deux habilleurs en question étaient pris dans la circulation sur le pont Jacques-Cartier. Moi qui avais été d'une patience exemplaire, je me suis mise à paniquer sérieusement. D'autant plus qu'un représentant du Canal 10 n'avait rien trouvé de mieux à me dire que je n'aurais qu'à mettre la robe de mariée qui servait aux sketches dans la série quotidienne *Télé Métro* si la mienne n'arrivait pas à temps. Il n'en était pas question, évidemment. Je dois vous dire qu'à ce moment précis j'étais à bout de nerfs et que ma pression commençait sérieusement à monter.

Pour mon plus grand malheur, je n'arrivais pas à savoir où était André. Il demeurait introuvable alors que j'aurais eu besoin de son soutien moral. Dans mon énervement, j'avais oublié qu'il était normal qu'il se cache ainsi puisque c'est dans la tradition que le futur marié ne voie pas sa promise avant la cérémonie. J'ai donc dû me débrouiller seule et attendre patiemment la suite des événements. La robe est finalement arrivée 10 minutes avant le début de la cérémonie. Grâce à l'aide de mes habilleurs, j'ai pu l'enfiler en un temps record mais, dans la fébrilité générale, je me suis présentée devant les caméras en ayant oublié mon bouquet de noces.

C'était la folie autour de nous car, en plus des caméras de télévision, nous devions affronter les dizaines d'appareils photo des médias présents. Je n'étais pas la seule qui était énervée par tout ce brouhaha, puisque le père Legault en a même échappé nos deux alliances pendant la cérémonie. Même s'il se déroulait dans un climat surréaliste, je prenais mon mariage très au sérieux. Peu importe ce qui aurait pu arriver cette journée-là, je me serais mariée envers et contre tous. J'étais sincère dans mon cœur, même si tout cela tenait plus du vaudeville que d'une véritable cérémonie religieuse. Je savais qu'il s'agissait d'un sacrement m'unissant à un homme qui devenait ainsi mon mari pour le reste de mes jours.

Malgré les flashs, malgré les deux millions de téléspectateurs, malgré l'immense couverture médiatique, j'étais consciente que ce mariage avait été béni par un prêtre catholique. C'était plus important pour moi que tout le reste. J'entamais par cette union sacrée une nouvelle vie à deux, car je n'avais jamais cohabité avec André auparavant, même si nos fréquentations avaient duré deux ans.

•

Il y avait foule à notre sortie des studios du Canal 10. On voyait du monde partout: tant au bord de la route que sur les balcons. Des milliers de fans avaient tenu à être là pour partager ce moment avec nous et voir les mariés de plus près. Ils ont été bien servis puisque nous étions à bord d'une voiture décapotable. C'était vraiment la grosse affaire!

Nous nous sommes dirigés vers le restaurant La Barre 500 pour la réception. J'aurais aimé avoir un repas de noces plus somptueux, mais comme c'était moi qui avais payé tous les coûts liés à ce mariage et qu'il ne me restait que 1 000 $ dans mon compte en banque, j'avais dû me montrer raisonnable. Nous avons tout de même eu droit à du rosbif de qualité que nous avons partagé avec notre famille immédiate. Je me souviens qu'il n'y avait même pas de musiciens sur place, pendant le souper et la réception qui a suivi. Il n'y a que mon beau-frère Allen qui a joué un peu de trompette. On a dû, par la suite, se contenter de musique enregistrée.

Je tiens à souligner, à ce moment-ci, que je n'ai pas reçu d'argent pour ce mariage télévisé. Le Canal 10 ne m'a pas payée pour cette émission spéciale de *Jeunesse d'aujourd'hui*. Je n'ai touché, en fait, que le cachet de l'Union des artistes. Si quelqu'un s'est enrichi avec cet événement, ce n'est pas moi.

Après la réception, nous sommes partis pour notre lune de miel. Moi qui croyais qu'André avait planifié quelque chose de spécial pour l'occasion, j'ai dû rapidement me rendre compte qu'il n'en était rien. Nous nous sommes donc retrouvés dans un premier temps chez mes parents. C'est là qu'André m'a demandé où je voulais aller pour notre voyage de noces. Il a suggéré que nous sortions du Québec, sinon nous risquions d'avoir de nombreux journalistes sur le dos. Nous avons opté pour Plattsburgh, tout juste de l'autre côté des lignes américaines. Comme nous n'avions pas réservé d'avance, nous avons dû nous contenter d'une petite chambre dans un motel *cheap*, rempli de «bibittes». C'était laid. C'était sale et surtout pas très romantique pour une nuit de noces. Dépités par tout cela, nous n'avons même pas fait l'amour, ce soir-là. Je me suis dit que mon nouveau mari devait être fatigué et que de toute façon nous avions toute la vie pour nous reprendre. Nous nous sommes donc sagement endormis, aussi chastes que des étrangers.

Le lendemain, nous nous sommes réveillés avec une seule idée en tête, quitter ces lieux au plus vite. Ce jour-là, c'était la fête des Mères et j'ai suggéré qu'on fasse une surprise à la mère d'André, en allant lui rendre visite à Granby. La surprise fut effectivement totale puisque tout le monde se demandait pourquoi nous avions ainsi écourté notre lune de miel.

.

Quelques jours plus tard, nous emménagions dans notre nouvel appartement, situé au Domaine d'Iberville, à Longueuil. Ce n'était pas très grand, ce n'était pas très luxueux, mais ce qui importait pour moi était qu'il s'agissait de l'endroit où j'allais désormais vivre avec mon mari. J'étais vraiment heureuse d'entreprendre ma nouvelle vie de couple. Les locataires de l'endroit pouvaient profiter d'une piscine, d'un sauna et d'une salle de lavage commune. Nous avions surtout une vue superbe sur la ville de Montréal et sur le pont Jacques-Cartier. La nuit, c'était vraiment spectaculaire!

Dans ce temps-là, nous n'étions pas très riches mais, comme tous les amoureux qui emménagent ensemble, nous nous contentions de peu. De toute façon, ça n'aurait pas été vraiment utile d'avoir un appartement plus grand, car nous n'étions pas souvent là. J'avais en effet repris de plus belle mes tournées de spectacles, et André était lui aussi très occupé de son côté.

Lorsque nous sommes revenus de notre court voyage de noces, j'ai demandé à André de me faire un enfant le plus rapidement possible. C'était une priorité pour moi et elle passait bien avant ma carrière. J'avais tellement hâte d'être maman! Alors que je nous croyais d'accord sur ce point, André m'a fait comprendre qu'il ne voulait pas d'enfant pour le moment. Il m'a dit que c'était trop tôt et que je devais donner la priorité à ma vie professionnelle. Malgré mes arguments, il demeurait convaincu qu'avoir un bébé risquait de mettre ma carrière en danger. Comme toujours, il a su se montrer convaincant, et j'ai accepté sa décision même si j'étais extrêmement déçue. Je trouvais normal qu'il décide pour nous deux et je n'ai pas osé m'objecter, encore moins me révolter. Je me disais qu'il était plus vieux que moi et qu'il devait donc avoir une plus grande expérience de la vie. Je devais par conséquent lui obéir et le laisser décider de la suite des événements. J'avais beau essayer de me convaincre que ce n'était pas grave, je pleurais chaque fois qu'André s'absentait de la maison.

J'avais heureusement une vie professionnelle très bien remplie, et ça m'a permis d'oublier un peu mon chagrin. J'essayais de m'étourdir en acceptant de plus en plus de contrats. Mes succès, aussi éclatants qu'ils pouvaient être, ne suffisaient pourtant pas à masquer la triste réalité. Ma vie de femme mariée était décevante sur plusieurs points, et rien ne pouvait désormais m'empêcher de constater que la lune de miel entre André et moi avait été de très courte durée.

Nous en sommes venus très rapidement à dormir séparément. André s'est mis à trouver toutes sortes de prétextes pour ne pas venir me rejoindre dans notre lit conjugal. Il me racontait qu'il avait pris l'habitude avec les années de dormir seul et qu'il avait peur de me réveiller en bougeant trop dans le lit. Il préférait s'endormir sur le divan du salon, pendant que je l'attendais en vain une bonne partie de la nuit. J'étais jeune mariée, et cette situation me pesait de plus en plus. J'acceptais mal qu'il ne vienne me rejoindre que pour faire l'amour. Comme ça n'arrivait pas souvent, même au tout début de notre vie commune, je le voyais rarement passer la nuit à mes côtés.

J'en suis arrivée à me sentir comme un simple objet de désir et j'ai peu à peu perdu le goût de faire l'amour avec mon mari. Je n'osais cependant pas le lui dire. Je faisais mon devoir conjugal sans grand plaisir. Je cherchais de la tendresse et de petites attentions et, comme je ne recevais rien, j'ai finalement accepté cette situation en me disant que ça devait être ça, l'amour. J'aurais préféré me sentir comme un être aimé et désiré et surtout pouvoir partager des sentiments amoureux avec l'homme que j'aimais encore, malgré tout.

Mes parents ont commencé à se rendre compte que tout n'allait pas pour le mieux dans notre mariage, et mon père m'a même dit après notre séparation qu'il avait été surpris de constater qu'André ne m'avait jamais témoigné le moindre signe d'affection devant eux: aucun petit bec, aucun regard complice, aucun toucher de mains furtif. RIEN.

Il m'arrive aujourd'hui de m'étonner d'avoir été si patiente lors de mon premier mariage et d'avoir pris tellement de temps avant de comprendre que ce n'était pas ça le véritable amour. Il faut dire que je n'avais jamais eu de relations suivies avec un homme avant André et que je n'avais donc aucun point de comparaison. Je croyais naïvement que sa froideur à mon égard et la distance qu'il mettait constamment entre nous deux étaient choses normales et que je devais respecter son intimité sans me révolter. J'étais sûre que la même chose se passait dans les autres couples. Ce que je regrette le plus lorsque je repense à ces années passées avec André, c'est que nous ayons eu si peu de vrais beaux moments ensemble, d'instants de complicité intense, de fous rires...

À peine six mois après notre mariage, nous étions devenus un vieux couple. Je passais mes journées à l'attendre à la maison, sans trop savoir où il était. Nous allions souvent au restaurant ensemble, mais nous n'avions rien à nous dire. Chacun mangeait en silence, lui le regard fixé sur son assiette et moi la tête plongée dans un bon livre. Le seul temps où André s'ouvrait un peu à moi, c'était lorsque nous parlions de nos carrières et de nos projets professionnels, des émissions de télé que j'avais à faire, des disques que j'avais à enregistrer ou des spectacles que j'avais à donner. C'est d'ailleurs lui qui tenait mon agenda et qui me disait de semaine en semaine ce qui m'attendait.

Je travaillais beaucoup partout en province. Nous étions donc souvent séparés, car André devait rester à Montréal pour animer ses émissions de radio. Il m'appelait régulièrement pour prendre de mes nouvelles. Je n'étais pas jalouse, mais deux incidents qui se sont produits la première année de mon mariage m'ont appris à me montrer plus méfiante et à ne plus avoir une confiance aveugle en mon mari.

Le premier incident s'est passé quelques mois seulement après notre mariage. André m'avait dit ce jour-là qu'il devait revoir son ex-blonde pour régler quelque chose avec sa famille, sans me donner plus d'explications. Il m'avait dit qu'il souperait avec elle, mais que ça risquait de se prolonger et qu'il reviendrait probablement aux petites heures du matin. Comme je savais qu'il devait manger à La Barre 500, et que ce restaurant offrait des chambres à ses clients, j'aurais dû me douter que quelque chose risquait de se passer entre eux. J'ai préféré fermer les yeux, mais ça m'a tout de même fait de la peine qu'il revoie son ex-blonde. Je n'étais cependant pas possessive et je tenais à le laisser libre de ses actes. À son retour, lorsque j'ai voulu le questionner sur le déroulement de sa très longue soirée, pour ne pas dire sa nuit avec son ex, André s'est contenté de me répondre de façon évasive, visiblement avec l'envie de parler d'autre chose.

Je n'ai pas insisté mais, quelques jours plus tard, alors que j'étais allée manger avec mes deux amis habilleurs (ceux qui avaient confectionné ma robe de mariée), je me suis laissée aller à leur faire des confidences sur ce que je venais de vivre avec mon mari. Je leur ai demandé si c'était normal qu'André ait passé une partie de la nuit avec son ex-blonde. Ils m'ont spontanément répondu que NON et ont vainement tenté de me convaincre de m'ouvrir les yeux et de voir à mes affaires sentimentales le plus rapidement possible. Mais encore une fois, j'ai refusé d'accepter l'évidence. J'ai préféré me dire que comme mes deux amis étaient gais, ils ne comprenaient pas vraiment le genre de relation que je pouvais entretenir avec mon mari. Je me rends compte aujourd'hui qu'ils m'avaient vraiment donné l'heure juste et que j'aurais dû les écouter. Je les ai malheureusement perdus de vue par la suite, car ils sont allés s'installer à Los Angeles pour y travailler avec, entre autres, Liberace et Debbie Reynolds.

Je refusais de voir la vérité, car je ne voulais pas admettre que mon mariage puisse être déjà en danger. J'ai décidé de ne plus jamais me confier par la suite à qui que ce soit, même dans les moments de crise et dans les pires épreuves de ma vie. J'ai préféré taire tout ce qui m'arrivait et me débrouiller seule. Ç'a été l'une des plus grandes erreurs de ma vie.

Un peu plus tard, un autre incident est venu perturber notre vie de couple. Quelqu'un de ma famille éloignée, que je ne nommerai pas, avait insisté pour venir avec André me voir en spectacle. Son intérêt soudain m'avait un peu étonnée, mais je ne m'y étais pas attardée. Elle s'est donc installée dans la salle pour assister au premier de mes deux spectacles. Lorsque j'ai commencé à donner mon second tour de chant, j'ai constaté qu'elle n'était plus là, ni mon mari d'ailleurs. Son absence m'a d'autant plus étonnée qu'elle semblait vraiment excitée à l'idée de me voir sur scène. J'ai eu alors certains doutes sur ce qui pouvait se passer entre elle et mon mari pendant que j'étais sur les planches. Dès la fin de ma représentation, je suis retournée dans ma chambre, et mes appréhensions ont été confirmées puisque je les ai trouvés, tous les deux assis sur le lit, soi-disant en train de regarder la télé. Je connaissais assez bien cette femme pour savoir de quoi elle était capable. J'étais naïve mais heureusement pas complètement folle. J'ai eu beaucoup de peine, surtout quand j'ai constaté qu'elle et André se téléphonaient régulièrement.

Quelques jours plus tard, je suis revenue sur le sujet avec André et je lui ai dit que j'étais certaine qu'il s'était passé quelque chose ce soir-là entre lui et cette fille. J'ai ajouté que plus jamais je n'aurais confiance en lui et que le jour où j'aurais la preuve qu'il me trompait, je le quitterais sur-le-champ. La discussion s'est terminée là, et je crois que c'est à partir de ce jour que quelque chose s'est brisé entre nous.

•

J'ai cru à un moment donné, lorsque nous avons commencé à prendre régulièrement des vacances à Acapulco et dans d'autres destinations soleil, que les choses allaient s'améliorer dans notre couple. Je me disais que le fait d'être ensemble sur les plages ensoleillées du Mexique, loin du métier et des médias, allait nous aider à nous retrouver et à resserrer nos liens. Ce ne fut malheureusement pas le cas.

Au lieu de se consacrer à moi, André préférait se promener sur la plage et jaser avec d'autres jolies femmes en vacances tout comme nous. Au cours d'un de ces voyages, nous avons rencontré un couple charmant avec lequel nous avons passé un peu de temps. J'aimais beaucoup les voir, car ils semblaient tellement amoureux l'un de l'autre. Ils appréciaient visiblement leur voyage, mais je voyais qu'en même temps la femme s'ennuyait terriblement de leurs deux enfants, puisqu'elle en parlait souvent. Ça m'a émue et surtout ça m'a redonné le goût de tomber enceinte à mon tour. J'en ai reparlé à André, qui m'a encore une fois déclaré qu'il était trop tôt et qu'il n'en était donc pas question.

J'étais tellement déçue et découragée à la suite de ce nouveau refus de sa part que je me suis enfuie au pas de course. Je pleurais, en courant sur la plage comme une folle. Je trouvais mon mari tellement froid, tellement insensible à mes besoins et à mes rêves que je n'étais plus capable de le supporter. Son attitude minait le peu de fierté et de confiance en moi qui pouvait me rester.

J'étais malheureuse et je ne voyais pas comment je pouvais me sortir de mon enfer. J'étais prise entre un milieu professionnel extrêmement féroce où l'erreur n'était pas permise et un mariage en péril dans lequel je ne pouvais plus trouver le réconfort qui m'aurait aidée à mieux affronter la pression du showbiz.

Je courais sur la plage au risque de me blesser, car j'étais trop bouleversée pour regarder où je mettais les pieds. J'ai même pensé à ce moment précis que ce serait une délivrance si quelqu'un mettait fin à mes jours. J'arrêterais ainsi de souffrir. Plus mes larmes coulaient et plus je continuais à courir. Je courais vers quelque chose, mais je ne savais pas vers quoi. On aurait dit que je voulais fuir cette vie qui m'avait déçue sur plusieurs points. Puis, à bout de souffle, j'ai ralenti peu à peu mes pas et je me suis calmée. Je suis finalement revenue à l'hôtel sans trop me rendre compte de ce qui venait de se passer. On aurait dit que j'avais momentanément perdu la notion du temps.

•

Deux ans après ce mariage télévisé qui avait séduit tant de gens, tout était en train de tourner au cauchemar pour moi. Le bonheur que j'avais tant cherché en épousant cet homme n'était pas au rendez-vous. J'avais à peine 20 ans et je ne voyais pas venir le jour où je serais enfin comblée par l'amour. Faute de mieux, j'ai décidé de mettre toutes mes énergies dans ma carrière. Pour oublier ma peine, je me suis jetée à corps perdu dans le travail. J'étais tellement occupée que ça m'empêchait de trop réfléchir à ce qui n'allait pas dans mon mariage. C'est probablement pour cette raison que notre union a duré 13 ans.

Chapitre 6

Ma descente aux enfers

algré tous les hauts et les bas de ma vie personnelle, j'étais toujours aussi motivée par tout ce qui touchait à ma carrière. Je dois d'ailleurs dire à ce sujet qu'André m'encourageait à poursuivre. Je tenais compte de ses propos, mais je continuais à me fier surtout à mon intuition dans le choix de mes chansons. Même s'il ne s'entendait pas nécessairement très bien avec mon gérant, Gilles Talbot, et qu'il y avait probablement un conflit de personnalité entre eux, André le laissait mener ma carrière à sa guise. Il était conscient, tout comme moi, que Gilles était à l'époque l'un des meilleurs gérants d'artistes. Avec cet homme de talent, j'allais d'ailleurs atteindre de nouveaux sommets dans ma carrière et connaître mes plus gros succès tant sur disque que sur scène.

En 1971, j'ai représenté le Canada au premier grand festival de Mexico. J'y ai fait belle figure, en interprétant en compagnie d'un orchestre de 100 musiciens mon succès *Ma vie, c'est toi*, une composition de J. Royal, le pseudonyme de Gilles Brown. Cette belle aventure avait pourtant bien mal commencé, quand je m'étais rendu compte que j'avais oublié chez moi la robe que je devais porter pour le concours. Mon gérant m'avait obligée à la faire venir par avion alors qu'il aurait été plus simple et sans doute moins onéreux pour moi d'en acheter une nouvelle sur place.

À la suite de ma prestation sur scène, lors des semi-finales, le producteur américain Quincy Jones et le grand chef d'orchestre français Paul Mauriat sont venus me rencontrer. Ils semblaient très impressionnés et tous les deux m'ont proposé de s'occuper de ma carrière internationale, le premier aux États-Unis et le second en France. Ils m'ont assurée de leur entière collaboration tant sur le plan de l'écriture que dans le choix des chansons et la réalisation de mes disques. Ils m'ont dit que je n'avais qu'à leur faire signe quand je me sentirais prête à faire le saut. Grâce à leur soutien, j'aurais sans doute pu entreprendre une carrière internationale. Je n'ai cependant pas saisi cette occasion, probablement parce qu'à cette époque je ne devinais pas toutes les possibilités qui s'ouvraient à moi. J'avoue que j'ai manqué le bateau, en ne réagissant pas assez vite à cette extraordinaire proposition. À 20 ans, je ne me sentais pas encore prête à relever un tel défi. Mon gérant n'en revenait tout simplement pas qu'encore une fois je refuse une chance de donner une dimension internationale à ma carrière.

C'est d'ailleurs Gilles Talbot qui avait planifié ma participation à ce prestigieux festival. C'était vraiment très gros puisqu'une trentaine de pays étaient représentés par des chanteurs déjà célèbres chez eux. Je me souviens que Frida Boccara représentait la France. Un jury très impressionnant composé de spécialistes internationaux de la musique avait été formé pour l'occasion. Je suis d'autant plus fière d'avoir participé à ce festival que je me suis rendue en finale. Le public mexicain adorait les chanteurs à voix et semblait avoir été vraiment conquis par ma performance vocale.

Frida Boccara, qui avait franchi elle aussi l'étape des semi-finales et à qui je devais faire face lors de la grande finale, a décidé de brouiller les cartes. Elle est allée voir les juges pour se plaindre: selon elle, quelques notes de ma chanson ressemblaient à un passage de l'*Ave Maria*. Mon gérant m'a raconté que Quincy Jones, qui faisait partie du jury, n'était pas d'accord avec elle. Il a insisté pour que je participe à la finale. Il s'était bien rendu compte que je plaisais au public puisque j'avais eu droit à une ovation après mon interprétation. Je suis d'ailleurs convaincue que j'aurais gagné ce concours si j'avais pu participer à la finale. Frida Boccara a finalement réussi à convaincre un des juges, ce qui a suffi à me disqualifier. Malgré tous ses efforts, Madame Boccara n'a cependant pas gagné le concours. C'est un chanteur pakistanais qui a remporté la palme.

Après ma disqualification, j'ai décidé de rester dans la salle pour assister à la finale et entendre les autres chanteurs. Le lendemain matin, mon gérant m'a appris que je devais rentrer au Québec de toute urgence pour entreprendre, le soir même, une série de spectacles au Théâtre des Variétés. Le problème, c'est que j'avais commencé à souffrir de la fameuse *turista*. J'ai dû malgré tout prendre l'avion et suis arrivée juste à temps pour donner mon premier tour de chant.

Épuisée et malade, j'ai présenté ma série de spectacles pendant une longue semaine, pendant que mon gérant et sa compagne, restés au Mexique, prenaient une belle semaine de vacances au bord de la mer. J'imagine que si j'avais gagné ce concours j'aurais eu droit moi aussi à des vacances sur une plage ensoleillée... Comme ça n'a pas été le cas, j'ai dû travailler sans prendre une seule journée de repos. Inutile de vous dire que j'ai dû puiser au plus profond de mes réserves d'énergie pour offrir à mon public la qualité de spectacle à laquelle il était en droit de s'attendre.

●

Même si je n'avais pas gagné ce concours, je dois admettre que j'avais bien aimé l'expérience de chanter avec un grand orchestre et de me produire devant un public étranger qui ne me connaissait pas et qui, malgré cela, avait semblé apprécier ma prestation. Ce goût de vivre de nouvelles expériences professionnelles dans d'autres pays que le mien n'était cependant pas suffisamment fort pour me convaincre d'entreprendre une véritable carrière internationale. J'ai beaucoup réfléchi, au fil des ans, à mes choix de carrière et à cette peur incontrôlable qui m'a toujours empêchée de saisir les occasions de devenir une vedette connue du monde entier.

J'ai déjà expliqué que mon manque de confiance en moi a motivé ma décision de limiter ma carrière aux frontières du Québec. Je crois cependant que d'autres raisons ont influencé cette attitude pouvant être perçue comme un simple manque d'ambition. Je crois que si j'avais été plus heureuse dans ma vie personnelle, j'aurais peut-être agi différemment. À cette époque de ma vie, mon mariage battait déjà de l'aile, et je dois avouer que plus rien ne me motivait vraiment. Je continuais à faire mon métier avec professionnalisme et j'aimais toujours autant mon public, mais je n'avais pas envie d'aller vers l'inconnu et de recommencer à zéro.

Ma priorité était encore et toujours d'avoir des enfants et, tant que cet aspect de ma vie privée n'était pas réglé, je me sentais incapable de m'intéresser à autre chose. Je pensais que mes projets personnels risquaient d'être incompatibles avec des ambitions de carrière internationale. Je me disais que je n'aurais sûrement pas le temps d'élever des enfants tout en me promenant aux quatre coins du monde pour mener une carrière internationale qui serait obligatoirement contraignante. Ça m'aurait sans doute obligée à être très souvent absente de la maison et, par le fait même, à être éloignée de mon mari, ce qui n'aiderait sûrement pas notre couple à se retrouver.

De plus, je dois dire que je n'ai jamais été très ambitieuse et carriériste. J'aimais chanter, enregistrer des disques, donner des spectacles et rencontrer mon public, mais je ne rêvais pas nécessairement de fortune et de gloire planétaire. Je croyais alors (et je le pense encore aujourd'hui) que la reconnaissance internationale ne me rendrait pas plus heureuse. Je peux vous dire en toute sincérité que je ne regrette pas mon choix professionnel de rester au Québec et de poursuivre ma carrière exclusivement ici.

Dans l'état d'esprit où j'étais à l'époque, je n'aurais sans doute pas résisté à la pression d'une carrière internationale. Qui sait si je n'aurais pas été poussée au suicide, comme certaines grandes vedettes qui n'ont pas pu survivre aux pressions du métier? On imagine souvent à tort que ces mégastars sont entourées d'amour et qu'elles nagent dans la richesse et le bonheur. Ce n'est pas toujours le cas. Elles vivent parfois une terrible solitude lorsque s'éteignent les projecteurs de la scène. Plusieurs ont dû sacrifier leur vie de famille ou un grand amour pour donner toute la place à leur carrière.

J'aurais été incapable d'agir ainsi. Ce n'est pas dans ma nature. J'étais particulièrement fragile à cette époque et je n'avais pas besoin de ce supplément de stress dans ma vie. Je crois aussi qu'au début de la vingtaine j'étais trop jeune et je manquais d'expérience pour imposer mes choix artistiques. Je n'aurais pas pu empêcher ceux qui auraient pris en charge cette carrière internationale de m'exploiter et de s'enrichir à mes dépens, si ç'avait été leur intention. C'était déjà assez difficile de me faire payer au Québec et de toucher toutes les redevances sur mes disques auxquelles j'avais droit. Je n'aurais probablement eu aucun pouvoir sur les grandes compagnies internationales. Je savais que j'étais naïve et que des gens sans scrupules auraient pu me faire signer des contrats qui m'auraient liée à long terme, pour le meilleur et peut-être pour le pire.

Au Québec, je pouvais au moins planifier mes revenus par les spectacles que je donnais partout dans la province. C'était suffisant pour m'assurer un bon niveau de vie. Je préférais cette forme de sécurité financière à de vagues promesses. J'ai donc décidé de faire encore une fois confiance à mon intuition, qui me disait de me méfier de l'inconnu et des offres trop mirobolantes pour être vraies.

•

De retour au pays, j'ai enregistré une nouvelle chanson, *Pour vivre ensemble*, qui allait devenir l'un des plus gros succès de ma carrière. Je ne savais pas, à l'époque, que Frida Boccara, dont je vous ai parlé plus tôt, avait enregistré la même chanson. Même si elle l'interprétait très bien, elle en a vendu peu d'exemplaires au Québec, m'a-t-on dit. C'était une douce revanche pour mon gérant après ce qui s'était passé au festival de Mexico. J'aurais cependant voulu que les choses se passent mieux entre elle et moi, car je l'aimais bien comme artiste. Ça n'a malheureusement pas été possible. Chaque fois qu'elle venait au Québec pour faire la promotion de ses disques ou pour donner des spectacles et que nous nous croisions dans un studio de télévision, elle se montrait très froide avec moi et ne m'adressait jamais la parole. Son attitude était d'autant plus étonnante que c'est moi qui aurais dû lui en vouloir, mais je crois qu'elle me boudait parce que j'avais enregistré la même chanson qu'elle et que ma version avait obtenu plus de succès que la sienne sur le marché québécois.

Parallèlement à ma carrière sur disque, je continuais à faire beaucoup de promotion. C'est ainsi que j'ai participé à plusieurs *Balconville*. Il s'agissait d'une émission de radio diffusée sur les ondes de CJMS et qui obtenait beaucoup de succès au début des années 70. La formule était simple mais très originale. On réunissait pour chaque émission plusieurs artistes qui interprétaient leur succès de l'heure sur le balcon d'une personne choisie au hasard. J'aimais beaucoup cette émission qui nous permettait d'avoir un contact direct avec notre public, en dehors des studios de radio et de télévision et des cabarets.

Il y a cependant eu une fois où ma participation à *Balconville* aurait pu tourner au drame. Alors que j'interprétais un de mes succès, un jeune garçon a eu la mauvaise idée de me prendre pour cible et de me lancer un projectile à l'aide de son lance-pierre. J'ai été atteinte au front et j'ai encaissé le coup sans trop me rendre compte de ce qui m'arrivait. Malgré la surprise, les étourdissements et la douleur à la tête qui s'est ensuivie, j'ai continué à chanter comme si de rien n'était. J'ai réalisé par la suite que la pierre m'avait touchée tout près d'un œil. Quelques millimètres plus bas, et j'aurais risqué d'être blessée plus grièvement. L'idée que j'aurais pu perdre l'usage de mon œil me donne encore des frissons, mais je n'en ai pas tenu rigueur à cet enfant qui a sans doute voulu jouer un vilain tour sans songer à me blesser grièvement.

Les artistes et toutes les autres personnalités publiques ne sont jamais à l'abri de ce genre d'incident. C'est parfois inquiétant de penser qu'une personne malveillante peut vouloir nous faire du mal simplement parce que nous sommes célèbres et adulés des foules. Je me souviens d'une autre anecdote tout de même plus drôle que tragique. Je la raconte surtout pour décrire combien j'étais naïve, pour ne pas dire gaffeuse. Ça s'est passé au début de ma carrière. Un soir où j'attendais de monter sur scène, j'ai fouillé dans le sac à main de ma mère pour y prendre de la gomme. Exceptionnellement, ma sœur Diane était présente dans la salle. Je me suis donc mise à mâcher la gomme en question, trouvant qu'elle avait un drôle de goût de chocolat. Sans me poser plus de questions, je suis montée sur scène à l'heure convenue et j'ai entamé mon tour de chant. Après quelques chansons, j'ai commencé à ressentir des douleurs au ventre et à avoir une envie de plus en plus urgente d'aller aux toilettes. J'ai tenté de me contenir et de poursuivre mon spectacle, et ce, même si mon malaise s'accentuait.

Ma sœur Diane a été la première à s'apercevoir que quelque chose n'allait pas, en m'entendant répéter à plusieurs reprises la même phrase dans l'une de mes chansons. J'avais, en effet, de plus en plus de difficulté à me concentrer et je répétais comme une supplication: «Je te dis mon âge... Je te dis mon âge» avec un regard terrifié qui devait en dire long sur ce que je ressentais. Malgré mon problème d'intestins, je n'osais pas sortir de scène, car on m'avait toujours dit que, peu importe ce qui arrive, *«the show must go on»*. La nature a cependant été la plus forte et, en dépit de mon courage, j'ai dû battre en retraite et quitter la scène, les jambes serrées, espérant atteindre les toilettes le plus rapidement possible. J'ai su par la suite, en interrogeant ma mère, que j'avais consommé du Ex-Lax dont les propriétés laxatives sont bien connues. Inutile de vous dire que maman et Diane avaient trouvé ma gaffe plutôt amusante...

•

Comme si mes enregistrements de disques, mes tournées de spectacles et la promotion à la radio et à la télévision ne m'occupaient pas assez, j'ai accepté, à quelques reprises, de faire de la pub. Mon statut de vedette semblait intéresser certains annonceurs, ce qui m'a permis de participer aux campagnes publicitaires de Coke, de Dr. Pepper, de Crest, de Cover Girl, de Secret et des 14 soleils d'Air Canada. Pour cette dernière, André Sylvain, qu'on pouvait voir à mes côtés dans la pub, m'avait accompagnée en Jamaïque où avait lieu le tournage. C'était agréable comme travail et surtout c'était très payant.

Même si je n'avais pas de formation de comédienne, je me sentais très à l'aise devant les caméras. C'était naturel pour moi, et je trouvais sans problème le ton juste et les gestes appropriés. C'est en jouant dans ces différentes publicités que je me suis vraiment rendu compte que j'aurais aimé être actrice. Je sentais que j'avais un talent inné pour jouer, que ce soit dans un film ou une télésérie. J'aimais bouger et parler devant l'objectif. Alors que j'étais timide et que je manquais de confiance en moi dans la vie, je m'amusais lors des tournages. Ça ne me stressait pas du tout. C'était la même chose lorsque venait le temps de participer à des séances de photos. Je sais que plusieurs artistes détestent passer des heures en studio pour se faire photographier. Pour ma part, je m'y suis toujours prêtée de bonne grâce. Je trouvais cet exercice beaucoup moins énervant que de chanter devant un public, car c'était très intime. En studio, on n'était, le plus souvent, que le photographe et moi, ainsi que parfois deux ou trois autres personnes.

•

Toujours en 1971, la Société Radio-Canada m'a demandé une fois de plus de représenter mon pays sur la scène internationale. Elle m'invitait à me produire en Grèce, plus précisément à l'Olympiade de la chanson populaire d'Athènes. Je devais y interpréter une composition de Michel Conte, *Dites-lui que je l'aime*. Cette chanson était tellement belle, et j'aurais bien aimé la faire, mais j'ai dû refuser de participer à ce prestigieux concours. J'étais fatiguée et je ne me sentais pas la force de faire ce voyage. Mon gérant a beaucoup insisté pour que j'y aille et, comme j'avais peur de lui déplaire, j'ai attendu à la dernière minute pour lui faire part de ma décision de rester au Québec. C'est la seule chose que je regrette dans toute cette histoire. Maintenant je me dis que j'aurais dû trouver le courage de me montrer ferme et de lui faire part plus rapidement de mes intentions.

Un peu plus tard, on allait encore me proposer de représenter le Canada, cette fois au festival de Tokyo. J'ai dû une nouvelle fois me résoudre à refuser cette belle occasion de voyager et de relever un nouveau défi. Ma santé de plus en plus précaire ne me laissait pas vraiment le choix. C'est finalement René Simard, encore enfant, qui a pris ma place, avec le succès qu'on connaît.

Il faut dire que l'épuisement général que je ressentais était justifié. Ce n'était pas un caprice de ma part. Je travaillais beaucoup trop et je ne prenais pas suffisamment soin de moi. J'en étais rendue à devoir enregistrer mes disques la nuit, après les spectacles que je donnais dans les cabarets au rythme d'au moins deux par soir (trois les fins de semaine). Ces enregistrements avaient lieu au studio d'André Perry, situé à Montréal. C'était à l'époque l'un des studios les plus sophistiqués du Québec, et plusieurs vedettes internationales, dont le regretté John Lennon, venaient y enregistrer leurs disques. Malgré la qualité exceptionnelle des lieux, je ne m'y sentais pas vraiment à l'aise. Certains artistes rock qui s'y retrouvaient aimaient bien boire et fumer du pot, alors que moi, je ne fumais même pas la cigarette et je ne consommais pas d'alcool. J'étais beaucoup trop *straight* pour eux et je me sentais évidemment à part. Je dois admettre que je ne faisais aucun effort pour m'intégrer dans cette gang. Je ne les jugeais pas, mais ils ne correspondaient pas vraiment aux valeurs morales que j'avais déjà, à ce moment-là.

Je me sentais mal à l'aise de travailler ainsi la nuit, de côtoyer des gens avec qui j'avais si peu d'affinités.

Certains professionnels qui œuvraient à l'enregistrement de mes chansons trouvaient que ma voix fatiguée devenait plus rauque et que ça lui donnait une texture nouvelle et plus rock, mais ce n'était pas suffisant pour me convaincre de continuer à enregistrer mes disques dans de telles conditions.

J'ai donc commencé à harceler mon gérant pour qu'il change cette façon de faire et qu'il me planifie un horaire de travail moins chargé. Comme il ne réagissait pas assez vite à mes demandes, j'ai décidé un matin que je mettrais fin à notre association professionnelle dès que mon contrat arriverait à terme. Il faut dire qu'il y avait de plus en plus de tensions entre nous. J'en étais venue à haïr mon métier de chanteuse. Ce n'était pas mon public que je haïssais, bien au contraire, car c'est grâce à son amour que je trouvais le courage de donner malgré tout de bonnes performances. C'est même par respect pour le public que je voulais désormais travailler dans de meilleures conditions, afin de continuer à lui offrir un produit de qualité, tant sur disque que sur scène.

Je ne pouvais plus poursuivre ma carrière à ce rythme infernal qui m'obligeait à faire de la promotion, des séances de photos et des émissions de radio et de télé le jour, à donner des spectacles le soir et à enregistrer des disques la nuit. J'étais souvent «bookée» des mois et même un ou deux ans à l'avance. Tout ça me prenait tellement de mon temps qu'il ne m'en restait plus pour me reposer et avoir une vie personnelle.

J'avais maintenu cette cadence accélérée pendant plus de 10 ans et je savais que ça risquait de miner ma santé un jour ou l'autre si je n'apportais pas les correctifs qui s'imposaient. J'avais beau être au début de la vingtaine, je me rendais bien compte que mon corps m'envoyait des signaux pour m'indiquer les limites à ne pas franchir. Comme c'est parfois le cas lorsqu'on souffre d'épuisement physique, le côté psychologique commençait aussi à donner des signes alarmants. De surcroît, mon mariage continuait à battre de l'aile et, comme je ne sentais pas de véritable soutien affectif de la part de mon mari, j'avais le moral dans les talons.

Je comprenais que je n'étais là que pour générer des revenus et faire sonner le tiroir-caisse. Mon plus gros problème, c'est que je n'avais personne à qui confier mon désarroi. J'endurais ce malaise grandissant dans la solitude la plus complète. Comme je ne voulais pas embêter les autres avec mes problèmes et les rendre malheureux à leur tour, je me taisais et je m'évertuais à sourire comme si de rien n'était. Personne n'aurait pu se douter, à l'époque, que j'étais malheureuse comme les pierres, épuisée et complètement désabusée de la vie que je menais.

J'ai même pensé au suicide. C'est arrivé un jour où je me retrouvais encore une fois seule à la maison puisque mon mari était parti jouer au golf. Je me suis alors sérieusement posé la question à savoir combien de pilules il me faudrait absorber pour en finir une fois pour toutes avec mes problèmes. Un médecin m'avait prescrit des calmants légers pour m'aider à dormir et pour supporter un peu mieux les angoisses qui m'envahissaient de plus en plus souvent. Curieusement, ma fatigue était si grande qu'au lieu de m'endormir d'épuisement je souffrais d'insomnie.

Ce jour-là, j'ai regardé ma bouteille de pilules, j'en ai versé le contenu dans ma main et je me suis dit, en fixant les comprimés, que j'en avais sans doute assez pour mourir si je prenais la décision de les absorber d'un seul coup. J'ai pensé que je devais faire quelque chose pour m'en sortir, car plus rien ne me rattachait à la vie et ne pouvait m'apporter un peu de bonheur. Je me suis demandé: «Est-ce que je les prends ou non?» Tout à coup, à l'idée que mon geste fatal pourrait faire de la peine à mes parents, j'ai reculé. Cette vision de papa et maman en pleurs à la nouvelle de ma mort m'a convaincue de ne pas renoncer ainsi à la vie. J'ai donc sagement remis les pilules dans leur contenant, en me disant que je devais apprendre à vivre avec ma peine. Je sais aujourd'hui que c'est Dieu qui m'a aidée dans ces circonstances plutôt pénibles, en me sensibilisant aux préoccupations d'autrui et au mal que j'aurais pu faire aux gens qui m'aimaient si j'avais mis fin à mes jours.

•

Si ma surcharge de travail avait contribué à m'épuiser physiquement, ce sont mes relations difficiles avec mon mari qui me minaient moralement. J'en étais venue, deux ans seulement après mon mariage, à douter de la fidélité d'André. Comme il niait tout, je me sentais parfois coupable de l'accuser ainsi, et il m'arrivait même de me mettre à genoux devant lui pour l'implorer de me pardonner d'avoir de tels doutes à son sujet. Il me relevait alors avec des gestes de grand seigneur, faisant mine de me pardonner. Des sentiments pour le moins confus m'habitaient. D'une part j'étais convaincue que mon mari ne m'aimait plus, d'autre part j'étais prête à tout pour sauver notre mariage et surtout pour avoir un enfant avec lui.

Tout était toujours tellement nébuleux avec André que je me rends compte aujourd'hui combien j'avais raison de me poser tant de questions à son sujet. Que ce soit à la maison ou en public, que ce soit dans une soirée ou au cours d'événements de promotion, il n'était jamais avec moi. Il lui arrivait bien sûr de m'accompagner pour certaines sorties officielles mais, là encore, à peine étions-nous rendus sur les lieux qu'il me plantait là pour jaser avec d'autres invités, le plus souvent des femmes. S'il m'arrivait de le questionner pour essayer de mieux comprendre son attitude, il me répondait de façon évasive, essayant de m'enjôler avec sa belle voix d'annonceur. Au bout du compte, je n'étais pas plus avancée dans ma recherche de la vérité. Je n'étais pas jalouse, mais j'aurais voulu qu'André me dise en toute franchise s'il me trompait ou non.

Malgré ma naïveté, il ne faut pas croire que j'étais stupide. Au fond de moi, je savais qu'il se passait quelque chose, mais je ne parvenais jamais à le prendre sur le fait et ainsi à avoir des preuves de son infidélité. Cette situation était en train de me rendre folle. J'ai même consulté un psychiatre pour qu'il m'aide à voir clair en moi. Après m'avoir longuement écoutée en silence, il m'a dit que je n'étais pas malade. Ça m'a coûté 100 $ et je suis sortie de cette consultation aussi mêlée que lorsque j'y étais entrée. Tout ce que ce spécialiste avait trouvé à me dire, c'est que j'étais très équilibrée. Il m'avait aussi fait une mise en garde, me disant que je ne devais surtout pas avoir d'enfants. Comme il n'avait pas pris la peine de m'expliquer pour quelle raison je devais renoncer à mon rêve le plus cher, j'étais dans le noir le plus complet. Je crois qu'il aurait pu prendre un peu plus de temps pour m'éclairer sur ses propos. Je comprends aujourd'hui qu'il voulait sans

doute me faire prendre conscience que ma situation mari-
tale pour le moins cahoteuse devait être réglée avant de
penser à avoir des enfants avec mon mari.

À la sortie de cette consultation, j'ai senti tout à coup
une grande colère monter en moi. Je suis devenue tellement furieuse que j'ai trouvé le courage, en allant rejoindre André, de lui poser un ultimatum: «Tu vas me faire un
enfant. Tu m'entends, là? Il n'est plus question de remettre
ce projet à plus tard...» Je devais avoir du feu dans les yeux,
et il a surtout dû sentir que ma patience était à bout. De
toute façon, il n'avait plus vraiment le choix. Il acceptait
de me faire un enfant pour me prouver son amour, sinon
notre mariage risquait d'éclater. À ma grande surprise, il
m'a dit oui. Le sujet était clos, et il ne restait plus à André
qu'à se mettre vaillamment à l'œuvre pour accomplir son
devoir conjugal avec plus d'ardeur et de régularité.

•

Malgré les réserves que pouvait avoir le psychiatre que
j'avais consulté, je pense que c'était le moment idéal pour
que nous essayions, mon mari et moi, d'avoir un enfant.
En 1973, j'ai dû en effet prendre la difficile décision de
cesser de faire du cabaret. C'était la solution que j'avais
trouvée pour avoir un peu plus de temps à moi et surtout
pour éviter le *burnout* qui me guettait si je ne réagissais
pas le plus rapidement possible. J'en avais assez de devoir
prendre des pilules pour dormir. J'en étais rendue à avoir
peur quand j'apercevais un lit en entrant dans un motel,
après un de mes spectacles. C'était devenu une véritable
phobie. Plus je donnais de spectacles et plus je m'épuisais. Plus je m'épuisais et moins j'étais capable de dormir.

J'ai atteint le fond du baril à Val-d'Or. C'est là que j'ai dû avoir recours à un médecin pour qu'il me fasse une injection de Valium afin d'arriver à donner mon dernier spectacle de la soirée. En me voyant dans ce triste état, le médecin m'a immédiatement prescrit pour un certain temps de nouveaux calmants et m'a surtout conseillé de changer mon rythme de vie au plus tôt, sinon je ne tiendrais pas le coup. Il faut dire que j'étais dans un état lamentable puisque ce soir-là, comme tous les vendredis et samedis, je devais donner trois spectacles. Le dernier se terminait à 2 h du matin. Si j'avais pu dormir après mes tours de chant, ça m'aurait permis de récupérer un peu, mais j'en étais incapable. Mon insomnie était devenue chronique, et je me levais le matin plus fatiguée que lorsque je m'étais couchée.

Ce soir-là, à Val-d'Or, il y a eu un déclic en moi. J'ai pris conscience que j'avais un urgent besoin d'aide. J'avais cru à tort qu'en recevant une piqûre dans une fesse je trouverais l'énergie nécessaire pour donner mon troisième spectacle de la soirée. Malgré ma volonté, je n'ai pas pu le faire. André a dû monter sur la scène afin de m'excuser auprès du public et d'expliquer que je n'avais plus la force de chanter. Sur le coup, j'ai eu beaucoup de peine de ne pas pouvoir remplir mon contrat jusqu'au bout. J'avais été programmée jusque-là à ne jamais décevoir les gens. C'était une des rares fois en 10 ans de carrière que je ne réussissais pas à être à la hauteur des attentes qu'on avait placées en moi. Je regrettais sincèrement que, ce soir-là, tout se termine ainsi, et que je ne puisse pas finir la soirée en véritable professionnelle.

Le médecin s'était montré très convaincant, m'affirmant que j'avais besoin d'un long repos et qu'il était préférable que je cesse mes tournées dans les cabarets de la province. Il m'avait fait comprendre que j'aurais besoin de plus en plus de médicaments pour continuer à ce rythme et que toute cette médication risquait d'être de moins en moins efficace. Comme je n'ai jamais été une adepte des pilules, j'ai écouté ses sages conseils.

Je savais que je pourrais toutefois continuer à enregistrer des disques et à maintenir ainsi un contact constant avec mon public. Le travail de studio était beaucoup moins éreintant et surtout exigeait moins de mon temps. Le médecin m'avait patiemment expliqué qu'en privilégiant une vie plus normale, je pourrais cesser rapidement de prendre des calmants et que je retrouverais de façon naturelle un sommeil plus réparateur. Il m'avait aussi dit que le stress lié à mon travail était devenu mon pire ennemi et qu'il était en train de me tuer à petit feu. Il n'en fallait pas plus pour me convaincre de décommander tous les spectacles qu'il me restait à faire à Val-d'Or. J'ai dû annuler aussi deux autres contrats très payants (je gagnais alors jusqu'à 15 000 $ par semaine dans certains cabarets).

Il faut dire que j'attirais un public qui fréquentait habituellement les grandes salles de spectacles comme la Place des Arts. Ces gens acceptaient de venir me voir dans les cabarets parce que je ne me produisais pas ailleurs. C'était un public de qualité, qui avait de la classe et qui savait garder sa place, pour le plus grand plaisir des propriétaires des endroits où je me produisais. Ce public aimait mes chansons romantiques et ma façon de les interpréter. Mes musiciens s'étaient adaptés à mon style et ne jouaient jamais trop fort, car ils étaient conscients que les spectateurs voulaient surtout entendre ma voix. Tous ces bons commentaires tant du public que des personnes qui m'engageaient mettaient un peu de baume sur mes malheurs. C'est sans doute pour cette raison que j'ai persisté à chanter si longtemps dans les clubs alors que j'aurais dû arrêter de le faire bien avant.

Sans vouloir me vanter, je peux dire que, lorsque j'ai mis fin à ma carrière dans les cabarets, j'étais au sommet. Si j'ai cessé mes activités dans ce secteur du showbiz, ce n'est surtout pas parce que ma popularité était à la baisse. Je me souviens d'ailleurs qu'une chanteuse que j'avais croisée à l'époque et à qui j'avais confié ma décision de ne plus me produire dans les cabarets m'avait répondu, mi-figue, mi-raisin, que c'était tant mieux, car les autres artistes auraient enfin plus de monde à leurs spectacles. Cette remarque m'avait flattée, mais ne m'avait pas fait changer d'idée. Dans le fond, j'étais heureuse que ma décision puisse profiter à d'autres.

•

Deux mois plus tard, plus précisément en mars 1973, le compositeur Paul Baillargeon et l'auteur Pierre Ladouceur m'ont proposé une chanson originale intitulée *Un million d'enfants*. Ils visaient le marché européen et ils voulaient que je sois leur interprète. Je ne me sentais malheureusement pas en état de relever un tel défi. Je me savais encore fragile, même si j'avais ralenti passablement mes activités professionnelles. Je ne me voyais pas partir en Europe pour une tournée de promotion. Devant mon refus, ils ont offert leur composition à la célèbre Mireille Mathieu. La grande interprète française s'est d'ailleurs inspirée d'un démo de la chanson que j'avais enregistré pour sa propre interprétation.

En 1974, j'ai enregistré la chanson du Parti québécois intitulée *J'ai le goût du Québec*. J'ai accepté d'interpréter cette mélodie surtout parce que je la trouvais belle et pas nécessairement pour afficher mes couleurs politiques. En fait, j'ai été péquiste jusqu'à ce que nous perdions le premier référendum. J'avais été influencée par mon père, qui a toujours été indépendantiste. Il a même été membre du R.I.N., puis il a suivi René Lévesque lorsque celui-ci a fondé le Parti québécois.

J'ai terminé cette année-là par l'enregistrement de *Ma mélodie d'amour* qui fut numéro un pendant plusieurs semaines aux divers palmarès de chansons populaires. Ce succès inespéré m'a permis de constater que le fait que j'aie arrêté de faire du cabaret n'avait en rien nui à ma popularité. Je demeurais l'une des meilleures vendeuses de disques du Québec.

•

Alors que j'avais enfin réussi à prendre des décisions majeures tant dans ma vie personnelle (avoir un enfant) que dans ma vie professionnelle (cesser de donner des spectacles dans les cabarets), il me restait encore une chose primordiale à régler. Le contrat de gérance de Gilles Talbot se terminant en 1974, j'ai maintenu ma décision prise secrètement quelques mois plus tôt de ne pas renouveler mon entente avec lui. J'étais si nerveuse lorsque je lui ai annoncé cette nouvelle par téléphone que je me suis montrée plutôt expéditive dans mes explications. Je me suis contentée de lui dire: «Je ne veux plus que tu sois mon gérant.» J'étais incapable de lui expliquer tout ce que je ressentais. En fait, je n'aimais pas son style de gérance.

Après sept ans de collaboration, j'avais envie de changement dans la gestion de ma carrière. J'avais souvent senti qu'il ne me respectait pas en tant que personne et en tant qu'artiste. Alors que j'aurais eu besoin de me reposer, il continuait à accepter tous les engagements qu'on lui proposait sans jamais me consulter pour s'assurer que ça faisait mon affaire. Quant aux contrats de disques, ils n'étaient pas, selon moi, aussi rémunérateurs qu'ils auraient dû l'être. Je vendais des milliers de disques et mes redevances n'étaient pas à la hauteur des revenus que je générais. J'avais l'impression que tout le monde autour de moi s'enrichissait avec mes disques tandis que je devais compter sur les cachets que je touchais dans les cabarets pour assurer ma subsistance.

Gilles Talbot a très mal accepté que je refuse de continuer à travailler avec lui. Pendant une semaine, il a tenté, par téléphone ou en venant frapper à ma porte, de me convaincre de le rencontrer pour me faire revenir sur ma décision. Je me suis finalement décidée à le recevoir à la maison afin de répondre à toutes les questions qu'il pouvait avoir à me poser. Je me souviens que je l'ai accueilli un matin, en jaquette, sans maquillage et pas coiffée.

Il a commencé la discussion en proférant des menaces et en me disant qu'il m'aurait actionnée pour un million de dollars si j'avais refusé de le rencontrer. Même si j'étais parfaitement dans mon droit en refusant de renouveler mon contrat avec lui, Gilles a réussi à me faire sentir coupable. Il s'est heureusement calmé par la suite, et nous avons pu nous expliquer. J'ai pris le temps de lui raconter tout ce qui m'était arrivé au cours des derniers mois et comment j'avais dû lutter contre un épuisement général qui aurait pu affecter gravement ma santé. J'ai aussi mentionné le fait que je n'avais jamais eu confiance en moi, ce qu'il ignorait. Il m'a écoutée avec attention pour finalement me dire qu'il aurait aimé que je me confie à lui plus tôt. J'ai tenté de lui expliquer combien c'était difficile pour moi d'extérioriser mes émotions et d'en parler aux autres. Je lui ai aussi appris que j'étais renfermée et que ça remontait à mon adolescence.

Ce que je ne lui ai pas dit, par contre, c'est que j'avais parfois eu l'impression qu'il s'intéressait à moi plus que sur le simple plan professionnel. C'était cependant un gentleman, et je dois préciser qu'il ne m'a jamais harcelée et qu'il a toujours montré beaucoup de respect dans nos relations personnelles. C'est une intuition que j'avais et c'est ce qui m'avait empêchée de lui parler des problèmes que je pouvais avoir avec mon mari. Je savais aussi que ça n'avait jamais été le grand amour entre Gilles et André, et j'aurais eu peur, en me confiant à lui, qu'il se montre trop subjectif pour bien me conseiller.

J'ai aussi omis de dire à Gilles que je trouvais qu'il menait un très gros train de vie, grâce en partie aux commissions de 25 % qu'il prenait sur tous les cachets que je touchais pour mes spectacles dans les cabarets. Il me semblait que ça faisait beaucoup d'argent, d'autant plus que c'était sa secrétaire qui prenait les appels. Il lui avait donné comme consigne d'accepter tous les contrats qu'on lui proposait. Je lui reprochais aussi de ne pas assez investir dans l'équipement pour mes tournées (sonorisation, éclairage, nombre de musiciens, etc.). J'avais enfin remarqué qu'il assistait rarement à mes spectacles. Je me disais que s'il avait vu la qualité de mes prestations, ça lui aurait peut-être donné l'idée de me «booker» à titre de vedette principale dans des salles de spectacles prestigieuses comme la Place des Arts.

J'ai terminé notre discussion en demandant à Gilles si je pouvais ravoir les nombreux trophées que j'avais gagnés au cours de ma carrière. Je savais qu'il les gardait dans son bureau et, comme nous n'allions plus travailler ensemble, je me disais qu'il était normal que je les reprenne, ne serait-ce que pour me rappeler de beaux souvenirs. J'ai eu comme réponse de sa part qu'il en avait fait faire des cendriers. Même si c'était un homme fier, pour ne pas dire orgueilleux, et que je l'avais sans doute profondément blessé en refusant de renouveler son contrat de gérance, Gilles a finalement été très correct avec moi et il a respecté ma décision de mettre fin à notre relation professionnelle.

À 24 ans, je me retrouvais donc sans gérant pour la première fois de ma carrière. Je perdais également ma principale source de revenus puisque j'avais renoncé à me produire dans les cabarets. Je n'avais plus qu'un seul projet en tête, celui d'avoir un enfant. Heureusement, ça allait plutôt bien sur le plan financier, car j'avais pu faire des économies, surtout grâce aux cachets fort intéressants que j'avais touchés pendant mes nombreuses années dans les cabarets. Il faut dire que j'avais su me montrer prudente. Je vivais sobrement, toujours dans le même appartement, sans avoir acheté de nouveaux meubles et surtout sans avoir trop dépensé pour mes vêtements de ville. Il n'y avait que dans mes costumes de scène que j'avais investi un peu plus d'argent.

Chapitre 7

La naissance de Mélanie

J e voulais avoir un bébé d'abord pour moi et non pour sauver mon mariage ou pour me rapprocher de mon mari. J'ai toujours adoré les enfants et je crois sincèrement que si j'avais été plus heureuse dans ma relation de couple, j'en aurais eu cinq ou peut-être même six. Je suis très maternelle, et c'est sans doute pour cette raison que j'aurais aimé élever une famille nombreuse.

Après l'ultimatum que j'avais lancé à mon mari de me faire un enfant le plus rapidement possible, nous avons fait l'amour une seule fois dans le mois qui a suivi. La terre devait être fertile, puisque je suis immédiatement tombée enceinte. J'ai su tout de suite que cette unique fois avait été la bonne et que la vie venait de commencer à grandir en moi. Je sais qu'il y a des femmes qui ne s'en rendent pas compte lorsqu'elles tombent enceintes. Elles doivent attendre l'arrêt de leurs règles ou les résultats du test de grossesse pour en avoir la confirmation. Pour moi, ce fut tout le contraire. Est-ce encore une fois mon intuition qui m'a guidée? Toujours est-il que, lorsque j'ai constaté que mes règles n'arrivaient pas, j'étais déjà convaincue d'être enceinte. Comme mes règles avaient toujours été irrégulières, j'aurais pu avoir des doutes, mais il n'en était rien.

Je me rappelle que, la veille de mon rendez-vous chez le gynécologue, je me suis rendue à la Ronde et je suis montée dans de nombreux manèges, dont le fameux Zipper, dans lequel on se retrouvait à un moment donné la tête en bas. Vu mon état, j'aurais pu avoir des nausées, mais tout s'est heureusement bien passé. Le lendemain, je me suis donc rendue au bureau du docteur Gatro, à Longueuil. Ce très bon gynécologue d'origine haïtienne, qui était attaché à l'hôpital Sainte-Justine, suivait déjà ma sœur Diane. C'est elle qui me l'avait recommandé, car je n'en connaissais aucun. J'étais tellement timide que je n'avais jamais osé mettre les pieds dans le bureau d'un gynécologue. Dès qu'il m'a touchée, il m'a confirmé ce que je savais déjà intuitivement: J'ÉTAIS ENCEINTE. Pour en être plus sûr, il m'a tout de même fait passer des tests sanguins. J'étais très heureuse de la tournure des événements, d'autant plus que ma sœur Diane était tombée enceinte un mois plus tôt. Nous allions donc pouvoir vivre nos deux grossesses en parallèle.

•

Nous étions en plein été, et j'étais allée passer un peu de temps avec mes parents. Alors que nous étions réunis dans la cour, le téléphone a sonné. C'était la secrétaire de mon gynécologue qui m'annonçait que mes tests de grossesse étaient positifs. C'était maintenant officiel, je serais bientôt maman. J'étais tellement contente que je sautais de joie, en criant mon bonheur! Tous ceux qui étaient là souriaient de me voir dans un tel état d'excitation et partageaient évidemment mon ravissement. Mes parents se sentaient comblés, car ils allaient bientôt être les grands-parents de leurs deux premiers petits-enfants. Ils semblaient très fiers de leurs deux filles, ce jour-là.

On aurait dit que cette nouvelle extraordinaire de ma grossesse effaçait tous les malheurs que j'avais connus jusque-là. Ça guérissait toutes mes blessures. J'ai cessé sur-le-champ de prendre les calmants qu'on m'avait prescrits. Tout à coup, je n'en ai plus eu besoin, et je n'en ai d'ailleurs jamais repris par la suite. Tout le stress que j'avais accumulé au fil des ans a disparu comme par miracle. J'allais donc pouvoir vivre ma grossesse en toute lucidité, sans avoir recours à des pilules.

Le principal intéressé s'est montré, lui aussi, très heureux de sa future paternité. André tenait cependant mordicus à ce que j'accouche d'une fille. Pour moi, le sexe de notre enfant importait peu. Que ce soit un garçon ou une fille, j'avais bien l'intention de lui prodiguer tout mon amour. Le plus important pour moi, c'était qu'il naisse en bonne santé. J'avais cependant imaginé tous les scénarios et, même s'il avait été malade ou handicapé, j'avais bien l'intention de m'en occuper et de ne jamais le laisser tomber.

Dans l'ensemble, on peut dire que ma grossesse s'est bien passée. Comme bien d'autres femmes enceintes, j'ai vomi tous les matins au cours des trois premiers mois, mais ça se passait très vite, et je me sentais bien pour le reste de la journée, sans aucune autre nausée. J'ai ressenti une certaine fatigue au début, mais tout est rentré dans l'ordre, et j'ai eu suffisamment d'énergie pour mener ma grossesse à terme.

J'ai engraissé de 18 lb au cours des mois qui ont suivi. Mon gynécologue m'avait recommandé de ne pas prendre trop de poids, car il craignait que mon bébé soit très gros puisque André et moi pesions chacun près de 9 lb à notre naissance. Le médecin m'avait expliqué que ça risquait d'être héréditaire. Malgré ses conseils, j'ai continué à manger à ma faim et j'ai même fait quelques abus de ce côté. Il m'arrivait de me préparer un gros chaudron de soupe et de le manger entièrement. Malgré ces écarts, je n'ai heureusement pas trop grossi.

Je menais une vie normale et je sortais autant qu'avant. Je travaillais en studio sur l'enregistrement de mes disques. Il m'arrivait de participer à certaines émissions de télé. À ce sujet, je me souviens qu'un jour où j'étais invitée à l'émission *À la canadienne*, animée par André Lejeune, il m'est arrivé une petite mésaventure qui m'a mise quelque peu mal à l'aise... Lors de la répétition finale, un caméraman m'a fait remarquer que j'avais deux grosses auréoles sur ma robe, à la hauteur des seins. En touchant le tissu, je me suis rendu compte que c'était effectivement mouillé. Le caméraman m'a dit que je perdais sans doute du lait puisque j'en étais au cinquième mois de ma grossesse. J'étais très gênée, d'autant plus que je ne savais pas que ce genre de chose pouvait se produire. Je suis immédiatement allée me nettoyer et assécher ma robe avant que ne débute l'émission.

J'accordais de nombreuses entrevues et j'acceptais de faire des séances de photos pour les journaux artistiques. Je savais que mes fans étaient curieux de tout savoir sur l'évolution de ma grossesse et je voulais partager mon bonheur avec eux. Les journalistes s'intéressaient depuis longtemps à mon cas et ils avaient parlé de ma grossesse bien avant qu'elle n'arrive réellement, avec des titres aussi accrocheurs que «*Chantal est-elle enceinte?*» ou «*Oui,*

Chantal est enceinte!» C'était un sujet de première page très vendeur et, comme j'étais une artiste très connue, les journalistes s'en sont donné à cœur joie tout au long de ma grossesse. Ils n'ont pas arrêté par la suite et il y a eu de nombreux reportages sur ma nouvelle petite famille dans les journaux.

Plusieurs vedettes d'aujourd'hui préfèrent conserver un peu plus d'intimité et refusent de parler de leur vie privée. Ça n'a jamais été mon cas. Je me dis que c'est le public qui fait de nous des stars et qu'il est normal qu'il s'intéresse à ce qui nous arrive tant sur le plan personnel que professionnel. La célébrité crée certaines obligations, et j'accepte volontiers de jouer le jeu dans la mesure où ça se fait dans le respect et la vérité.

J'ai beaucoup fréquenté ma famille durant ma grossesse. Je sentais le besoin d'être parmi les miens et, comme j'avais enfin un peu de temps à moi, je voulais le passer avec ceux que j'aimais le plus. Nous étions toujours ensemble. Heureusement qu'il en était ainsi, car l'attitude d'André avait peu changé à mon égard pendant que j'étais enceinte. Il continuait de vaquer à ses occupations comme si de rien n'était, et je ne le voyais pas plus souvent à la maison. Je savais qu'il passait toujours beaucoup de temps au golf. Je m'étais d'ailleurs mise à ce sport moi aussi, deux ans plus tôt, espérant que nous pourrions ainsi passer plus de temps ensemble. À cause de ma grossesse, je ne pouvais cependant plus le suivre.

J'aurais trouvé normal qu'il s'occupe un peu plus de moi, vu mon état, et qu'on se rapproche un peu pour partager ce grand bonheur d'être bientôt parents. Au contraire, ses absences de plus en plus fréquentes ont fait en sorte que j'ai recommencé à douter de lui. Un jour que je lui faisais la remarque qu'il me laissait très souvent seule à la maison, il m'a dit que j'étais jalouse. Ses mots m'ont tellement troublée que je n'ai plus jamais fait allusion à ses absences par la suite. Je me suis juré, ce jour-là, de ne plus lui poser de questions, et ce, même si mes doutes persistaient.

J'étais heureuse malgré tout d'être enceinte, mais j'ai dû vivre ce grand bonheur seule, sans mon mari. Il s'investissait peu dans ma grossesse. Il ne m'accompagnait même pas chez le gynécologue. J'avais, de plus, l'impression que le fait que je sois enceinte lui fournissait un nouveau prétexte pour ne pas me rejoindre dans le lit conjugal. Il me disait que, dans mon état, c'était mieux que je dorme seule. Dans le même ordre d'idées, sous prétexte que ce ne serait pas bon pour le bébé, nous n'avons pas fait l'amour une seule fois pendant ma grossesse.

Les mois ont passé sans problème majeur, sauf une fois où nous nous rendions à un rendez-vous de promotion. Nous roulions sur l'autoroute 20 et André, qui conduisait, n'a pu éviter un gros pneu de camion qui traînait au beau milieu du chemin. Le choc a été plutôt violent et, même si nous n'avons pas été blessés, j'ai ressenti quelques contractions. Comme je n'en étais qu'à mon cinquième mois de grossesse, j'ai eu peur de perdre mon bébé. Heureusement, tout est rentré dans l'ordre, et cet accident n'a pas eu de suite ni pour mon bébé ni pour moi.

•

Mon bébé est arrivé la veille de Pâques, comme un beau coco pascal. Je passais l'après-midi chez ma mère lorsque mes premières contractions se sont manifestées. Ça a fait très mal sur le coup, puis ça s'est estompé peu à peu. Je suis revenue à la maison avec André, puis je me suis étendue sur le lit pour me reposer. Les contractions ont recommencé en fin de soirée, et vers minuit j'ai constaté qu'elles se rapprochaient de plus en plus. Nous avons téléphoné à l'hôpital Sainte-Justine, et on nous a dit qu'il valait mieux que je m'y rende sans tarder.

Je suis arrivée à l'hôpital vers minuit trente. Ça tombait mal: mon gynécologue était en congé de Pâques. Les contractions étaient maintenant toutes les cinq minutes. André, qui était à mes côtés, les chronométrait. On aurait dit que nous donnions un show. J'ai pensé à ce moment-là, non sans un petit sourire en coin, que j'étais bien heureuse, après mon mariage télévisé, de pouvoir accoucher dans une intimité relative, loin des caméras et des appareils photo.

Si ma grossesse n'a pas été trop difficile, je dois avouer que mon accouchement a été plutôt pénible. Mes contractions m'ont semblé interminables. Le travail a duré plus de 14 heures, et je n'ai finalement accouché qu'en début de soirée, vers 18 h. Pendant tout ce temps, je m'affaiblissais de plus en plus et j'avais peur que mon cœur lâche. J'étais tellement fatiguée que les infirmières devaient me déplacer dans mon lit, car je ne pouvais changer seule de position. Je n'avais plus la force de me plaindre et je restais silencieuse pendant que des larmes coulaient sur mon visage crispé.

Vers la fin, mes contractions revenaient toutes les minutes. Mon problème, c'est que le col de mon utérus ne se dilatait pas suffisamment. Le médecin m'a prévenue qu'il allait tenter de provoquer l'accouchement et que, si ça ne fonctionnait pas, il allait devoir recourir à la césarienne. Tout s'est heureusement replacé. Le col de mon utérus s'est mis à s'ouvrir, et les contractions sont devenues moins douloureuses. J'ai senti avec soulagement qu'une étape importante venait d'être franchie. Ça s'est confirmé quelques minutes plus tard lorsqu'on m'a annoncé qu'on me transportait dans la salle des naissances.

L'accouchement comme tel n'a pas été tellement long. Il faut dire que j'avais suivi des cours prénataux où j'avais appris à bien respirer. Je n'ai donc pas eu à pousser très longtemps avant que n'arrive enfin mon beau bébé. J'ai été surprise de constater que, quand sa tête a commencé à sortir, ça ne m'a pas du tout fait mal. Ma première réaction, en voyant ma fille, a été de la trouver très grosse, tellement d'ailleurs qu'on aurait dit un garçon.

J'étais heureuse, malgré la douleur, d'avoir pu regarder sortir mon bébé dans un miroir qui se trouvait là. J'ai accouché naturellement, sans sédatif et sans épidurale. Lorsqu'on a mis mon bébé sur moi, j'ai éprouvé un bonheur intense et j'ai oublié toutes les souffrances des dernières heures. Je réalisais enfin mon rêve d'être maman.

Je suis restée une semaine à l'hôpital et j'ai bien apprécié le fait que toute ma famille soit venue me voir. C'étaient les seules personnes autorisées à me rendre visite dans ma chambre privée. Il y avait un gardien de sécurité posté en permanence devant la porte, le jour comme le soir. Je voulais éviter qu'on prenne des photos de mon bébé durant les premières semaines. Ça n'a pas empêché certains photographes plus audacieux de tenter leur chance et de se présenter à la pouponnière de l'hôpital. Dans leur précipitation, ils ont cependant photographié le mauvais bébé. C'est ainsi qu'on a vu en première page de certains journaux la photo d'un gros garçon, alors que j'avais accouché d'une fille... De retour chez moi, j'ai cependant accepté qu'on vienne photographier mon bébé, afin de le montrer à tous les gens qui m'aimaient et qui étaient heureux pour moi.

•

En revenant à la maison, je me suis un peu inquiétée, me demandant comment je pourrais m'occuper d'un bébé naissant. Je n'avais aucune expérience en la matière et je craignais de ne pas être à la hauteur. Je me suis sentie rassurée en songeant que je pourrais toujours suivre l'exemple de ma sœur Diane, qui avait accouché un mois avant moi. Je me suis dit que mon enfant suivrait sans doute à peu près les mêmes étapes que le sien.

Les premiers mois ont été particulièrement difficiles, tant pour mon bébé que pour moi. La pauvre Mélanie dormait très mal. Elle était sujette à des diarrhées, probablement à cause du lait maternisé que je lui faisais boire. J'aurais sans doute dû l'allaiter mais, à l'époque, on nous déconseillait de le faire. J'avais beaucoup de lait et je crois que ç'aurait été préférable pour ma fille d'être nourrie au sein. Elle a été malade pendant un mois et elle régurgitait constamment. Ses insomnies nuisaient à mon propre sommeil, et j'en avais des points dans le dos à force d'être fatiguée.

Un matin, je me suis décidée à consulter ma belle-sœur Noëlla, car je ne savais plus quoi faire pour soulager ma petite fille. Je considérais la sœur d'André comme ma propre sœur. Je m'étais toujours très bien entendue avec elle et, comme elle avait eu plusieurs enfants, je me disais qu'elle pourrait sûrement me donner de précieux conseils. C'était une femme mature qui avait d'ailleurs quelques années de plus que ma propre mère. Je me suis donc présentée chez elle avec Mélanie, et c'est lors de cette visite qu'elle m'a suggéré de donner du lait homogénéisé à mon bébé. J'y avais déjà pensé mais, lorsque j'en avais parlé au pédiatre, celui-ci m'avait fortement déconseillé de le faire, me disant que le lait de vache, c'était bon pour les veaux, mais que ça manquait de certaines vitamines essentielles aux enfants. Lorsque je lui avais fait remarquer que c'était pourtant ce lait que nos grands-mères donnaient à leurs bébés et que la plupart étaient gros et en bonne santé, ça ne l'avait pas fait changer d'idée.

Ma belle-sœur m'inspirait tellement confiance que j'ai décidé de suivre son conseil. Croyez-le ou non, mais une seule journée après ce nouveau régime à base de lait homogénéisé, ma fille se portait mieux, et elle n'a plus jamais été malade à cause du lait qu'elle absorbait. Me sentant un peu taquine, j'avais téléphoné à mon pédiatre pour lui dire: «Vous savez, docteur, je pense que j'ai accouché d'un veau, car ma fille aime le lait homo.» Il ne m'avait pas trouvée drôle, et je crois même que ma remarque l'avait un peu fâché. Sa réaction ne me dérangeait pas, car l'important était que ma fille aille mieux. Je me suis dit que si elle manquait de vitamines, je n'aurais qu'à commencer plus tôt à la nourrir de purées de fruits et de légumes.

Noëlla m'avait aussi conseillé de suivre en tout temps mon instinct maternel. Mon problème, c'était que je manquais d'expérience, comme la plupart des femmes qui sont maman pour la première fois. J'ai heureusement pu compter sur ma belle-sœur en tout temps. Elle était toujours disponible pour me donner un conseil ou pour garder ma fille lorsque je devais m'absenter.

Elle avait eu son dernier bébé assez tard, ce qui fait que sa fille, prénommée Robin, n'avait que cinq ans de plus que la mienne. Robin s'est attachée très rapidement à Mélanie. Elle l'a immédiatement considérée comme sa petite sœur, d'autant plus que ses propres frères et sœurs étaient beaucoup plus âgés qu'elle et qu'au moment de sa naissance, ils avaient pour la plupart déjà quitté la maison. Robin s'est donc beaucoup occupée de ma fille, qui l'adorait tout autant.

C'est sans doute pour cette raison que j'étais si souvent chez les Vachon. Tous les frères et sœurs d'André semblaient être tombés en amour avec notre fille. C'était le bébé de la famille, et ils la gâtaient tellement que j'ai dû intervenir pour leur demander de ne pas lui donner tant de cadeaux. C'était drôle de constater que, lorsque je n'avais pas d'enfant, ça m'agaçait d'entendre Noëlla parler constamment de sa petite dernière. Je l'aimais bien cette enfant, mais je me disais parfois qu'on aurait pu discuter d'autre chose. Lorsque je suis devenue mère à mon tour, j'ai évidemment changé mon fusil d'épaule et j'ai été la première à vouloir causer de mon bébé. Noëlla, qui s'était rendu compte que ça m'indisposait de l'entendre parler constamment de ses enfants lorsqu'on se rencontrait, me l'a d'ailleurs gentiment rappelé un jour, me disant: «Tu comprends maintenant ce que c'est, la fierté d'une maman pour sa petite.» J'ai compris le message et je n'ai pas pu m'empêcher de sourire devant la pertinence de ses propos.

●

L'arrivée de Mélanie dans notre vie de couple ne nous a malheureusement pas rapprochés, André et moi. Même si je suis convaincue qu'il aimait bien notre fille, mon mari ne sentait pas le besoin de passer plus de temps à la maison avec nous. Il voyait que je prenais du plaisir à être en compagnie de Mélanie et il se sentait donc libre d'aller et venir comme bon lui semblait. Si son attitude distante m'avait beaucoup blessée dans le passé, cette fois elle me laissait indifférente. Ma fille comblait désormais tous mes besoins affectifs. J'étais totalement heureuse, car mon enfant était devenue le centre de ma vie.

Avant la venue de mon bébé, je me couchais le plus souvent à 4 ou 5 h du matin. Depuis qu'elle était là, je me levais presque à cette heure-là. J'avais donc pris l'habitude de me coucher vers 23 h, parfois même un peu avant. J'avais dû m'adapter au rythme de ma fille. Elle ne dormait pas beaucoup et, comme elle se réveillait tôt, je voulais être à ses côtés lorsqu'elle ouvrait les yeux. J'ai rapidement pris plaisir à ce nouveau mode de vie. Pour la première fois depuis longtemps, je pouvais voir le lever du soleil et entendre le chant des petits oiseaux. J'avais longtemps vécu la nuit que j'appréciais de pouvoir admirer enfin la lumière du jour.

Les premiers mois passés avec ma fille furent une très belle période de ma vie. J'aimais changer ses couches, lui faire prendre ses bains, lui préparer à manger, la promener en carrosse. J'allais souvent visiter ma mère avec elle. Comme ma sœur s'y rendait aussi très fréquemment, on passait nos journées à «catiner» et à parler bébés. Pour moi, c'était ça la vie réelle au sein d'une famille normale, une vie à la fois simple et remplie de petits plaisirs et de petites attentions.

Ma carrière ne me manquait pas vraiment, ni la gloire ni les applaudissements. Il faut dire que je n'avais pas arrêté de travailler complètement. On avait mis des disques sur le marché pendant ma grossesse, et j'avais continué à être là pour mon public par le biais d'articles dans les journaux et de passages à certaines émissions de radio et de télé. J'étais même déjà enceinte lorsque j'avais enregistré la chanson *Ma mélodie d'amour*, qui s'est vendue à plus de 80 000 exemplaires.

Ayant repris rapidement ma taille normale, j'ai pu retourner à ma carrière quatre mois seulement après mon accouchement. Curieusement, je me suis même retrouvée plus maigre qu'avant ma grossesse, car ma nouvelle vie de maman et toutes les tâches qu'elle comportait m'avaient fait perdre du poids, d'autant plus que je n'avais plus d'appétit.

•

La naissance de Mélanie a correspondu à un changement profond dans mes activités professionnelles. Il était important que je trouve de nouvelles sources de revenus puisque je ne chantais plus dans les cabarets. Je devais le faire en misant davantage sur l'argent que pouvaient me rapporter mes disques. En créant ma propre entreprise, je savais que je pourrais avoir un meilleur contrôle des profits que générait la vente de mes disques. Je savais aussi qu'à titre de propriétaire, je pourrais percevoir un plus gros pourcentage, surtout que j'avais commencé à écrire mes propres chansons. Je ne toucherais donc plus seulement des redevances à titre d'interprète, mais aussi comme propriétaire de ma propre maison de disques et comme auteure-compositrice de mes chansons.

Même si les soi-disant experts que nous avions consultés nous avaient déconseillé de fonder notre propre entreprise et de créer notre propre étiquette de disques, sous prétexte que c'était très compliqué, nous leur avons tenu tête et sommes allés de l'avant. C'est ainsi qu'André et moi avons créé l'étiquette Mirage, sur laquelle j'allais désormais enregistrer tous mes 45 tours et tous mes albums. C'est moi qui ai investi l'argent nécessaire à cette opération financière.

C'est en 1975 que nous avons lancé mon premier disque 45 tours chez Mirage. Il s'agissait de la chanson *Vivre auprès de toi*. Un peu plus tard, André a composé la chanson *Mélanie*, que nous avons enregistrée en duo en hommage à notre fille. Cette chanson a obtenu immédiatement beaucoup de succès et a probablement contribué à relancer la mode du prénom Mélanie pour de nombreux bébés de la province qui devaient naître au cours des années suivantes.

•

J'avais choisi le prénom de Mélanie pour ma fille (après avoir d'abord pensé à celui de Virginie), à la suite d'une visite dans la municipalité d'East Broughton, où André a grandi. Nous y avions rencontré une charmante dame de 90 ans. J'avais été immédiatement frappée par sa beauté et sa prestance. Elle se tenait bien droite, malgré les années accumulées. Elle avait eu la gentillesse de nous inviter dans sa maison, et j'y avais découvert un univers fascinant, presque figé dans le temps. Cette vieille dame vivait entourée d'objets et de meubles qui remontaient à une autre époque. J'avais été tellement impressionnée par cette rencontre que j'avais décidé sur-le-champ que ma fille porterait son prénom: Mélanie. J'étais contente de mon choix, car j'ai toujours aimé les prénoms qui se terminent par la lettre «i» (mon vrai prénom est d'ailleurs Lucie).

Le baptême de Mélanie a eu lieu le 9 mai 1975, la date qu'André et moi avions aussi choisie pour nous marier. Cette date était également celle de l'anniversaire de ma belle-sœur Noëlla. La cérémonie s'est tenue à l'église Saint-Antoine de Longueuil. Nous avions demandé à ma sœur Diane et à son mari de l'époque d'agir comme marraine et parrain de notre enfant. Le baptême a été suivi d'une réception qui a rassemblé beaucoup de monde. Ce fut vraiment une belle fête, au cours de laquelle la maman était aussi rayonnante de bonheur que son bébé.

Cet heureux événement m'avait fait oublier un petit chagrin que j'avais ressenti quelques mois plus tôt lorsque j'avais constaté que, contrairement à ma sœur Diane qui avait eu un *shower* avant son mariage et un autre avant la naissance de son bébé, je n'avais eu droit à aucune petite fête. Je m'étais consolée en me disant que Diane avait probablement moins d'argent que moi et que ces *showers* allaient lui permettre de recevoir de beaux cadeaux. Mon entourage s'était sans doute dit que, comme j'étais une chanteuse, je devais être riche et n'avoir besoin de rien. J'avoue que ce n'était pas les cadeaux qui m'intéressaient. Avoir un *shower*, ç'aurait été pour moi une marque d'affection et une occasion de se retrouver entre amies pour échanger sur différents sujets. J'enviais un peu Diane d'avoir eu la chance d'être ainsi gâtée.

•

Au cours des quatre années suivantes, j'allais rependre ma carrière là où je l'avais laissée quelques mois auparavant. Je maîtrisais mieux désormais ma destinée professionnelle et j'avais bien l'intention de pratiquer mon métier tout en me gardant du temps pour Mélanie. Je n'étais pas inquiète, car je savais que je pourrais plus facilement qu'avant concilier ma vie personnelle et professionnelle. Je trouvais important d'être plus présente pour ma fille.

Je n'aimais pas la laisser seule trop longtemps, d'autant plus que lorsqu'elle a eu deux ans, en 1977, nous avons reçu des menaces de kidnapping par téléphone. Les autorités policières ont pris la chose très au sérieux. Pendant une semaine, des policiers en autopatrouille sont venus toutes les heures vérifier à la maison si rien de fâcheux n'était arrivé. Ces menaces d'enlèvement ne se sont heureusement pas concrétisées.

J'ai donc pu continuer à enregistrer des 45 tours pour ma compagnie, Mirage, entre 1976 et 1979. Qu'il suffise de penser entre autres à: *Les gens heureux n'ont pas d'histoire, On a besoin de soleil, Jamais, Ta chanson d'amour, Mon amour, Un air de valse, Devant Dieu, je promets.*

On a aussi mis des albums sur le marché dont *L'album de ma vie,* qui est sorti en 1978 et qui a obtenu un immense succès, cumulant des ventes de plus de **100 000** exemplaires. Il faut dire que ce disque, produit en collaboration avec la compagnie K-Tel, avait bénéficié d'une campagne de publicité télévisée. C'était la première fois qu'on annonçait ainsi l'un de mes disques à la télé. Le producteur de cet album, Art Young, a malheureusement fait faillite entretemps, et je n'ai touché aucune redevance pour ce disque.

En 1979, j'ai enregistré l'un de mes derniers 45 tours sur mon étiquette Mirage. Il s'agissait d'*Un homme ne doit pas pleurer.* Cette chanson s'est vendue à plus de **75 000** exemplaires. Ce fut mon 11e *single* à devenir disque d'or.

Chapitre 8

Mes problèmes de santé

L e métier de maman n'était pas toujours facile, mais j'adorais passer du temps avec ma fille. J'avais pris l'habitude de m'installer chaque soir sur le bord du lit de Mélanie pour lui raconter de merveilleuses histoires, le plus souvent tirées des livres de Disney. Je prenais mon rôle tellement au sérieux que je me sentais obligée de mimer la voix des différents personnages. Cette habitude a duré plusieurs années et, sans que je m'en rende trop compte, ç'a commencé à miner peu à peu ma santé. Je me suis mise à avoir des problèmes avec ma voix. Mélanie avait cinq ans et, comme ces moments privilégiés que nous passions ensemble étaient essentiels pour elle, je n'osais pas mettre fin à mes longues séances de lecture à voix haute.

À force de changer ma voix et très souvent de la forcer, j'en suis venue à fatiguer mes cordes vocales, sur lesquelles des polypes se sont formés. Comme je ne donnais plus de spectacles depuis quelques années et que j'avais une bonne technique vocale pour interpréter mes chansons lors des enregistrements de mes disques, je savais que le problème ne venait pas de là. Je me suis dit que c'était peut-être héréditaire, car ma mère avait eu elle aussi des polypes quelques années auparavant.

J'ai pris la décision de consulter différents spécialistes qui m'ont affirmé que j'avais besoin d'une intervention chirurgicale. Ils ont cependant tous refusé de m'opérer, sous prétexte que j'étais une chanteuse connue et qu'ils ne voulaient pas prendre le risque d'être poursuivis si l'opération tournait mal et que je perdais ma voix. Je commençais à m'inquiéter sérieusement, car plus le temps passait et plus je perdais ma voix, tant parlée que chantée. Je devais constamment parler plus fort pour qu'on m'entende, tout en me rendant bien compte que je forçais ainsi mes cordes vocales et que ce n'était pas bon pour moi.

J'ai finalement trouvé un chirurgien qui a accepté de m'opérer, le docteur Gagnon, celui-là même qui avait soigné ma mère. Ancien chanteur de l'Orchestre symphonique de Montréal, il connaissait bien les angoisses qu'une chanteuse comme moi pouvait ressentir quand elle a des problèmes de cordes vocales. Après avoir entendu quelques-uns de mes disques, il m'a confirmé que je n'avais effectivement pas de problème avec ma technique de voix chantée. Il a compris comme moi que mes polypes avaient plutôt été provoqués par les longues années que j'avais passées à lire quotidiennement, à voix haute, des histoires à ma fille pour l'endormir.

Il m'a expliqué qu'il utiliserait une technique au laser pour m'opérer et que celle-ci ne comportait aucun danger pour mes cordes vocales. Selon lui, je pourrais rapidement retrouver ma voix après cette chirurgie. Pour me rassurer, il m'a confié qu'il enseignait cette nouvelle approche médicale partout dans le monde. La seule mise en garde qu'il m'a faite, c'était que la machine qu'il utilisait était relativement grosse et que, s'il se révélait que ma bouche était un peu trop petite, il y avait un risque que certaines de mes dents soient cassées pendant l'opération. Cette perspective ne m'effrayait pas outre mesure, car je savais qu'un bon dentiste pourrait sans doute réparer le tout.

L'intervention chirurgicale s'est heureusement bien passée et, à mon réveil, j'avais encore toutes mes dents. Comme il s'agissait d'une chirurgie d'un jour, je suis sortie de l'hôpital le soir même. En revenant à la maison, j'ai dû rester muette pendant une semaine. Selon les recommandations du médecin, il m'était interdit de parler et surtout de chanter. C'était un véritable supplice pour moi car, depuis ma plus tendre enfance, j'ai toujours été un véritable «verbomoteur». Pendant sept jours, j'ai dû me contenter d'écrire de petits mots. Heureusement que mes proches et surtout Mélanie se sont montrés compréhensifs. Ma fille s'assoyait sagement dans un coin pour regarder les images de ses contes préférés. Ses petites amies venaient à la maison pour l'occuper et jaser avec elle, pendant que je poursuivais, en silence, ma brève convalescence.

Malgré les propos rassurants de mon médecin, j'étais un peu anxieuse à l'idée de ne pas retrouver la même qualité de voix lorsque je recommencerais à parler. Alors qu'avant mon opération je disais à qui voulait l'entendre que ça ne me faisait rien si je ne retrouvais pas ma voix chantée et que je n'aurais alors qu'à faire un autre métier que celui de chanteuse pour gagner ma vie, après ma chirurgie je souhaitais retrouver tous mes moyens. En disant cela, j'avais sans doute voulu me protéger au cas où les choses tourneraient mal. Plus les jours passaient et plus je devenais nerveuse. À force de ne pas laisser sortir un son de ma bouche, je commençais sérieusement à me demander si je pourrais reparler un jour.

Au bout d'une semaine, je me suis dit qu'il était temps que je teste ma voix. Je me souviens que ce matin-là j'étais seule à la maison. J'étais très angoissée, car je ne savais vraiment pas à quoi m'attendre. J'ai donc commencé à murmurer quelques mots: «Allô, ça va bien.» J'ai répété cette courte phrase à quelques reprises et j'ai pu constater avec soulagement que ma voix parlée était revenue, encore plus claire qu'avant ma chirurgie. J'étais tellement contente que j'ai immédiatement téléphoné à tous mes proches pour leur dire de vive voix que ma longue période de silence était enfin terminée.

Il fallait cependant que j'attende encore un peu avant de pouvoir tester ma voix chantée. Mon médecin avait été clair à ce sujet: je ne devais pas brûler les étapes et précipiter les choses. Il n'était pas question pour le moment que je force ma voix en essayant de recommencer à chanter trop rapidement. J'ai donc pris quelques mois pour me reposer. J'avais cependant très hâte de pouvoir reprendre mon métier. Je crois que lorsqu'on vient près de perdre quelque chose qui nous est très cher (dans mon cas, ma voix), on s'y attache encore davantage lorsque cette chose revient.

•

Le public s'est plus ou moins rendu compte de mes problèmes de santé, car la nouvelle a été très peu propagée dans les journaux, à la radio et à la télévision. Il faut dire que peu avant que je ne sois opérée et que je ne perde presque complètement la voix, j'avais décidé d'enregistrer un album. J'y avais mis tout mon cœur et, même si ma voix commençait lentement à s'éteindre, j'avais voulu offrir ce cadeau, qui serait peut-être le dernier, à mes fans. J'avais composé pour l'occasion une chanson intitulée *Vivre l'amour et le chanter*. Il y avait beaucoup d'émotion dans cette chanson qui constituait peut-être un dernier message d'amour à tous ceux qui avaient aimé ma voix. Ce disque a été mis sur le marché en 1980. Il a été suivi par une compilation, *Mes grands succès*. Ces deux albums ont permis d'assurer une certaine continuité dans ma carrière pendant que j'étais en convalescence.

La sortie de cette compilation a coïncidé avec la fermeture de ma maison de disques, Mirage. Mon ancien gérant avait repris contact avec André et moi et nous avait proposé de prendre mes prochains albums sous licence pour les lancer sur sa propre étiquette, Kébec-Disc. Plus de cinq ans étaient passés depuis notre rupture professionnelle, et bien de l'eau avait coulé sous les ponts. J'avais donc accepté la proposition de Gilles Talbot, tout en lui précisant bien qu'il ne redevenait pas mon gérant. Je continuerais à réaliser mes disques avec André et nous lui apporterions les bandes magnétiques. Je gardais ainsi un contrôle entier sur mes choix artistiques et sur les différentes étapes d'enregistrement de mes disques.

J'ai profité de cette période de repos pour écrire de nouvelles chansons qui allaient paraître sur mon prochain album, intitulé *J'suis ton amie*. Sorti en septembre 1981, ce disque allait marquer mon retour en force dans le milieu artistique québécois. Ce fut même le plus gros succès sur disque de ma carrière. Plus de 200 000 exemplaires ont été vendus. J'ai d'ailleurs reçu en 1982, au gala de l'ADISQ, le Félix de l'album le plus vendu de l'année.

J'étais tellement heureuse de retrouver mon public grâce à ce disque que j'ai décidé, avec André, de faire une longue tournée de promotion dans les différents centres commerciaux du Québec. C'était la première fois qu'un artiste utilisait ce moyen de promotion et, devant le succès obtenu, d'autres chanteurs et chanteuses se sont mis à arpenter la province dans ce genre de tournée. J'ai toujours adoré signer des autographes, rencontrer les gens, pouvoir leur parler ou au moins leur serrer la main. C'était naturel pour moi de faire cela. J'agissais ainsi non seulement pour vendre mes disques mais surtout pour avoir le plaisir de côtoyer mon public. Comme je ne donnais plus de spectacles, j'avais rarement l'occasion de rencontrer mes fans. Cette promotion couronnée de succès a été une occasion en or de le faire. Partout où l'on passait, c'était la folie furieuse. Je me souviens qu'à Matane il y avait tellement de monde que des vitrines avaient volé en éclats et qu'on avait dû renforcer la sécurité.

Les années ont passé, mais j'aime toujours autant rencontrer les gens. Je ne rate jamais une occasion de le faire, et ceux qui assistent à mes spectacles savent que je suis toujours disponible pour leur parler. Je comprends que le public aime non seulement entendre nos chansons sur disque mais aussi nous voir en personne et échanger un peu avec nous quand l'occasion se présente.

•

Lorsque Mélanie a commencé à fréquenter l'école primaire, notre belle entente ne s'est pas estompée. Si nous avions toujours autant de plaisir ensemble, j'invitais aussi régulièrement ses petites amies à venir jouer avec ma fille à la maison. Elles aimaient tout particulièrement se baigner dans une petite piscine pour enfants que nous avions sur le terrain de la maison que nous avions achetée à Belœil, en 1978. J'avais dit à Mélanie qu'elle pouvait, aussi souvent qu'elle le désirait, inviter des élèves de son école à dîner avec nous. Je lui avais suggéré qu'elle regarde bien autour d'elle et que, si elle constatait que certains des écoliers qu'elle côtoyait semblaient n'avoir pas assez à manger le midi, elle n'avait qu'à les inviter à luncher à la maison. Mélanie avait très bien compris le message et elle ne se gênait pas pour en ramener régulièrement avec elle. J'adorais cuisiner pour ma fille, tant pour le dîner que pour le souper. Il y avait toujours un bon repas chaud qui l'attendait à son retour de l'école.

Sans trop m'en rendre compte, je répétais le modèle de ma mère qui aimait elle aussi, lorsque nous étions jeunes, être entourée d'enfants à la maison. Tout comme elle, j'étais fière de porter mon tablier et de préparer des petits plats pour Mélanie. Nous avions vraiment une belle complicité, toutes les deux. Chaque fois qu'elle rentrait à la maison, je me cachais derrière la porte pour lui faire un «BOUUUH!» bien senti. Elle savait que j'étais là, mais elle jouait le jeu, faisant semblant d'avoir peur. C'était immanquable, nous éclations de rire chaque fois. Quelques années plus tard, alors qu'elle entrait dans l'adolescence, Mélanie allait sans le savoir me rendre un bel hommage, en me disant qu'elle ne voulait pas vieillir trop vite car son enfance avait été une période extraordinaire pour elle. Comme André n'était pas souvent là, j'essayais de compenser en passant le plus de temps possible avec notre fille.

•

Côté carrière, j'ai continué sur ma lancée et l'album *Je chante pour toi*, qu'on a mis sur le marché en 1982, a aussi obtenu un bon succès puisqu'il est devenu platine (plus de 100 000 exemplaires vendus) en quelques semaines. Tous ces succès confirmaient le fait que j'avais réussi le difficile passage de la vente de 45 tours à celui de la vente d'albums. C'était très important pour la suite de ma carrière, car à cette époque les ventes globales des 45 tours commençaient lentement à diminuer au profit des ventes d'albums. Au lieu d'acheter un 45 tours qui ne contenait que deux chansons de leurs vedettes préférées, les consommateurs préféraient désormais payer plus cher et acheter un album qui en contenait au moins une dizaine. Les artistes qui n'ont pas réussi ou qui n'ont pas eu la chance de s'adapter à cette nouvelle réalité du marché du disque ont vu leur carrière péricliter rapidement.

Une autre bonne nouvelle pour moi, c'était qu'avec le succès des ventes de mes albums, mes redevances avaient augmenté considérablement, et je pouvais désormais très bien vivre sans faire de spectacles. En 1983, j'ai surtout travaillé sur l'écriture de nouvelles chansons pour mon album intitulé *Il faudrait se parler*. Cet album, qui est sorti un an plus tard, est rapidement devenu disque d'or. Sa mise en marché été accompagnée d'un spécial télé qui portait le même titre que mon album et qui a été diffusé à l'antenne du Réseau TVA.

•

L'enregistrement de cette émission spéciale a coïncidé avec un événement malheureux dans ma vie. Depuis un an, ça allait très mal dans mon couple. Les choses s'étaient détériorées de façon alarmante et notre mariage, malgré tous mes efforts, était au bord de l'éclatement. Il arrive parfois dans un couple qu'on atteigne un point de non-retour. Après des années d'incompréhension, de manque de communication, de blessures jamais guéries et de déceptions, il était devenu évident que nous avions vécu ce que nous avions à vivre dans notre union. J'ai dû me rendre compte que ce mariage que j'aurais voulu éternel était bel et bien terminé et que je devais passer à autre chose. Avant d'en arriver là, j'avais cependant à régler certaines choses qui avaient traîné beaucoup trop longtemps.

Chapitre 9

Une séparation inévitable

Même si j'avais commencé à prendre conscience, un an plus tôt, de tout ce qui n'allait
pas entre mon mari et moi, on aurait dit que
j'avais eu peur jusque-là d'affronter la vérité. Je craignais
sans doute que le réveil soit trop brutal et que je souffre
trop. Je me répétais constamment que nous avions un enfant et que je ne voulais pas que notre fille soit victime de
nos différends. J'avais donc continué d'élever Mélanie du
mieux que je le pouvais, tout en sachant bien au fond de
mon cœur que ma relation avec André allait de mal en pis.
Sous les apparences du mariage parfait que nous
affichions dans les journaux et à la télévision se cachait
un échec lamentable.

Parmi les mauvais souvenirs qui venaient me hanter
depuis quelques mois, il y en avait un qui m'avait marquée
plus que tout autre parce qu'il illustrait très bien l'immense fossé qui s'était creusé entre André et moi. Ça s'était
passé lors du gala de l'ADISQ de 1982, lorsque j'avais
gagné le Félix pour l'album s'étant le plus vendu, avec
J'suis ton amie. Cette soirée triomphale s'était terminée
pour moi dans la solitude la plus complète. J'étais si mal-

heureuse cette journée-là et j'avais tellement la tête ailleurs qu'en allant sur scène pour recevoir mon Félix, j'en avais oublié de remercier mon mari et Gilbert Morin, qui s'occupait de ma promotion, pour leur participation au succès de mon disque. En revenant à ma place, j'avais eu droit à leurs reproches. André était si fâché contre moi qu'il m'avait dit ce soir-là qu'il en avait assez de vivre dans mon ombre. Pour se venger sans doute, il avait passé le reste de la soirée avec d'autres invités, me laissant poireauter seule à notre table avec mon trophée dans les mains. Pendant que des milliers de téléspectateurs qui m'avaient vue remporter ce Félix se disaient sans doute que je devais être la plus heureuse des femmes puisque j'étais comblée tant sur le plan personnel que professionnel, je m'ennuyais dans mon coin, sans personne à qui parler. En revenant à la maison, je n'ai eu droit qu'à un coup de téléphone de ma mère, qui a eu la gentillesse de me féliciter pour mon trophée. Comme tous les autres soirs, je me suis couchée seule dans notre grand lit, après avoir déposé mon trophée sur le foyer.

Nos sujets de disputes ont continué à se multiplier, au fil des mois. Moi qui avais été si soumise dans le passé, je ne me reconnaissais plus. Il m'arrivait de plus en plus souvent de hausser la voix, tentant vainement d'exprimer mes sentiments à mon mari. Il faut dire que j'avais atteint depuis longtemps un niveau de tolérance zéro à son égard. Nos discussions ne se limitaient plus seulement à notre vie de couple. Nous avions aussi de sérieuses divergences au sujet de ma carrière. Je commençais, en effet, à me sentir de plus en plus mal à l'aise avec l'image de fille provocante qu'André voulait que je donne en public. Cette image de vamp ne me convenait pas du tout, et j'avais peur qu'à force de m'habiller trop sexy, j'en vienne à renier certaines de mes valeurs fondamentales.

Je me rendais bien compte que j'étais en train de changer. Je devenais de plus en plus irritable et revendicatrice et je ne me laissais plus dicter ma conduite, que ce soit dans ma carrière ou dans ma vie de couple. C'était bel et bien terminé pour moi, le temps où j'acceptais tous les compromis pour ne pas déplaire aux gens et en particulier à mon mari. J'estimais avoir passé trop de temps à courir après son amour, acceptant toujours de faire tout ce qu'il me demandait. J'avais constamment réagi face à lui comme une petite fille qui craint tellement de perdre un être cher qu'elle s'y accroche désespérément.

Je constate aujourd'hui que ce n'était pas vraiment de l'amour que j'éprouvais pour André mais plutôt de la dépendance affective. S'il s'était montré plus affectueux envers moi, notre mariage aurait sans doute pu être sauvé mais, au moment où il a essayé de se rapprocher de moi, il était déjà trop tard. Il le faisait d'ailleurs si maladroitement que je n'arrivais pas à croire en la véracité de ses sentiments. Je le percevais comme un être dominateur qui avait passé plus de 12 ans à me manipuler. Je savais aussi qu'il était si habile et tellement subtil dans ses commentaires qu'il risquait de déformer à jamais ma véritable personnalité si je le laissais faire plus longtemps. Je m'étais laissé prendre à son jeu pendant trop d'années, il fallait que je réagisse.

•

J'ai passé les derniers mois de notre vie commune à analyser soigneusement ce qui n'avait pas marché entre nous.

Avant de quitter mon mari, je voulais être sûre des motivations qui me poussaient à agir ainsi après tant d'années de patience. Plus je pensais aux 12 ans qu'avait duré notre mariage, plus me revenaient en mémoire des conversations et des situations ne faisant que confirmer mes choix.

Je me suis souvenue entre autres de cette fois où, alors que nous recevions un couple d'amis à souper, André avait déclaré sans sourciller que c'était normal de tromper sa femme à la condition qu'il n'y ait pas d'amour dans cette relation extraconjugale et qu'elle demeure exclusivement physique. Nos amis, tout comme moi, étaient restés bouche bée. Tous les yeux s'étaient tournés ensuite vers moi pour voir comment j'allais réagir. Je m'étais évidemment objectée en disant que la fidélité était essentielle dans un couple. Ce ne fut pas la seule fois où André tenta de m'imposer cette vision plutôt libérale du couple. On aurait dit qu'il voulait absolument me convaincre et justifier par le fait même les aventures que je le soupçonnais d'avoir depuis tant d'années, mais dont je n'avais malheureusement toujours pas de preuves. Dans la même foulée, il m'avait dit un jour que ça ne le dérangerait pas que je le trompe avec un autre homme dans la mesure où je continuerais à l'aimer. Les signaux qu'il m'envoyait étaient de plus en plus clairs. Il voulait un mariage ouvert et sans contrainte, dans lequel nous pourrions chacun notre tour avoir des relations extraconjugales, avec la seule réserve qu'il ne soit jamais question d'amour avec nos partenaires d'un soir.

De nombreux exemples me revenaient en mémoire et ils auraient dû me faire réaliser qu'André mettait peut-être en pratique ses belles théories sur le mariage libre.

J'ai pensé à cette fois où je m'étais rendue en Beauce pour participer bénévolement à une collecte de fonds. Je devais faire du *lipsync* sur l'une de mes chansons, et c'est André qui avait la responsabilité de s'occuper du son. Alors que j'étais sur scène et qu'on entendait ma voix provenant de mon disque vinyle, celui-ci s'est mis à sauter. Inutile de vous dire que j'ai eu l'air d'une vraie folle. Paniquée, j'ai regardé dans la salle pour me rendre compte qu'André était là à jaser comme si de rien n'était avec des filles. Au lieu de s'occuper de moi, il avait préféré encore une fois ne penser qu'à son propre plaisir. Ma patience était à bout, mais j'ai tout de même attendu le lendemain matin, au petit déjeuner, pour engueuler vertement André et lui reprocher son manque de professionnalisme, devant les serveuses médusées.

En poursuivant ma réflexion, le souvenir de nos dernières vacances passées en Floride en compagnie de mes parents et de Mélanie a refait surface. Comme j'avais dû priver ma fille de deux semaines d'école pour qu'elle puisse nous accompagner, j'avais décidé qu'elle consacrerait du temps à ses devoirs sur place. Elle pourrait ainsi reprendre l'école sans avoir pris trop de retard sur les autres élèves. Mélanie était toujours parmi les premières de sa classe, et je voulais qu'elle le reste. Il me semblait qu'André aurait pu partager cette tâche avec moi, mais encore une fois il a préféré se prélasser au soleil en jasant avec d'autres vacanciers plutôt que de m'aider. J'ai donc passé des après-midi entiers dans notre chambre en compagnie de Mélanie, pendant que mon mari s'affichait avec d'autres filles au bord de la piscine. C'est ce qui me blessait le plus dans son attitude. J'aurais voulu qu'il sauve les apparences, au moins devant mes parents. Ces derniers se rendaient bien compte de ce qui se passait, mais ils restaient discrets, ne voulant surtout pas s'immiscer dans nos problèmes de couple.

Ces deux semaines passées en Floride ont sans doute été parmi les plus malheureuses de ma vie. Je broyais constamment du noir et je ne cessais de me faire du mal, repensant à tout ce que j'avais vécu jusque-là dans ce mariage raté. Je me disais qu'André m'avait volé ma jeunesse et que j'avais tout sacrifié pour lui sans en récolter la moindre reconnaissance. Je me répétais qu'il avait toujours pris le meilleur de moi sans jamais rien me donner en retour. Tout ce que j'aurais voulu, pourtant, c'était un peu d'amour de sa part.

J'étais tellement angoissée que je n'ai pu m'empêcher d'éclater un jour où j'avais dû l'accompagner à une présentation organisée par des promoteurs qui voulaient nous vendre un condo. Alors que j'aurais préféré me reposer un peu sur la plage avec Mélanie et mes parents, André a réussi à nous convaincre de le suivre. Nous avons été accueillis par des filles aux formes généreuses ayant l'air davantage de *pin up* que de représentantes des ventes. André semblait ravi de la tournure des événements et ne se rendait pas compte qu'il s'agissait là de vente sous pression. Tout ce que voulaient ces gens, c'était nous arracher de l'argent, le mien en l'occurrence. Tout comme moi, plusieurs personnes qui avaient été invitées à cette présentation ont commencé à se sentir piégées. Il faut dire que nous avions été conduits là en camionnette et que nous n'avions aucun moyen de transport pour retourner à l'hôtel. Il fallait donc attendre la fin de ce cirque qui, à mon avis, s'éternisait.

À bout de nerfs, je me suis levée tout à coup et, comme le Seigneur devant les marchands du Temple, j'ai piqué une véritable crise, hurlant que je n'en voulais pas de leurs condos et que tout ce que je désirais, c'était revenir à mon hôtel. Dans ma colère, j'ai lancé tous les papiers que j'avais devant moi et je suis sortie en bousculant les pauvres filles aux gros seins qui avaient eu la mauvaise idée de se trouver sur mon chemin. Je me suis retrouvée à l'extérieur en compagnie d'autres personnes qui avaient profité de l'occasion pour quitter la salle elles aussi. Un vendeur est venu me rejoindre et, en se confondant en excuses, m'a proposé d'appeler un taxi pour me ramener où je voulais. L'incident était clos.

Ce voyage en Floride allait malheureusement se terminer aussi mal qu'il avait commencé. C'est en effet pendant ces vacances que j'ai appris la mort de mon ex-gérant Gilles Talbot dans l'écrasement d'un petit avion. Je n'ai pas été vraiment surprise par cette triste nouvelle car, quelques mois auparavant, j'avais eu une mauvaise intuition le concernant et j'avais vu dans une sorte de rêve éveillé l'avion qu'il pilotait s'écraser au sol. Cette vision m'avait tellement marquée que j'avais refusé de revenir de Chicoutimi, où nous nous étions rendus pour faire de la promotion, à bord de son appareil. Gilles avait sans doute été frustré par mon attitude, mais j'avais maintenu cette décision et j'avais même prévenu Pierre Boivin, qui travaillait pour Kébec-Disc et qui faisait partie de ce voyage de promotion, de faire comme moi et d'éviter à l'avenir de monter dans un avion piloté par Gilles Talbot. Même si je l'avais prédite, la mort de Gilles m'a fait de la peine, car nous avions travaillé plusieurs années ensemble.

Encore secouée par cette triste nouvelle et par mes relations tendues avec André, je n'avais plus qu'une chose en tête: revenir au Québec le plus rapidement possible afin que ce voyage d'enfer en Floride prenne fin. C'est donc avec un grand soulagement que j'ai vu arriver le moment du départ. J'ai préparé toutes nos valises et je suis descendue dans le hall de l'hôtel en compagnie de mes parents et de Mélanie. Nous étions tous là à attendre ce cher André qui était encore en maillot de bain, en train de se faire bronzer sur le bord de la piscine, jasant avec les jolies filles qui s'y trouvaient. Plus le temps passait et plus ma patience s'usait. J'ai dû finalement l'avertir que nous risquions tous de rater le vol s'il ne se décidait pas enfin à s'habiller et à nous rejoindre.

C'est dans l'avion, au retour de ce pénible voyage, que j'ai pleinement compris que je n'étais plus capable de subir cette situation. Je me rendais bien compte que j'étais constamment sur le point de faire des crises. C'était le signal que ma patience était à bout, car ce n'était pas dans ma nature d'agir ainsi.

•

Une autre chose que je ne pouvais plus supporter, c'était le fait que ça faisait près d'un an qu'il avait sur le bureau d'André la photo d'une belle jeune fille d'à peine 20 ans. Au lieu de choisir une photo de moi ou de notre couple, mon mari avait préféré afficher celle d'une étrangère. Il m'avait dit qu'elle rêvait de devenir mannequin et qu'elle avait besoin de son aide pour y arriver. Là encore, j'avais dû élever la voix pour lui dire que je refusais qu'il s'occupe de la carrière d'une autre que moi, d'autant plus que je le soupçonnais d'avoir d'autres visées plus personnelles avec elle. Ma colère avait semblé le faire fléchir puisqu'il s'était enfin décidé à enlever la fameuse photo pour la placer dans le fond d'un tiroir. Il m'avait aussi affirmé qu'il ne s'occuperait pas de sa carrière.

Alors que je croyais cette histoire terminée, j'ai appris par hasard qu'ils continuaient à se voir secrètement. André m'avait proposé de passer une journée avec Mélanie pour me permettre de me reposer. Il m'a dit qu'il l'emmènerait à une exposition tenue à Saint-Hyacinthe où il y avait de nombreux manèges. Je me méfiais un peu, car je savais qu'André détestait les manèges et qu'il n'y montait jamais. Ce n'était guère dans ses habitudes non plus de s'occuper toute une journée de Mélanie. Mais enfin, l'intention semblait bonne, et je les ai laissés partir.

Au retour, j'ai demandé à Mélanie comment s'était passée sa journée. C'est alors que j'ai appris avec surprise qu'elle était montée dans de nombreux manèges. Comme je savais qu'André ne l'aurait pas laissée y aller seule, je lui ai demandé des explications supplémentaires. Elle m'a confié innocemment qu'une jeune fille que son père avait rencontrée là-bas par hasard s'était offerte pour l'accompagner dans tous les manèges. Je me suis immédiatement doutée qu'il s'agissait de la fille de la photo et j'ai décidé que, pour une fois, j'en aurais le cœur net. Je suis allée chercher la photo en question et l'ai montrée à Mélanie, qui m'a aussitôt confirmé qu'il s'agissait bien de la même fille. J'ai eu recours à une arme qu'André connaissait bien, soit la manipulation, pour lui tirer les vers du nez. J'ai réussi, dans un premier temps, à faire avouer à André que c'était bien la fille à qui j'avais pensé. En lui faisant croire que la mère de cette dernière, dont j'avais vu le nom sur une enveloppe trouvée sur le bureau d'André, m'avait téléphoné pour me dire qu'elle n'était pas d'accord pour que sa fille sorte avec un homme marié et beaucoup plus âgé qu'elle, je l'ai complètement déstabilisé. J'ai rajouté que moi non plus, je ne trouvais pas son attitude acceptable. Puis, sur un ton plus mielleux, je lui ai dit ce n'était pas grave et qu'il pouvait tout me raconter sans risquer que je me fâche.

Croyez-le ou non, André est tombé dans le panneau et il m'a tout déballé. Il m'a dit qu'il voulait rompre avec elle et que ce n'était vraiment pas très sérieux entre eux. Il a aussi ajouté qu'à la suite de notre conversation, il la laisserait tomber définitivement. Il a poursuivi en affirmant que, de toute façon, il la considérait plus comme une amie et une confidente que comme une maîtresse. J'avais de la difficulté à le croire, car deux semaines auparavant il était parti seul tout un week-end, me disant qu'il avait besoin d'air et de liberté. Il m'a finalement avoué que c'était avec cette fille qu'il avait passé ces deux jours. Il m'a juré dans le même souffle qu'il ne s'était rien passé entre eux sur le plan sexuel lors de cette fugue. «On s'est contentés d'aller admirer les chutes Montmorency», a-t-il osé prétendre, en baissant les yeux. Ça m'a beaucoup peinée, d'autant plus qu'il était parti avec mon auto et mes cartes de crédit. C'était la première fois qu'il me quittait ainsi pour plusieurs jours, et je me suis dit que ce serait la dernière.

Toujours au cours de la dernière année de notre mariage, André avait pris l'habitude de garder chez l'une de nos voisines. Elle lui téléphonait à tout bout de champ, dans la soirée, pour lui demander de la rejoindre chez elle, censément pour garder ses enfants le temps qu'elle fasse une course urgente. Il s'y rendait chaque fois. Je ne suis jamais allée vérifier de quoi il retournait, mais je trouvais cela un peu bizarre, d'autant plus que cette dame avait un mari. En y repensant, je n'en veux pas vraiment à toutes ces femmes. Ce sont moins elles qui sont à blâmer que mon ex-mari.

•

À défaut de pouvoir communiquer verbalement avec André puisqu'il était de toute façon rarement à la maison, il m'arrivait de lui écrire de belles lettres avant de me coucher et de les laisser sur la table pour qu'il puisse les lire à son réveil. Cette marque d'amour n'avait pas semblé l'émouvoir outre mesure, car le plus souvent il ne se donnait même pas la peine de les lire. Il se moquait gentiment de moi, me disant d'arrêter de m'en faire pour rien. J'avais beau lui ouvrir des portes pour que nous puissions enfin avoir des discussions sur l'avenir de notre couple, il se refusait à tout dialogue sérieux. Il préférait s'emmurer dans un silence qui me laissait un goût amer et une grande tristesse intérieure.

Voulant me consoler et me rappeler de bons souvenirs, j'ai décidé, un soir, de regarder la vidéo de notre mariage. En visionnant la cassette, j'ai constaté que ce que je voyais à l'écran n'avait rien à voir avec notre cérémonie nuptiale. Le couple qui était là et qui faisait l'amour frénétiquement, dans des positions qui avaient de quoi me faire rougir, ce n'était évidemment pas nous. J'ai rapidement compris qu'André avait par mégarde (j'ose l'espérer) enregistré un film porno par-dessus les images de notre mariage. Je venais ainsi de perdre l'un des rares souvenirs que je gardais de notre union. Je me suis dit que c'était un signe.

Nous ne faisions plus l'amour depuis sa dernière escapade à Saint-Hyacinthe. Je dois avouer que c'était maintenant moi qui refusais d'avoir des rapports sexuels avec lui. Je n'aurais eu qu'une seule envie, s'il avait osé m'approcher, et ç'aurait été de le frapper pour me venger de tout le mal qu'il m'avait fait subir durant toutes ces années. Il y avait tellement de rage et de frustration en moi que je ne voulais surtout pas qu'il me touche. J'étais allée au bout de ma tolérance. Maintenant, c'était fini.

Sentant sans doute la soupe chaude, André a tout essayé dans les mois qui ont suivi pour se rapprocher de moi. C'était malheureusement trop peu, trop tard. En désespoir de cause, il a même suggéré que nous redécorions complètement notre chambre à coucher, laissant entendre que ça lui donnerait probablement le goût d'y venir un peu plus souvent. Je lui ai fait comprendre que les problèmes que nous traversions dans notre relation n'avaient rien à voir avec l'allure de notre chambre à coucher et que ce n'était pas en la modifiant que les choses s'amélioreraient entre nous.

Devant mon attitude de plus en plus distante à son égard, André a commencé à se montrer jaloux. Comme il jouait le jeu (du moins en ma présence) de moins parler aux autres femmes, il aurait voulu que je fasse la même chose avec les hommes que je croisais. Je lui ai répondu que je n'avais rien à me reprocher et qu'il n'était pas question que je change d'attitude. Pendant l'enregistrement de mon spécial télé intitulé *Il faudrait se parler*, j'ai décidé de me montrer tout particulièrement aimable avec tous ceux et celles qui travaillaient sur le plateau. C'était ma façon de cacher ma peine et le stress que provoquaient en moi les fréquentes discussions que j'avais avec mon mari.

Un jour que je blaguais avec un caméraman (comme je l'avais souvent fait dans le passé), André m'a piqué une véritable crise de jalousie sur le plateau.

C'est probablement la goutte qui a fait déborder le vase. Après tout ce qu'il m'avait fait subir, en s'affichant plus souvent qu'à son tour avec d'autres femmes, je ne pouvais pas supporter ses critiques. Une semaine avant la diffusion de mon spécial télé, j'ai décidé de le quitter.

•

Ce jour-là, j'étais restée au lit car je ne me sentais pas très bien. J'avais une forte fièvre. En plus, je commençais à avoir mal aux jambes. Je souffrais en fait d'érythème noueux, et de grosses bosses étaient apparues sur mes jambes. La douleur était parfois si forte lorsque de petits vaisseaux se nouaient dans mes jambes que j'avais de la difficulté à marcher. Un médecin que j'avais consulté craignait que ce soit un début de tuberculose. Il m'avait proposé de prendre de la cortisone, mais j'avais refusé, en lui disant que je savais comment régler mon problème. Instinctivement, j'en étais venue à la conclusion que la sé-paration serait le remède à tous mes maux. Ce mariage m'était devenu insupportable, d'autant plus que c'était maintenant invivable dans la maison.

André était, ce matin-là, occupé dans la cuisine à pré-parer le déjeuner de Mélanie. Il commençait peu à peu à vouloir me faire plaisir et m'avait même proposé de me faire couler un bain pour soulager mes douleurs aux jambes. Il était tellement transformé que ce n'était plus l'homme que j'avais connu durant nos longues années de cohabita-tion. J'étais cependant si déterminée à partir que rien n'aurait pu me faire changer d'idée. De toute façon, je ne pouvais plus lui faire confiance. J'ai levé la tête et j'ai regardé le crucifix accroché au mur de la chambre. J'ai eu l'impression d'entendre à l'intérieur de moi une voix qui me disait: «Si tu restes, tu vas mourir, si tu pars, tu vas vivre.» Je savais bien que c'était mon intuition qui me faisait entendre ce message, et je l'ai écoutée.

Malgré mon mal de jambes, j'ai trouvé le courage de me lever. Je marchais comme un zombie, avec des gestes lourds. J'ai pris un sac et je n'y ai mis que l'essentiel. J'ai ensuite demandé à André de me rejoindre dans la chambre, car je ne voulais pas que Mélanie entende ce que j'avais à lui dire. Lorsqu'il a été en face de moi, je l'ai regardé droit dans les yeux et je lui ai dit: «Je m'en vais pour toujours et je ne reviendrai plus jamais.» Ce fut aussi simple que ça. André m'a regardée, incrédule, et il a éclaté de rire. Il ne se rendait visiblement pas compte combien je pouvais être sérieuse à ce moment précis.

Je me souviendrai toujours de cette journée-là. On était en avril. Je me revois encore, sortant de la chambre. J'ai regardé Mélanie qui était assise à la table. Je me sentais incapable de lui expliquer ce qui se passait et j'ai demandé à André de lui dire que je m'en allais pour quelques jours en vacances chez ma mère. Comme elle était très attachée à son père, elle n'a pas semblé trop affectée par mon départ. Elle a sans doute pensé que je reviendrais bientôt.

Je suis effectivement partie chez ma mère. En montant à bord de mon automobile, je me suis mise à parler à Dieu. J'avais besoin de réconfort et Il était le seul à ce moment précis, me semblait-il, à pouvoir m'aider. J'ai dit: «Mon Dieu, je te donne ma vie, mais je t'en prie, fais en sorte que je ne retourne jamais avec cet homme. Ne me laisse jamais faiblir. Je ne veux plus vivre avec celui qui m'a fait tant de mal sur le plan psychologique.» Je me sentais comme une enfant qui aurait été battue toute sa vie, et ce, même si mon mari n'avait jamais levé la main sur moi ni même haussé la voix. Je ne pouvais pas m'empêcher de pleurer. Je continuais à m'adresser au Seigneur. Tout à coup le capot de mon auto s'est levé, me bloquant complètement la vue pendant que je conduisais. Je n'ai pu m'empêcher d'éclater de rire, me disant à voix haute: «Le moins qu'on puisse dire, Seigneur, c'est que tu parles fort.» J'ai interprété cet incident comme un signe de Dieu qui me disait: «Tu vas t'en aller aveugle, mais je vais te guider. Même si tu as parfois l'impression de ne pas voir clair dans ta vie, continue, tu vas arriver là où je veux t'emmener.» Je me suis arrêtée et j'ai finalement réussi à fermer le capot de l'auto, souriant malgré ma peine.

En route vers Longueuil, j'ai senti un grand vent de liberté me pousser. Je me suis vue comme un oiseau qui peut enfin sortir de sa cage. Mes sentiments étaient cependant partagés entre la joie de quitter enfin mon mari et la culpabilité de briser, par mon départ, les liens sacrés du mariage.

•

Mon père et ma mère m'ont accueillie à bras ouverts. Le peu de temps que j'ai été avec eux, ils ont su se montrer compréhensifs et surtout à l'écoute de mes préoccupations. Ils n'ont, cependant, jamais voulu me dire quoi faire. J'appréciais beaucoup cette attitude qui contrastait avec celle que j'avais connue dans la famille d'André.

Les Vachon m'avaient placée sur un piédestal et pour eux il n'était pas question que je quitte André. Je pense en particulier à Noëlla qui m'aimait vraiment, mais qui passait son temps à défendre son frère. Elle m'avait même dit un jour que je risquais de mettre ma carrière en péril si je quittais André car, selon elle, c'était à lui que je devais tous mes succès. Je n'étais évidemment pas d'accord avec son point de vue. Je sais aujourd'hui que ses remarques partaient d'un bon sentiment, mais je dois admettre que son influence m'a empêchée très longtemps de voir clair dans ma relation de couple.

J'avais parlé à ma mère deux semaines avant mon départ. En fait, j'avais retourné l'un des nombreux messages téléphoniques qu'elle m'avait laissés au cours des trois mois précédents. J'étais tellement déprimée que je ne voulais pas me confier à qui que ce soit, même pas à elle. Ce jour-là, j'avais cependant eu envie de lui parler pour lui dire où j'en étais dans ma réflexion. Ma sœur Diane m'avait aussi téléphoné pendant cette période difficile et avait été beaucoup plus directe que ma mère en me disant: «Il est grand temps que tu sortes de là.» Elle avait ajouté quelle n'hésiterait pas à venir me chercher si je ne bougeais pas. Elle craignait sincèrement que je devienne folle et qu'André me détruise complètement si je ne me décidais pas à le quitter.

Lorsque je suis arrivée chez mes parents, j'étais en état de choc. Je m'inquiétais surtout pour ma fille. Je me sentais aussi très coupable d'avoir quitté mon mari. J'avais souvent affirmé dans le passé que je ne comprenais pas que certaines personnes divorcent et brisent ainsi les liens sacrés du mariage. J'avais dit à ma mère que j'avais peur d'aller en enfer, en raison de la gravité de mon geste.

Maman m'a rassurée, en m'affirmant que je n'avais rien fait de mal et que j'avais toujours agi comme une bonne mère et une bonne épouse. Comme j'avais commencé à lui faire des confidences sur mon mariage quelques jours auparavant, elle ne s'est pas gênée pour me rappeler les nombreuses raisons que j'avais de quitter André. Elle m'avait aussi avoué à mon arrivée que cette rupture ne l'étonnait pas. Elle et mon père savaient depuis longtemps qu'un jour ou l'autre notre mariage allait se briser. Papa m'a raconté que mon grand-père paternel leur avait même dit le jour de mon mariage que, selon lui, André ne m'avait épousée que pour profiter de ma gloire. Malgré tout ce qu'ils pouvaient penser de mon mari, personne dans ma famille, pendant les 13 ans qu'a duré mon mariage, n'a voulu s'immiscer dans ma vie privée et me faire des mises en garde.

•

Malgré la gentillesse de mes parents et le réconfort qu'ils pouvaient me donner, je n'ai pas voulu abuser de leur hospitalité. Ma mère m'a proposé de rester avec eux aussi longtemps que je le désirais, mais je lui ai fait comprendre que je voulais retrouver une certaine autonomie le plus rapidement possible. J'avais de toute façon des ressources financières suffisantes pour subvenir seule à mes besoins.

À 33 ans, je sentais le besoin de me retrouver seule en appartement pour reprendre le contrôle de ma vie. J'ai donc demandé à maman de m'aider à me trouver un nouveau logement. Comme toujours, elle a su se montrer disponible et m'a beaucoup aidée pendant cette période difficile. Je me trouve vraiment chanceuse d'avoir pu compter sur l'aide de mes parents après ma rupture, car je me serais sentie bien démunie sans eux. Ils ont tout fait pour que je me sente bien et que je retrouve suffisamment de confiance en moi pour me reprendre en mains.

Ma mère a beaucoup insisté pour que je cesse de me blâmer constamment pour l'échec de mon mariage. Elle m'a dit que peu importait ce que je déciderais – de retourner avec mon mari ou de confirmer notre séparation –, elle et papa ne me jugeraient pas. Ils ne voulaient surtout pas décider pour moi. En ce qui me concernait, le choix était clair. J'avais pris tellement de temps avant de me convaincre de quitter mon mari qu'il n'était pas question que je revienne sur ma décision.

J'ai finalement trouvé un très bel appartement de deux étages au Port de Mer, à Longueuil. J'ai immédiatement aimé cet immeuble d'appartements avec un accès direct au métro. Même si j'avais peu utilisé le métro jusque-là, je trouvais pratique de pouvoir y accéder aussi facilement. J'ai habité là moins d'un an, mais j'ai beaucoup apprécié l'endroit. C'était mon îlot de liberté, où j'allais enfin pouvoir retrouver une solitude bienfaisante (c'est du moins ce que je croyais à l'époque)!

•

Je n'ai pas vu Mélanie au cours du mois suivant mon départ de la maison. Je me sentais incapable de l'affronter, car je ne voulais pas qu'elle me voie défaite (je passais mon temps à pleurer). À peine installée dans mon nouvel appartement, j'ai cependant voulu revoir ma fille pour lui expliquer ce qui s'était passé et lui donner ma version des faits. Pour elle, j'étais toujours en vacances chez ma mère et je me disais qu'elle attendait sûrement mon retour. J'étais si nerveuse à l'idée de la rencontrer que j'ai demandé à maman de m'accompagner. J'avais peur que Mélanie me fasse une crise et se mette à pleurer lorsqu'elle apprendrait la vérité sur notre rupture, et je n'aurais trop su comment réagir.

Cette rencontre à trois a eu lieu dans un restaurant. Une fois installée à notre table, j'ai commencé à expliquer à ma fille ce qu'il en était exactement et je lui ai confirmé que je quittais son père pour de bon et que je ne reviendrais jamais plus à la maison. Mélanie avait neuf ans à l'époque, et je me suis adressée à elle comme à une grande personne, en espérant qu'elle comprenne la situation et qu'elle ne me juge pas trop mal. À ma grande surprise, Mélanie a très bien réagi et n'a jamais perdu son calme. Elle a bien compris que je ne retournerais pas vivre avec elle et son père et que je m'installais seule dans un nouvel appartement. Lorsqu'elle a su qu'elle pourrait venir me voir aussi souvent qu'elle le désirait, elle s'est exclamée: «C'est l'fun, ça va me faire deux maisons à habiter.»

Même si elle n'était encore qu'une enfant, Mélanie a agi comme une jeune adulte de 20 ans lors de cette rencontre. Elle m'a dit, en me fixant dans les yeux: «Maman, es-tu heureuse maintenant? Si tu l'es, c'est ça qui est le plus important.» Je n'ai pu m'empêcher de la prendre dans mes bras et de la serrer très fort contre moi, en l'embrassant tendrement.

Mélanie a vu le jour
le 31 mars 1975.
Elle a à peine trois semaines
sur cette photo.
Mon Dieu
que j'étais heureuse!

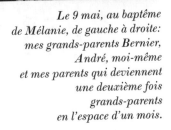

Le 9 mai, au baptême
de Mélanie, de gauche à droite:
mes grands-parents Bernier,
André, moi-même
et mes parents qui deviennent
une deuxième fois
grands-parents
en l'espace d'un mois.

Mélanie à un an et demi.
Je la tiens fièrement
sur mes genoux.

Pendant l'enregistrement de J'suis ton amie.
Cet album allait devenir mon plus grand succès.

Chantal Pary
"J'suis ton amie"

À l'ADISQ,
J'suis ton
amie m'a valu
le Félix
de l'album
le plus vendu
de l'année
1982, avec
des ventes
de plus
de 200 000
exemplaires.

En tournée de promotion.

On m'a remis un disque d'or pour l'album Il faudrait se parler. *À gauche, le promoteur Pierre Tremblay, à droite Pierre Boivin, celui-là même que j'avais avisé de ne plus prendre l'avion avec mon ancien gérant Gilles Talbot.*

Photo tirée d'une séance faite pour l'album compilation Profil.
Je l'ai incluse dans ce livre, car c'est une des préférée de Carl. Je venais tout juste de me séparer d'André et je me sentais défaite cette journée-là.

Le 3 mai 1986, Jacques Pelletier et moi nous marions civilement.

À Disney World, en Floride, avec ma fille Mélanie qui animait ce spécial télé, Goofy, moi et Roch Voisine.

Entre Guy Cloutier et Michel Louvain, à l'émission De bonne humeur. *J'y présente l'album* Pour tous ceux qui sont seuls à Noël, *en décembre 1987.*

Ma rencontre avec mère Teresa, à Ottawa, en 1988.
Son dos est vraiment courbé par les misères.
Je me souviens de son parfum, quel bon arôme !

À l'arrière-plan, trois choristes qui ont participé à l'enregistrement
de mon album L'amour pourrait changer le monde. *Au premier plan,*
je suis entourée de Dave Taillon à gauche et de Steve Taillon à droite,
qui ont fait les arrangements musicaux de ce disque et qui, quelques années
plus tard, m'ont présenté Carl William.

Avec Franck Olivier comme artiste invité, j'ai animé un spécial télé à l'antenne de TVA en 1988.

Lors de l'un de mes témoignages de foi...

Première rencontre avec mon amour, Carl William.
J'étais tellement touchée par la bonté que dégageait son regard.
Avec tout le talent qu'on lui connaît, il faisait preuve
d'une si grande humilité, en me confiant que j'étais son idole
depuis son tout jeune âge, qu'il m'avait impressionnée.

C'est à l'émission Ad Lib, à la fin de l'année 1994,
que j'ai présenté à Jean-Pierre Coallier mon livre
sur la spiritualité intitulé L'histoire de ma vie.

Avec ma bonne amie Carmen.

Pour mes 30 ans de vie artistique et mes 3 millions de disques vendus,
Carl m'a remis un cadre avec tous mes disques d'or,
platine et double platine.
Quelle fierté venant de l'homme que j'aime!

C'est à l'émission Bla bla bla, *animée par Danielle Ouimet,
que Carl m'a fait la grande demande, le jour de la Saint-Valentin 1997.
J'étais tellement émue par son témoignage
que les larmes me sont montées aux yeux
et que ma gorge s'est serrée soudainement.*

C'était le samedi 13 décembre 1997, à 15 h, que Carl et moi nous unissions civilement à Laval.

Sur cette photo, je peux lire la joie et l'amour sur nos visages.

Mélanie était visiblement radieuse et surtout très heureuse pour moi. Merci, Mélanie, pour ton amour.

J'ai réussi à obtenir l'annulation de mon premier et de mon deuxième mariage catholiques. Lors de notre union civile, notre vœu, en coupant ce gâteau, a été de nous épouser, un jour, devant Dieu. Notre gâteau nous a été gracieusement offert par notre ami Claude Désormaux, de Saint-Jérôme.

En compagnie du nouveau membre de la famille, Tony, notre petit yorkshire.

À Nashville, Carl, Roger Cook, un compositeur de certains des plus grands succès country américains, moi, Kitty, la femme de Roger, et grimaçant au premier plan, Joe Allen, celui-là même qui a composé avec Johnny Cash la version originale anglaise de J'suis ton amie.

En concert avec mon amour.
Je peux tellement me fier à lui en
spectacle que je le surnomme mon
*lutrin à deux pattes. **Ha! Ha!***

Sur scène,
je me sens maintenant
libre et heureuse...
Merci, cher public,
pour votre amour
qui dure depuis
toutes ces années.

Deux voix... Une scène. *C'est le nom de notre spectacle.*
Pour la première fois,
je monterai sur les planches du théâtre St-Denis II,
le 18 mai 2003.
Carl et moi, nous partagerons ainsi
notre amour avec nos fans.

Chantal Pary

Aujourd'hui

Aujourd'hui *est mon tout nouvel album,
dont je suis très fière.*

Chapitre 10

Un nouveau mari, une nouvelle vie

À la suite de ma séparation, ma sœur Diane s'était rapprochée de moi. Elle venait me voir souvent dans mon nouvel appartement et, comme elle possédait de bonnes connaissances en comptabilité, elle m'avait offert de m'aider à mettre de l'ordre dans les finances de mon entreprise. J'ai beaucoup apprécié sa proposition car, à l'époque où je vivais avec André, je ne m'étais jamais vraiment mêlée du roulement de mes affaires. Maintenant que j'étais séparée, je devais apprendre à me débrouiller seule et à gérer mes affaires, mes dépenses et mes revenus.

Diane ne voulait pas être rémunérée pour ce travail, mais j'ai tout de même insisté pour lui offrir une certaine forme de compensation pour les heures qu'elle me consacrerait. Au fil de nos rencontres, nous avons commencé à jaser de ma vie personnelle. Diane voulait savoir quels étaient mes plans dans l'avenir immédiat. Comme je n'en avais aucun, elle m'a suggéré de me présenter un compagnon de travail de son mari, Gilles. Ma sœur craignait probablement que je ne sombre dans la dépression si je continuais à vivre terrée dans mon appartement sans jamais voir personne. Elle m'a dit qu'une première rencontre avec cet homme me changerait les idées. Je dois avouer que ça ne m'emballait pas particulièrement, surtout que ça faisait à peine un mois que j'avais quitté André et que je n'avais aucune envie de me rembarquer après un si court délai dans une relation avec un autre homme. Diane ne s'est pas laissé démonter par mon manque d'enthousiasme et est revenue plusieurs fois à la charge, me disant que Jacques était une personne qui me conviendrait très bien, car nous avions, croyait-elle, plusieurs affinités. Diane, qui savait que j'avais toujours été plutôt religieuse même si je n'étais pas pratiquante, m'a dit que Jacques était un bon gars, très croyant, et qu'il lisait la Bible tous les jours.

Le mari de Diane avait sans doute parlé de moi à Jacques, car ma sœur a commencé à m'apporter des lettres de lui. Ces jolies missives à la fois rassurantes et remplies de promesses ont attiré mon attention. Je n'étais pas habituée à ce genre d'attention et, pour une femme comme moi qui avais été tellement privée de communication dans le passé, il y avait de quoi être ravie. J'étais un peu intriguée qu'un homme que je n'avais jamais rencontré prenne du temps pour me décrire ses sentiments et s'informer des miens. Jacques me parlait de Dieu dans ses lettres et, comme j'éprouvais moi aussi un besoin de plus en plus pressant de me rapprocher du Seigneur pour trouver un certain réconfort, je me suis immédiatement senti des affinités spirituelles avec cet inconnu.

Diane, qui ne connaissait Jacques que par ce que son mari en avait dit, s'est décidée à le rencontrer à quelques reprises pour se faire sa propre opinion. Le moins qu'on puisse dire, c'est que sa première impression avait été bonne. Diane m'avait même dit que plus elle apprenait à connaître Jacques, plus elle trouvait que lui et moi étions faits pour vivre ensemble. Encore ébranlée par ma récente séparation, je me montrais hésitante à rencontrer cet homme, malgré tout le bien que pouvait en dire ma sœur. Je ne voulais surtout pas me tromper une nouvelle fois. L'échec de mon mariage me laissait un goût amer dans la bouche. Je me sentais enfin libre de toute forme de contrôle, mais en même temps je devais m'adapter à une solitude que je n'avais jamais connue auparavant parce que j'avais toujours vécu avec quelqu'un à mes côtés, que ce soit les membres de ma famille ou mon mari.

À 33 ans, je n'avais jamais eu à prendre seule des décisions importantes sur le plan personnel ou professionnel. En réfléchissant aux derniers événements, j'en étais venue à me demander si l'arrivée d'un nouvel homme dans ma vie ne m'aiderait pas à retrouver plus rapidement un certain équilibre. Avoir échoué dans une première relation ne signifiait pas nécessairement que je ne pourrais pas réussir à être heureuse avec un nouveau compagnon. Parallèlement à ce questionnement sur mon avenir, j'étais aussi à la recherche d'absolu. Après 20 années passées dans le milieu plutôt superficiel du showbiz, je cherchais un mode de vie qui corresponde davantage à mes valeurs profondes. J'avais adoré mon métier de chanteuse. J'avais été très fière de mes succès professionnels et des récompenses qui les avaient suivis, et j'avais surtout fort apprécié le soutien constant de mes fans. Je commençais pourtant à penser qu'au-delà de la gloire, de l'argent et des applaudissements, il y avait peut-être quelque chose de plus enrichissant qui pourrait combler l'immense vide que je ressentais au fond de moi.

J'avais une envie de plus en plus pressante de prier Dieu pour qu'Il m'aide à trouver des réponses à toutes mes questions existentielles. Il faut dire que, loin de mon mari, de ma fille et de ma carrière qui était en veilleuse, j'avais beaucoup de temps pour réfléchir au sens que je voulais donner à ma vie. Pendant ce temps, Diane me parlait toujours de mon mystérieux admirateur qui tenait absolument à me rencontrer. Il avait en quelque sorte trouvé en ma sœur une ambassadrice efficace, car elle avait su faire vibrer une de mes cordes sensibles en me racontant que Jacques avait combattu au Vietnam et qu'il avait beaucoup souffert là-bas. Je m'étais dit, en écoutant ses propos, qu'un homme qui risquait ainsi sa vie pour une cause qui n'était pas vraiment la sienne devait avoir beaucoup de courage et de générosité. J'ai pensé qu'il devait être quelqu'un de bien pour défendre ainsi ses idéaux. Alors que j'étais à la recherche de valeurs plus élevées dans ma vie, ce genre de sacrifice avait de quoi m'émouvoir.

J'ai su aussi qu'il avait eu une vie difficile par la suite et qu'il s'était réfugié dans la foi afin de trouver une motivation pour continuer sa route dans l'existence. Après avoir reçu ses quelques lettres, je me suis finalement décidée à le rencontrer, ne serait-ce que pour me faire ma propre idée à son sujet. Cette première rencontre a eu lieu dans un restaurant, en compagnie de ma sœur Diane. Son mari, Gilles, n'avait pas voulu être là, et j'ai appris par la suite qu'il n'était pas d'accord avec le fait que Diane voulait absolument me présenter Jacques. Il avait, semble-t-il, certaines réserves à son sujet. Il faut dire qu'il connaissait bien Jacques puisqu'il le fréquentait quotidiennement dans les bureaux de Petro-Canada où tous les deux travaillaient. Savait-il des choses que j'aurais dû connaître avant d'entreprendre une relation plus poussée avec Jacques? Je ne le saurai jamais, mais Diane était persuadée, quant à elle, que c'était un bon parti pour moi. Si elle avait tant insisté pour que je le rencontre, c'est qu'elle était sincèrement convaincue qu'il pourrait m'aider à traverser cette période particulièrement difficile de ma vie.

Je n'arrive pas à me souvenir précisément de quoi avait l'air Jacques à l'occasion de ce premier souper au restaurant. Je me rappelle cependant qu'il ne m'avait pas particulièrement impressionnée par son look et son allure générale. Je m'étais même dit que ce n'était pas mon type d'homme sur le plan physique. Plus tard, j'ai remarqué que c'était un homme plutôt grand et costaud qui en impressionnait plusieurs avec le tatouage représentant un couteau qu'il portait fièrement sur le bras. Ceux qui le croisaient trouvaient parfois qu'il avait l'air menaçant au premier abord. Même s'il semblait plus âgé, il n'avait en fait que quelques années de plus que moi.

Lorsque j'ai rencontré Jacques, j'étais encore très vulnérable et beaucoup trop influençable. Je me dis aujourd'hui qu'il était bien trop tôt pour que je songe à refaire ma vie avec un homme. J'aurais dû me réserver plus de temps pour moi et mieux réfléchir à ce que je voulais vraiment, à ce moment-là. Dans l'ensemble, cette première rencontre s'est relativement bien passée, sans qu'on puisse parler d'un coup de foudre entre nous deux. Jacques a beaucoup parlé de lui, et je l'ai écouté avec intérêt. Je me souviens qu'il gesticulait beaucoup en racontant son expérience au Vietnam. Il m'a beaucoup parlé de l'importance de la religion dans sa vie. J'ai appris, enfin, qu'il vivait avec une femme et la fille qu'elle avait adoptée.

À un moment donné, je me suis rendue aux toilettes avec ma sœur qui en a profité pour me dire avec enthousiasme que Jacques était vraiment l'homme idéal pour moi. Comme je respectais beaucoup son opinion, ses paroles m'ont fait réfléchir. Je suis allée reconduire Jacques à ses bureaux de Petro-Canada après le souper, car il n'était pas venu nous rejoindre au restaurant avec son auto. Curieusement, il a insisté pour conduire, disant qu'il avait peur à l'idée que je sois au volant. Sans trop savoir pourquoi, je l'ai laissé faire sans rechigner. Je me suis dit que c'était un homme de caractère et que si je décidais un jour de faire un bout de chemin avec lui, je devrais m'ajuster. Sans m'en rendre compte, je me préparais à répéter ainsi les mêmes *patterns* et les mêmes erreurs qui avaient ponctué ma vie jusque-là.

Après qu'il est sorti de l'auto, j'ai dit à Diane que je n'avais pas l'intention de le revoir. Ma sœur n'était évidemment pas d'accord avec moi et, à force de m'en parler constamment, elle a fini par me convaincre de lui donner une seconde chance. Cette deuxième rencontre s'est mieux passée et, aussi invraisemblable que ça puisse paraître, une semaine plus tard Jacques venait s'installer chez moi. En y repensant, je sais que j'ai agi avec précipitation, mais pour me comprendre il faut se replacer dans le contexte. Je me reprochais de ne jamais avoir fait les bons choix amoureux dans ma vie et je me disais que cette fois je ne devais pas rater ma chance si Jacques était l'homme qu'il me fallait. En refusant de vivre avec lui, je risquais peut-être de passer à côté de la seconde chance que la vie m'offrait d'être enfin heureuse. Sans vouloir justifier la confusion qui m'habitait, il est bon de rappeler que je venais de traverser un mois particulièrement éprouvant. J'avais quitté mon mari et mis fin ainsi à un mariage qui avait duré 13 ans. J'avais dû lui laisser ma fille sans savoir si je pourrais un jour en ravoir la garde. J'étais ensuite allée me réfugier chez mes parents pour, quelques semaines plus tard, emménager dans un nouvel appartement. C'était beaucoup d'événements dans un laps de temps relativement court.

•

Après seulement quelques rencontres avec Jacques, je dois admettre que je ne le connaissais pas vraiment lorsqu'il est venu s'installer chez moi. J'avais décidé de me fier à mon intuition et de donner une chance à la vie. À peine chez moi, Jacques, un soir, s'est mis à pleurer à chaudes larmes, en me disant qu'il avait des problèmes financiers et qu'il avait besoin d'argent rapidement pour les régler. Impressionnée par son chagrin, j'ai accepté de lui faire un chèque de 21 000 $, ne sachant pas s'il pourrait me remettre cette somme un jour. Lorsque mon père a appris cela, il n'en revenait pas et n'était évidemment pas d'accord avec mon geste, aussi généreux soit-il. Le plus étrange dans cette histoire, c'est que j'avais fait monter les enchères. Alors qu'il était question d'un moins gros montant d'argent au début de notre discussion, je lui demandais chaque fois qu'il me disait un chiffre s'il était certain que ce serait suffisant pour le sortir du trouble, l'amenant ainsi à augmenter la mise.

J'avais un besoin irraisonné de lui venir en aide et, sans que je m'en rende compte, cette attitude allait s'installer pour rester tout au long des 11 années qui allaient suivre. J'avais toujours été généreuse avec mes proches, mais j'avais désormais envie de venir en aide financièrement à tous ceux qui demanderaient mon aide, même si c'étaient des étrangers. Pour revenir à Jacques, je dois expliquer que pendant toute notre vie commune c'est moi qui allais défrayer toutes les dépenses du couple. Je reprenais ainsi mon rôle de pourvoyeuse là où je l'avais laissé après ma séparation.

J'explique l'urgence que j'ai ressentie d'accepter aussi rapidement qu'il vienne vivre avec moi par la pitié que Jacques m'inspirait. Je sais aujourd'hui que ce n'était pas vraiment de l'amour qui m'attirait vers lui. Jacques a immédiatement su trouver les mots pour me dire qu'il avait vraiment besoin de moi. Après avoir passé tant d'années avec un mari qui m'ignorait plus souvent qu'autrement, ça me faisait du bien de constater qu'un homme puisse devoir compter sur moi pour régler ses problèmes. En me confiant les siennes, Jacques avait réussi à me faire oublier mes propres difficultés. C'est sans doute ce dont j'avais inconsciemment envie puisque j'ai tout de suite embarqué dans son jeu. Il jouait merveilleusement bien les victimes, et je me sentais l'âme d'une mère Teresa. Nous étions donc faits pour bien nous entendre.

Jacques me permettait aussi d'approfondir mon côté religieux. Je savais qu'avec lui je vivrais dans un environnement qui me permettrait d'explorer ma spiritualité. Il se disait tellement croyant et pratiquant qu'il m'apparaissait comme le compagnon idéal dans mon cheminement de foi.

•

C'est au cours de l'été suivant que mes parents ont rencontré Jacques pour la première fois. Ça s'est passé au lac

Champlain. Diane leur avait dit qu'elle m'avait présenté un homme qui était parfait pour moi et que nous vivions désormais ensemble. Même s'ils trouvaient que cette nouvelle relation débutait beaucoup trop tôt après ma séparation, ils avaient accepté de rencontrer Jacques pour en savoir un peu plus long sur lui. Je ne peux pas dire qu'il a fait une très bonne impression à mon père. Comme toujours papa s'est montré discret et n'a pas porté de jugement sur lui devant moi, mais j'ai senti que ce ne serait jamais le grand amour entre eux. Mon père a toujours eu cette faculté de savoir évaluer les gens très rapidement. Il a un jugement sûr et se trompe rarement. Jacques et lui s'étaient retrouvés devant un feu de camp, et mon nouveau *chum*, voulant sans doute impressionner son futur beau-père, avait passé la soirée à lui parler du Vietnam. Ses confidences n'avaient pas obtenu l'effet escompté, car mon père m'a confié plus tard qu'il n'avait pas cru un mot de ce que Jacques lui avait raconté. En raison de plusieurs invraisemblances dans son récit, papa était convaincu que Jacques n'avait jamais mis les pieds là-bas. Il a été persuadé, dès cette première rencontre, que son futur gendre était un fieffé menteur, et les relations ont toujours été par la suite plutôt froides entre eux. Ma mère partageait le point de vue de papa. Mes parents se montraient polis envers Jacques lorsqu'ils le rencontraient, sans plus.

Un peu plus tard, j'ai demandé à Jacques de m'accompagner chez André pour que je puisse récupérer mes bandes magnétiques que j'avais laissées là. Je me disais qu'avec la carrure qu'il avait, mon nouveau compagnon pourrait m'être utile si André faisait de l'obstruction, d'autant plus que ce dernier avait refusé, lorsque je lui avais téléphoné, de me laisser reprendre les fameux rubans d'enregistrement. J'étais tellement déterminée à reprendre mon dû que je me suis présentée chez André sans prévenir. Ce dernier a finalement accepté que je reparte avec mes bandes. Jacques n'a donc pas eu à intervenir (heureusement pour lui, car je ne suis pas certaine qu'il aurait eu le courage de le faire) et il s'est contenté de m'aider à les transporter. J'étais fière de m'être imposée ainsi, car je prenais conscience que j'avais du caractère et que désormais plus personne ne me dirait quoi faire et me dicterait mes allées et venues. Sur ma lancée, j'ai consulté un avocat et un notaire pour m'assurer que tous mes papiers étaient en règle et que je pourrais récupérer sans problème tout ce qui m'appartenait. Je voulais aussi régler au plus vite tous les détails de mon divorce, dont la pension alimentaire que j'aurais à payer à André puisqu'il gardait Mélanie avec lui. Je lui ai finalement laissé en compensation, pour un certain temps, toutes les sommes d'argent générées par les chansons que j'avais écrites. Je lui ai aussi fait don de la maison et de tous les meubles, en l'assurant que je continuerais à payer tous les frais d'habillement de Mélanie. Je n'ai finalement conservé que mes vêtements et quelques rares souvenirs.

J'étais d'autant plus pressée de reprendre le contrôle de mes affaires que peu avant le règlement de mon divorce, mon entreprise a été poursuivie pour un montant astronomique de 1 million de dollars. Tout cela parce qu'André n'avait pas payé la taxe d'accise et les droits d'édition sur les chansons que j'avais enregistrées. On m'actionnait aussi pour plusieurs milliers de dollars pour d'autres taxes impayées. Mon avocate a dû se rendre à Toronto pour régler tout cela, et je m'en suis finalement tirée avec un montant de 100 000 $ à payer. Mon avocate a plaidé que c'était mon mari qui gérait mes affaires et que sa mauvaise gestion était justement l'une des raisons qui m'avaient poussée à me séparer et à demander le divorce. Par la suite, ç'a été très long avant qu'on réussisse à mettre définitivement de l'ordre dans mes papiers.

André ne s'est pas opposé au divorce et a même plaidé l'infidélité pour accélérer les choses. J'aurais voulu avoir la garde de Mélanie, mais mon avocate m'a fait comprendre que ma fille était assez vieille pour choisir où et avec qui elle voulait vivre. Je savais que j'avais peu de chance de la convaincre d'habiter avec moi, car elle adorait son père, beaucoup plus permissif que moi dans sa façon de l'élever. Mélanie voulait aussi rester dans le quartier où elle allait à l'école et où demeuraient tous ses amis. Même si j'aurais préféré toujours l'avoir à mes côtés, j'ai dû accepter le compromis de la voir les week-ends, pendant certains congés et les vacances scolaires. Je savais que ce ne serait pas bon de la forcer, car ça risquait un jour ou l'autre de la braquer contre moi. Je n'ai donc rien pu faire. J'ai eu beaucoup de peine et, à partir de ce moment, j'ai vécu dans l'espérance qu'elle décide un jour de quitter son père pour venir vivre avec moi.

Même si ma fille et moi étions le plus souvent séparées, nous avons pu maintenir une bonne relation mère-fille. J'appréciais qu'elle me consulte lorsqu'elle avait des décisions importantes à prendre. Mélanie se fiait à mon jugement, et ce, même si parfois je n'étais pas d'accord avec son père. Je lui avais expliqué que, malgré tous les problèmes que j'avais eus avec André, il demeurait son père et qu'elle avait le droit de l'aimer. J'ai d'ailleurs toujours évité de critiquer André devant elle ou d'essayer de l'en éloigner. Je pense que c'est une erreur que font bien des parents au moment du divorce, d'obliger leurs enfants à choisir leur camp et à prendre position pour leur père ou leur mère.

•

Pendant ce temps, je recevais toujours des propositions artistiques. C'est ainsi que les autorités cléricales m'ont demandé de chanter pour la visite du pape au Stade olympique de Montréal. J'ai hésité avant de donner ma réponse, car je ne me sentais pas à l'aise de chanter devant Jean-Paul II, au moment même où je m'apprêtais à divorcer. Le temps que je donne ma réponse, et l'on avait choisi une jeune chanteuse qui faisait ses débuts à l'époque: Céline Dion. Au cours de la même période, on m'a proposé de me produire au Forum en première partie du célèbre chanteur américain Kenny Rogers. J'ai refusé, car je ne me sentais pas suffisamment en forme pour donner des spectacles si peu de temps après tout le stress que je venais de vivre. J'avais aussi dit non, quelques années auparavant, à un projet de télévision qui m'aurait permis d'animer aux côtés de Patrick Norman une émission country. Même si j'aimais bien Patrick, je ne me voyais pas dans ce style de chanson qui convenait mieux à une chanteuse comme Renée Martel, qui a finalement décroché ce contrat d'animation à ma place. Je me rends compte aujourd'hui que tout au long de ma carrière j'ai refusé plus de contrats que j'en ai accepté. J'essayais toujours de suivre mon instinct et, si je n'avais pas vraiment envie de faire quelque chose, je refusais, même si les offres monétaires étaient alléchantes. C'est pour cette raison que j'avais aussi décliné l'offre d'animer une émission de radio quotidienne à CKAC avec André, quelque temps avant notre séparation. J'avais peur d'être surexposée et je savais que je n'aurais pas aimé me trouver constamment dans les médias. Il faut dire aussi que ça n'allait plus du tout entre André et moi sur le plan personnel et que je n'avais pas vraiment envie de le côtoyer tous les jours dans un studio de radio.

Même si je n'ai fait que très peu de promotion, mon album *Il faudrait se parler* s'est vendu à plus de 60 000 exemplaires. Malgré ce succès sur disque, j'ai décidé de mettre un frein à ma carrière et de prendre une retraite de quelques années. J'avais besoin de m'accorder un peu de recul. Trop de choses s'étaient passées dans ma vie privée, et je ne pouvais plus sourire et faire semblant que tout allait bien, en poursuivant ma carrière comme si de rien n'était. J'avais désormais d'autres priorités.

•

Je me retrouvais en sabbatique, avec suffisamment d'argent de côté pour assurer notre subsistance, à Jacques et à moi, pendant quelques années. Nous pouvions donc consacrer tout le temps que nous avions désormais à notre disposition pour approfondir notre foi commune et pratiquer notre religion. Je ne partais tout de même pas de zéro dans ma recherche de l'absolu. Pendant toutes mes années fort occupées de showbiz avec André, j'avais trouvé le temps, malgré tout, de m'intéresser à plusieurs religions et pensées philosophiques ainsi qu'à la spiritualité. Je dévorais tout ce qu'on publiait sur ces sujets. Je voulais tout savoir afin d'apaiser ma soif insatiable de connaissances.

Malgré l'intérêt que je pouvais porter à tous ces sujets, je résistais à l'idée de me laisser embrigader dans une religion, dans un courant de pensée religieuse ou philosophique particulier. Il y avait toujours un petit quelque chose qui me dérangeait et qui m'empêchait d'être complètement séduite par la pensée de tel ou tel gourou ou grand penseur.

Jacques, en arrivant dans ma vie, m'offrait de partager avec lui la démarche d'un fervent catholique, alors que moi je ne pratiquais plus depuis longtemps. Il venait ainsi combler un vide dans ma vie, au moment où j'avais tant besoin de spiritualité. Il me proposait quelque chose de différent de tout ce que j'avais connu jusque-là. Après l'échec de mon mariage et ma retraite du showbiz, j'avais besoin de nouveaux défis. J'étais encore une épave, et la religion m'apparaissait comme une bouée de sauvetage qui allait m'aider à résoudre mes problèmes. Jacques me semblait avoir les mêmes convictions religieuses que moi, et j'étais convaincue qu'il pourrait comprendre mieux que quiconque mes besoins en matière de spiritualité.

Je ne me suis pas aperçue alors que Jacques n'était peut-être pas aussi sincère qu'il semblait l'être. Je n'avais pas encore compris qu'il était prêt à mouler sa personnalité à la mienne pour me convaincre qu'il était l'homme qu'il me fallait. C'était une sorte de caméléon qui allait épouser toutes mes causes pour mieux me contrôler. Je n'allais malheureusement me rendre compte de cela que quelques années plus tard. Il avait choisi, pour arriver à ses fins, de me parler dans le langage et avec les mots que je voulais entendre. J'étais encore très naïve et facilement influençable. Il m'avait convaincue qu'il m'aimait secrètement depuis plusieurs années et qu'il avait même apporté avec lui au Vietnam l'un de mes 45 tours qu'il faisait jouer à cœur de jour dans les tranchées où il se trouvait (son tourne-disque fonctionnait-il à piles?). Aujourd'hui, lorsque je repense à cela, j'imagine mal Jacques avec sa mitraillette M16 dans une main et son tourne-disque dans l'autre. J'ai d'ailleurs découvert, au fil des ans, que même s'il se disait un grand admirateur de mon répertoire, il ne connaissait aucune de mes chansons.

Malgré ces quelques signaux contradictoires, Jacques était la première personne vraiment croyante que je rencontrais. Je dois dire que sa piété et ses convictions m'impressionnaient. Je me disais que pour s'intéresser autant à Dieu et à la religion, il devait être une bonne personne. Je le voyais comme un compagnon qui m'aiderait à aller plus loin dans ma pratique religieuse. Nous allions suivre la même route et ainsi apprendre à mieux nous connaître.

Jacques représentait aussi une présence quotidienne à la maison, et ça me rassurait. Je me disais que c'était un homme costaud et, comme il m'avait dit qu'il serait prêt à me défendre envers et contre tous, je lui faisais confiance. Je m'étais donné de mon côté la mission de l'aider à traverser toutes les turbulences et les souffrances qu'il aurait à affronter pendant notre vie commune. Notre relation avait commencé par un généreux don de ma part, et j'étais prête à faire plus s'il me le demandait. J'avais toujours entretenu un certain sentiment de culpabilité face à l'argent, et me montrer généreuse envers les autres et particulièrement envers Jacques justifiait en partie le fait que j'en possédais. Je me disais qu'en le partageant avec ceux et celles qui en avaient plus besoin que moi, je me sentirais soulagée.

Nous nous sommes peu à peu installés dans une petite vie de couple qui allait pourtant me réserver quelques surprises désagréables. J'ai d'abord rapidement constaté que Jacques n'avait qu'un sujet de conversation: LUI-MÊME. Après avoir dû subir les longs silences de mon premier mari, je me retrouvais avec un compagnon qui avait de la jasette, à la condition que l'essentiel des sujets abordés le concerne directement. Autre déception, la petite flamme amoureuse qui aurait pu naître durant les premières semaines de notre relation s'était rapidement éteinte. Je n'étais pas du tout attirée sexuellement par lui. Il faut dire que j'avais de bonnes raisons de vouloir prendre mes distances d'avec Jacques. J'avais constaté qu'il passait de nombreuses nuits en proie à d'épouvantables cauchemars qui le ramenaient à l'époque qu'il avait censément passée au Vietnam. Le problème, c'est qu'il se prenait dans ses rêves pour un soldat aux prises avec des ennemis viêt-cong. Je devenais, malgré moi, l'incarnation d'un de ses ennemis et je devais, par conséquent, constamment le surveiller afin d'esquiver les coups. Il arrivait aussi à Jacques de vouloir me protéger en m'écrasant sous son poids pour éviter des bombes qui n'explosaient que dans son imaginaire tordu. Comble de malheur, il passait ses nuits à cracher partout, tant sur moi que sur les murs de notre chambre, toujours pour contrer ses adversaires imaginaires. Je devais nettoyer les dégâts le lendemain matin. Inutile de vous dire que ç'avait rapidement mis un frein aux pulsions érotiques que j'aurais pu ressentir pour lui. Cette obsession du Vietnam allait durer toutes les 11 années que nous allions passer ensemble. Lorsqu'il se mettait à rêver de la sorte, j'en avais pour une bonne partie de la nuit à ne pouvoir me rendormir, de peur qu'il ne s'attaque à moi en me confondant avec ses ennemis.

S'il se montrait beaucoup moins violent lorsqu'il était éveillé, Jacques manquait tout de même de bonnes manières. Je le trouvais plutôt rustre. Il n'était pas du tout romantique et jamais il ne m'aurait apporté des fleurs, un petit cadeau ou préparé un souper aux chandelles. Je devais aussi supporter sa mauvaise humeur chronique du matin. De ce point de vue, il était tout le contraire d'André, qui avait tout de même plus de classe et d'entregent. Malgré ces quelques bémols, j'ai décidé de faire le maximum d'efforts pour m'adapter à lui le plus rapidement possible. Je me suis dit que c'était le bon Dieu qui l'avait mis sur ma route et que Jacques avait vraiment besoin de moi pour combattre les démons intérieurs qui le rendaient presque fou dans ses cauchemars nocturnes. Je serais sa thérapie et, à force de compréhension et de prières, j'espérais pouvoir le guérir de ses obsessions.

Malgré ma bonne volonté, j'ai commencé à avoir sérieusement peur de vivre à ses côtés après avoir constaté qu'il gardait un fusil chargé dans la garde-robe de notre chambre. J'étais d'autant plus terrorisée que Jacques m'avait bien avertie de ne jamais me lever la nuit sans le prévenir, de peur qu'à mon retour dans la chambre il me prenne pour un ennemi et qu'il ne décide de sortir son fusil pour m'abattre. J'en suis rapidement venue à ne plus oser sortir du lit, même si l'envie de faire pipi me tenaillait parfois durant de longues heures.

Après deux ans de vie commune, Jacques a décidé de laisser son emploi à Petro-Canada. Après un incendie qui avait eu lieu là-bas, il m'avait dit qu'il ne voulait plus y retourner, car ça lui rappelait trop les feux qu'il avait connus au Vietnam. Il était devenu tellement stressé qu'il se croyait au bord de la dépression nerveuse. Je n'ai pu qu'accepter sa décision, mais je lui ai tout de même suggéré de se trouver un autre travail. J'ai dû cependant bientôt me rendre à l'évidence qu'il préférait vivre à mes crochets. C'est d'ailleurs moi qui payais tout depuis deux ans: le loyer, l'auto, la bouffe, les sorties, les voyages, etc.

•

Lorsque nous sommes déménagés à Longueuil, j'ai commencé à aller à la messe tous les dimanches en compagnie de Jacques. Quand j'ai décidé d'y aller tous les jours de la semaine, il a fait comme moi. J'étais prise d'un tel désir de pratiquer ma religion que je me suis mise à m'informer des différentes retraites fermées et des rencontres de prière qu'on proposait. Nous fréquentions des gens qui partageaient les mêmes convictions religieuses que nous. Il faut dire que j'avais beaucoup de temps à moi et que j'avais besoin de me changer les idées. Je ressentais aussi l'urgence de trouver de nouvelles solutions pour guérir mes vieilles blessures.

En ce sens, je dois avouer que les deux années qui ont suivi ma séparation ont été très difficiles pour moi. J'ai dû m'adapter à un nouveau compagnon et à une nouvelle vie. Il m'arrivait de me dire que la nouvelle existence que j'avais choisie n'était pas plus facile que celle que je venais de quitter. Je m'ennuyais tout particulièrement de ma fille, que je ne voyais pas assez souvent à mon goût. Je pleurais tous les soirs, et il ne se passait pas une journée sans que je lui téléphone pour prendre de ses nouvelles. Le seul son de sa voix me remplissait de bonheur. Je voulais tout savoir de sa vie avec son père, de ses études, de ses petits amis, de ses loisirs. Je voulais être certaine qu'elle se nourrissait bien et qu'elle ne manquait de rien. J'allais même dans les détails, m'informant sur sa façon de se coiffer, de se maquiller et de s'habiller. J'agissais en vraie mère poule et je me doutais bien que je la dérangeais parfois, mais je ne pouvais pas m'empêcher de communiquer avec elle le plus souvent possible. J'ai suivi son évolution de ses 9 ans jusqu'à ce qu'elle atteigne ses 17 ans et qu'elle vienne enfin vivre avec moi pendant ses études au cégep. Pendant toutes ces années, elle m'a apporté son lavage chaque semaine, et je prenais un réel plaisir à m'en occuper. Je multipliais les occasions et les prétextes pour la voir plus souvent. C'est ainsi que je l'ai invitée à quelques reprises à m'accompagner dans mes voyages à l'étranger. Mélanie est toujours restée mon petit bébé. J'avais de la difficulté à admettre qu'elle vieillissait comme tout le monde. En repensant à cette époque, je ne peux m'empêcher de verser quelques larmes. Il faut dire que le cœur d'une maman est bien fragile.

Il m'arrivait de confier ma peine à Jacques, mais il ne se sentait pas vraiment concerné par les liens qui m'unissaient à ma fille. Ses relations avec Mélanie étaient correctes lorsqu'elle venait à la maison, et Jacques aurait même voulu qu'elle l'appelle papa (il n'en était évidemment pas question puisqu'elle avait déjà un père). Il n'était jamais méchant avec elle, mais il lui arrivait d'oublier que ce n'était qu'une enfant et de manquer de patience à son égard. Il aurait voulu qu'elle devienne une sainte et que, tout comme nous, elle dise son chapelet régulièrement et nous accompagne à la messe le dimanche. Je lui ai rapidement fait comprendre que notre démarche spirituelle n'était pas la sienne et qu'il fallait lui laisser vivre ses propres expériences sans jamais lui imposer quoi que ce soit.

Là-dessus, je me suis montrée intraitable et je n'ai jamais accepté que Mélanie subisse les pressions de quiconque pour pratiquer la religion. Un jour, elle a d'ailleurs voulu me tester, comme le font souvent les enfants. Elle m'a dit: «Maman, si un jour je tourne mal, que je heurte tes convictions morales et que je ne suis pas à la hauteur de tes attentes, est-ce que tu vas continuer à m'aimer?» J'ai évidemment répondu oui. Je lui ai même dit que je l'aimerais encore plus parce qu'elle aurait peut-être davantage besoin de mon aide. Elle a souri, et nous avons changé de sujet.

•

Peu de temps avant de quitter André, j'étais devenue anorexique. La nourriture représentait pour moi la seule chose que je pouvais encore contrôler dans ma vie, et j'avais décidé qu'elle n'entrerait plus dans mon corps. J'avais donc maigri rapidement et je pesais à peine 113 lb (alors que mon poids normal est de 135 lb) quand Jacques est venu s'installer avec moi. Je dois lui donner le crédit qu'il mérite, car c'est lui qui m'a convaincue de recommencer à manger. Il dévorait tout ce que je lui préparais avec un tel appétit et il insistait tellement pour que je mange avec lui que je me suis finalement laissé persuader. Je devais cependant faire de gros efforts, car je n'avais jamais faim. De plus, Jacques était un grand amateur de viande rouge et de gibier, alors que moi je n'aime que le poulet et le poisson. Je me rappelle avec horreur de son fameux cipâte à la viande sauvage. Malgré mon dédain, j'en avalais quelques bouchées pour lui faire plaisir puisqu'il s'était donné la peine de cuisiner lui-même ce plat. J'avais bien du mérite, car il n'était pas très bon cuisinier. Sous son influence, j'ai continué à manger des portions de plus en plus grosses, avec le résultat qu'en quelques mois de vie commune avec lui j'avais pris 57 lb. J'ai même fait osciller, pendant quelques années, la balance à 170 lb. C'était bizarre de me voir autant en chair, moi qui avais été si maigre toute ma vie. Je dois dire que ça ne m'allait pas si mal, car mon surplus de poids était assez bien réparti sur l'ensemble de mon corps. Pour une fois dans ma vie, j'avais des rondeurs au visage et aux seins.

Je comprends aujourd'hui qu'en prenant ainsi du poids je voulais sans doute m'enlaidir et détruire en partie l'image de fille sexy que j'avais projetée quelques années auparavant, alors que je faisais encore carrière. Je me disais d'autre part que je n'avais plus personne à qui plaire, car d'un commun accord Jacques et moi n'avions presque plus de rapports sexuels. Je m'étais aussi mis dans la tête qu'avec mon surplus de poids j'aurais encore plus l'air d'une maman dont la priorité est de nourrir sa famille. Enfin, Jacques et moi recevions beaucoup à cette époque. Nous ramenions souvent des gens à la maison: des prêtres ou des fidèles qui participaient comme nous à des retraites et à des rencontres de prière. La table était toujours bien garnie, et nous mangions tous avec appétit.

J'avais l'impression de construire quelque chose avec Jacques. En faisant le maximum de choses avec lui, je m'éloignais du modèle qui avait façonné ma relation avec André, alors qu'il n'était jamais à la maison et que je me retrouvais très souvent seule. Je ne voulais pas échouer une seconde fois et j'étais prête à faire tous les compromis nécessaires pour l'éviter. Peu importe si entre Jacques et moi ce n'était pas le grand amour. De toute façon, à ce stade de ma vie, je n'avais plus aucune attente de ce côté. Pour moi, l'amour missionnaire que je commençais à vivre avec Jacques suffisait. J'avais accepté le fait que je ne serais jamais vraiment comblée sur le plan affectif. Je m'étais aussi résignée à la triste réalité que j'étais faite pour donner et non pour recevoir.

•

J'ai épousé civilement Jacques en 1986. Dès qu'il a su que je venais d'obtenir mon divorce d'avec André, il s'est arrangé pour accélérer les choses, en allant tout régler au palais de justice. Il ne voulait surtout pas me perdre maintenant que j'étais complètement libre et, pour lui qui connaissait déjà très bien mes convictions religieuses, le mariage semblait la meilleure façon de s'assurer que je lui resterais attachée. Nous avons invité nos deux familles à la cérémonie et une réception a suivi. Jacques avait voulu qu'on fasse les choses en grand et, même si c'est moi qui, encore une fois, ai payé la noce, j'étais bien d'accord. Ce mariage civil était pour moi une forme d'engagement qui s'inscrivait tout naturellement dans notre cheminement de foi. Je ne voulais pas qu'en vivant en concubinage nous donnions le mauvais exemple à ceux qui viendraient écouter mes témoignages. J'ai de toute façon toujours été plus à l'aise de vivre mes relations de couple dans le mariage, et ça n'a pas changé.

Nous nous sommes mariés religieusement en 1989, après que j'ai obtenu l'annulation de mon premier mariage. Cette annulation m'a été accordée parce qu'il s'était passé quelque chose du côté d'André (dont je ne peux parler) avant notre mariage et que j'ignorais. Ceux qui ont à prendre la décision de prononcer ou non la nullité d'un mariage se basent souvent sur des faits qui ont eu lieu avant le mariage et qui sont restés cachés à l'un des partenaires. Les autorités ecclésiastiques en question se sont aperçues que j'avais été très naïve et que surtout je n'avais pas vraiment été aidée par les prêtres que j'avais consultés lorsque mon mariage allait mal. Si j'insistais tellement pour obtenir cette annulation de mon premier mariage, c'est que je voulais m'assurer que, face à l'Église, André et moi n'avions jamais été vraiment mariés. Ça me permettait aussi d'épouser Jacques dans une église. À cause de ma foi catholique, je me sentais plus à l'aise dans les liens du mariage religieux. Je me disais que je pourrais ainsi officialiser ma relation avec cet homme que j'avais décidé d'aider pour le reste de mes jours, et ce, pour le meilleur et pour le pire. Ce mariage était pour moi une union sacrée avec quelqu'un, en l'occurrence Jacques Pelletier, qui partageait mes convictions religieuses.

Notre mariage religieux, qui a eu lieu à Saint-Hubert, a été célébré de façon plus intime, et nous n'avons invité que les témoins. Nous avions choisi, pour tenir ces rôles, le frère de Jacques et son compagnon de vie. Ils possédaient tous les deux une grande maison où ils gardaient des gens âgés, et ils nous avaient suggéré de faire la réception à cet endroit. Nous nous sommes finalement retrouvés une vingtaine de personnes, puisque les gens âgés qui habitaient là avaient été invités à la noce. Nous avons eu beaucoup de plaisir. Je n'ai d'ailleurs pu m'empêcher de sourire lorsque, au beau milieu de la danse des mariés,

Jacques m'a demandé s'il avait pensé à descendre les vidanges avant de partir. On aurait dit une scène tirée directement du téléroman *La petite vie*. Je trouvais d'ailleurs qu'avec sa barbe et certains de ses tics, Jacques ressemblait au célèbre Pôpa. J'espérais, pour ma part, ne pas trop ressembler dans ma robe de mariée à la non moins célèbre Môman.

Nous sommes ensuite allés à Niagara Falls pour notre voyage de noces. Je ne me souviens pas que nous ayons visité beaucoup d'endroits touristiques lors de ce séjour dans la capitale canadienne des nouveaux mariés. Jacques avait, en effet, préféré regarder des sports à la télé. Cette seconde lune de miel n'a donc pas été plus romantique que celle que j'avais vécue après mon mariage avec André. Il faut dire que Jacques n'était pas un amoureux très doué. Il n'avait pas vraiment le tour avec moi, et il lui arrivait souvent, en me faisant l'amour, de me tirer les cheveux par ses gestes malhabiles. Ça me coupait évidemment à chaque fois l'inspiration.

C'est peu après ce mariage religieux que j'ai convaincu Jacques d'accepter un pacte de chasteté. J'ai dû me montrer assez persuasive puisqu'il a dit oui. Si j'ai agi ainsi, c'est que je n'étais pas vraiment attirée sexuellement par lui. Nous avons donc passé presque six ans par la suite à n'avoir des rapports sexuels qu'en de très rares occasions. Nous étions en cela encouragés par un prêtre qui nous servait de directeur spirituel. Même s'il nous arrivait une fois ou deux par année de tricher, je devais me rendre à l'évidence que, rendue à 40 ans, je n'avais jamais eu de vie amoureuse vraiment complète. Je sais bien aujourd'hui que ce n'était pas normal qu'avec deux maris je n'aie pas encore eu droit à une vie sexuelle épanouissante.

•

Maintenant que nous étions mariés, Jacques avait décidé qu'il pourrait se mêler de mes affaires. En fait, il voulait s'occuper de ma carrière et devenir mon gérant. Comme il ne travaillait plus chez Petro-Canada, il disait qu'il pourrait me faire profiter de l'expérience qu'il avait en administration. Cette perspective ne m'emballait pas outre mesure, mais je me suis laissé convaincre. Je me suis tout de même protégée un peu, en lui interdisant l'accès à un coffre de sûreté que je possédais, à moins d'en avoir la permission explicite de ma part. J'avais aussi refusé qu'il puisse agir comme cosignataire dans le compte de mon entreprise. Il ne pouvait que déposer de l'argent, et non en retirer.

Après deux ans et demi d'absence, j'ai eu envie de relancer ma carrière et de mettre sur le marché un 45 tours intitulé *La porte de ton cœur*. En 1988, j'ai enregistré une chanson contre l'avortement qui s'appelait *Maman ne me fais pas mourir*. Je voulais ainsi protester contre une loi du gouvernement fédéral qui légalisait l'avortement. Je craignais que cette loi ne conduise à des abus et que des femmes se fassent avorter sans motif sérieux. Je m'inscrivais donc dans la lignée du mouvement Pro-Vie. Ma prise de position ne m'empêchait cependant pas de penser que l'avortement peut être justifié dans certains cas. Je me suis dit que si une seule femme qui voulait se faire avorter changeait d'idée en écoutant les paroles de ma chanson, ç'aurait valu la peine de l'enregistrer. J'ai eu plusieurs preuves par la suite que ma chanson avait aidé certaines femmes et j'en suis très heureuse. J'ai reçu de nombreux témoignages à ce sujet lorsque je chantais dans les églises.

J'ai toujours eu la conviction que c'est pour moi une responsabilité de faire en sorte que mes chansons aident les gens et leur permettent de prendre les bonnes décisions dans leur vie.

J'avais aussi accepté, un an plus tôt, de coanimer avec ma fille, Mélanie, un spécial télé diffusé au Réseau TVA qui soulignait les 15 ans de Disney World. Gilbert Morin et Paul Vincent m'avaient demandé d'y recevoir un artiste prometteur qui allait par la suite devenir une star: Roch Voisine. Toujours en 1987, mon album *Pour tous ceux qui sont seuls à Noël* s'est vendu à plus de 60 000 exemplaires. Ce disque avait été produit par Guy Cloutier sur l'étiquette Numéro 1, laquelle était distribuée par Select. En 1988, j'ai enregistré l'album intitulé *L'amour pourrait changer le monde*, dont près de 35 000 exemplaires ont été vendus. Guy Cloutier, avec qui j'avais signé entre-temps un contrat de disque, en avait fait un spécial télé que j'ai animé avec Franck Olivier et qui a lui aussi été diffusé à TVA.

À la même époque, j'ai enregistré une chanson pour rendre hommage à mère Teresa, dont j'admire le courage et l'immense dévouement. Elle a toujours été un modèle et une inspiration pour moi. J'ai eu la chance la même année, à Ottawa, de la rencontrer et de chanter devant elle. Cette rencontre a été magique pour moi. J'ai été très impressionnée par ses beaux yeux bleus. Elle était toute petite, mais elle en imposait par sa grande stature morale. Même si je savais qu'elle n'aimait pas qu'on la touche et qu'on l'embrasse, je l'ai prise dans mes bras et je l'ai serrée très fort, en touchant son dos courbé par toute la misère du monde. Cette rencontre m'a donné le courage d'entreprendre une série de visites dans les prisons et dans les hôpitaux pendant les six années suivantes. C'était ma façon à moi de faire ma petite part pour aider les plus démunis.

De 1989 à 1995, j'ai entrepris une mission qu'on m'avait plus ou moins imposée (car je n'aimais pas beaucoup parler en public): j'ai accepté de livrer des témoignages de foi dans plus de 70 églises de la province. J'ai pu rejoindre ainsi plus de 100 000 personnes et partager avec elles ma démarche spirituelle. En 1990 et en 1991, j'ai donné une dimension internationale à mes témoignages de foi en visitant à trois reprises la Yougoslavie, la dernière fois pendant la guerre. Je me suis alors rendue plus précisément en Bosnie, où j'ai chanté devant une foule de 25 000 personnes. C'était lors d'une grande cérémonie religieuse pour la paix. Le pape avait d'ailleurs envoyé des évêques sur place pour le représenter. D'autres prêtres et fidèles étaient venus des quatre coins du monde. Je me suis rendue là-bas en compagnie de Jacques, de Mélanie et d'un prêtre. Tout ce beau monde a voyagé en première classe, à mes frais. Heureusement que sur place on a été logés dans des familles. Ça permettait de couper un peu les dépenses et ça nous a donné l'occasion de côtoyer des gens simples et très chaleureux.

Cette fois-là, j'étais consciente qu'en raison de la guerre il y avait du danger et je ne voulais pas que Mélanie nous accompagne, mais elle avait tellement insisté que comme toujours j'avais fini par céder. Elle m'avait dit: «Si tu meurs, je veux mourir avec toi.» Ç'a été un beau voyage, malgré les bombardements incessants qu'on entendait même si Sarajevo se trouvait à une certaine distance. En arrivant à l'aéroport, une dame nous avait accostés en nous recommandant d'être très prudents lors de notre séjour en Yougoslavie. Elle ne comprenait pas que nous soyons venus de si loin pour risquer ainsi nos vies. «Vous savez, les soldats serbes entrent dans les maisons et ils tuent des gens», nous avait-elle raconté presque en panique. Au lieu de me faire peur, ses paroles m'avaient motivée encore davantage et convaincue qu'il fallait tout faire pour tenter de ramener la paix dans ce pays dévasté.

•

Même si j'avais pu compter sur mes épargnes lorsque j'avais pris ma retraite de deux ans et demi et que je continuais à recevoir des redevances sur la vente de mes disques, je devais tout de même trouver d'autres sources de revenus pour vivre. J'avais donc accepté d'être payée pour les témoignages de foi et les tours de chant que je donnais dans les églises. Je ne prenais cependant que l'essentiel et je remettais une partie de mes cachets sous forme de dons pour, entre autres, faire construire des rampes dans les églises afin de les rendre plus accessibles aux handicapés.

C'est à cette époque que j'ai accueilli chez moi un réfugié haïtien de 18 ans. Je l'ai gardé pendant un an, lui permettant entre autres de reprendre ses études (du niveau de la deuxième année) pour qu'il puisse apprendre à lire et à écrire. Mélanie s'entendait très bien avec lui, même s'il se montrait parfois un peu jaloux d'elle car, à 14 ans, elle était beaucoup plus avancée que lui sur le plan scolaire. J'ai aussi accepté de participer à des campagnes pour amasser des fonds et j'ai parrainé des prisonniers. Je me rendais compte que la bonne parole ne suffit pas toujours et qu'il faut parfois faire des gestes concrets.

J'avais une belle vie, car je faisais ce que j'aimais. Mon talent et ma notoriété étaient maintenant au service de différentes bonnes causes, et je disposais en plus de tout le temps voulu pour ma pratique religieuse. J'étais heureuse de pouvoir rencontrer les gens et de partager avec eux ma démarche spirituelle. J'avais aussi le loisir d'écrire des chansons qui reflétaient mon état d'esprit et mes convictions. J'étais moins riche qu'à une certaine époque, mais mon entourage et moi ne manquions de rien.

Mon seul véritable problème, c'est que je suis restée 11 ans avec un homme que je n'aimais pas vraiment et qui ne m'aimait pas non plus. C'était en fait un étranger qui menait deux vies de front, l'une plus religieuse à mes côtés et l'autre beaucoup plus mystérieuse quand je n'étais pas là. Il avait poussé l'art de la manipulation à un degré tel que je n'y ai vu que du feu pendant des années.

•

Au cours de cette période, ma famille s'est montrée discrète, mais je sais que mes parents n'appréciaient pas tellement les récentes priorités que j'avais établies dans ma vie. Ils craignaient que je passe pour une folle avec mes nouvelles convictions religieuses. Ça ne les a pas empêchés d'assister à mes témoignages de foi lorsque j'ai commencé à en donner. Ils m'ont avoué qu'ils adoraient cela. Mon père m'avait même confié qu'il en apprenait plus sur la foi par mes témoignages qu'en assistant à la messe. Il appréciait surtout que j'utilise des mots simples pour m'exprimer, ce qui me permettait d'atteindre le cœur d'un grand nombre de gens. Finalement, je peux dire que mes parents acceptaient mes choix tout en se sentant un peu gênés pour moi. Ils auraient sans doute voulu m'empêcher de subir certaines critiques.

Ce qui les dérangeait aussi beaucoup, c'est qu'ils se rendaient compte que Jacques avait deux personnalités. Lorsqu'il était avec moi, il surveillait ses écarts de langage et se montrait très pieux. Lorsqu'il passait du temps avec eux, il n'hésitait pas à sacrer et à s'adonner au jeu. C'est pour cette raison qu'ils ont décidé de prendre peu à peu leurs distances vis-à-vis de notre couple. Ils n'ont d'ailleurs pas assisté à notre mariage religieux. Mes parents n'étaient pas vraiment à l'aise avec Jacques et, comme ils ne voulaient pas être placés en situation de me mentir si je leur avais posé des questions sur mon mari, ils préféraient se tenir loin. Ma mère craignait aussi lorsque nous nous rencontrions que nous nous mettions à parler de religion et que ça provoque des chicanes avec le reste de la famille. Maman disait toujours qu'il ne faut jamais parler de religion et de politique si on ne veut pas provoquer de froid dans une réunion familiale.

Lorsque je repense à l'attitude de mes parents à l'époque, je comprends qu'ils avaient sans doute raison de s'inquiéter, car ils connaissaient des choses sur Jacques que j'ignorais. Ce que je savais par contre, c'est que mon deuxième mari essayait d'intensifier son contrôle sur mes affaires. Il avait réussi à me convaincre de passer avec lui chez le notaire afin que je le nomme gestionnaire et responsable de mes biens en cas d'inaptitude. Jacques disait que si un jour j'avais de graves problèmes de santé, il pourrait ainsi mieux s'occuper de moi. En entendant ses arguments, le notaire que nous avions rencontré s'était montré très sceptique et m'avait même demandé devant Jacques si j'étais bien sûre de vouloir signer ce genre de document. Il m'avait expliqué que je permettais ainsi à Jacques d'aller fouiller dans mes placements et de prendre tout l'argent qu'il jugeait nécessaire. Il m'avait questionnée pour savoir si j'avais suffisamment confiance en mon mari pour prendre un tel risque. J'avais répondu oui.

Jacques avait beaucoup d'influence sur moi et m'avait même convaincue qu'il serait préférable que je meure avant lui, en me disant que de toute façon je ne pourrais pas survivre au chagrin que je ressentirais s'il perdait la vie avant moi. Il voulait tellement me prouver que j'avais absolument besoin de lui, qu'il adoptait des comportements étranges qui auraient pu se révéler dangereux pour moi. C'est ainsi qu'il avait pris l'habitude de me prendre le bras pour m'aider à traverser la rue. J'avais fait l'erreur de lui confier qu'enfant, j'avais peur de traverser aux intersections, et que j'étais si lunatique que mon père avait dû m'apprendre à regarder des deux côtés de la route avant de m'y engager. Jacques me disait que j'avais encore le même problème et qu'il serait mon protecteur. J'avais beau lui expliquer qu'à 40 ans j'étais capable de franchir la rue seule, il n'en faisait qu'à sa tête. Le pire, c'est qu'il attendait à la dernière minute qu'une auto soit tout près de moi pour m'entraîner à sa suite. Nous devions chaque fois courir pour ne pas que je ne me fasse frapper. Un jour, il a failli aller trop loin. Alors qu'un autobus approchait, il m'a accroché le bras tellement fort pour traverser la rue en courant que, sous le choc, ç'avait provoqué une bursite dans mon épaule (tout cela parce que j'avais résisté et refusé de bouger devant le danger). Le chauffeur d'autobus, qui a assisté à toute la scène, était tellement furieux contre Jacques qu'il lui a fait un doigt d'honneur. Plusieurs personnes ont aussi été témoins de ce qui venait de se passer et ont hurlé en me voyant courir un si grand danger.

J'étais aussi fâchée que le chauffeur d'autobus et j'ai enguirlandé Jacques dès que nous nous sommes retrouvés en sécurité sur le perron de l'église, de l'autre côté de la rue: «Tu essaies de me faire tuer. Je ne comprends pas ton jeu.» J'ai ensuite dit à mon mari qu'il ferait mieux d'aller se confesser et de demander pardon au Seigneur pour avoir ainsi mis ma vie en danger. Je lui ai aussi recommandé de s'agenouiller devant le crucifix et de prier pour l'expiation de ses fautes. Penaud, Jacques a obéi, mais quelques jours plus tard il a recommencé son petit manège. Ma sœur Diane l'a d'ailleurs vu, un dimanche où on se rendait à l'église, refaire le même geste en traversant la rue. Elle a eu tellement peur pour moi qu'elle ne s'est pas gênée pour lui dire sa façon de penser.

En 11 ans de vie commune avec Jacques, je n'ai vu sa famille que très peu de fois. L'une de ses sœurs avait voulu me parler, lors d'une de nos rares visites, et m'avait demandé discrètement si je connaissais bien son frère. Comme Jacques m'avait dit de raconter aux membres de sa famille que nous nous connaissions depuis très longtemps, j'ai répondu à sa sœur par l'affirmative. Cette fois-là, j'avais voulu rester à souper, mais Jacques avait refusé net. Pendant que je saluais tous ceux et celles qui avaient eu la gentillesse de nous recevoir, il s'est précipité dans l'auto et s'est mis à klaxonner frénétiquement pour que je le rejoigne au plus vite. Je sais aujourd'hui que si Jacques refusait systématiquement que nous fréquentions sa famille, c'est qu'il avait sans doute quelque chose à cacher et qu'il craignait sûrement que certains de ses frères et sœurs me passent des messages. Il avait d'ailleurs le même genre de réaction lorsque nous croisions par hasard quelqu'un qui le connaissait. Les conversations étaient toujours très courtes dans ces moments-là, et Jacques se montrait particulièrement nerveux.

Comme ç'avait été le cas pour mon premier mariage, j'ai vécu la dernière année de ma relation avec Jacques dans le brouillard le plus complet. Après la fin de mes tournées de témoignages de foi, j'ai décidé de ralentir un peu mes activités et de consacrer une année entière à l'écriture de mon livre intitulé *L'histoire de ma vie*. Au lieu de présenter une biographie comme le livre que vous tenez entre vos mains, cet ouvrage est plutôt un long bilan de mes années de cheminement dans la foi. J'y explique, entre autres, mes convictions religieuses et ma démarche spirituelle. Lorsque ce livre a été publié en 1994, mon mariage avec Jacques en était déjà à ses derniers soubresauts.

•

En 1993, après cinq ans d'absence sur disque, on avait mis sur le marché un nouvel album intitulé *Je me souviens*. Alors qu'on aurait pu croire que mon public m'avait oubliée après une si longue période d'attente, j'ai eu l'agréable surprise de constater que mes fans m'étaient restés fidèles. Plus de 50 000 exemplaires de ce disque ont été vendus en deux mois seulement. Mon producteur de l'époque, Guy Cloutier, avait voulu me remettre un disque d'or à l'antenne de TVA pour souligner l'événement, mais j'avais refusé. Je ne me sentais pas prête à renouer avec ce genre de reconnaissance professionnelle. J'étais heureuse que les gens m'aiment encore et qu'ils ne m'aient pas oubliée, et cette preuve d'amour était suffisante pour moi. Je n'avais pas besoin d'un trophée pour le confirmer.

Parallèlement à ce retour sur la scène professionnelle, je traversais une période assez sombre dans ma vie de couple. Je prenais conscience que j'étais incapable de poursuivre encore longtemps ma vie commune avec Jacques et de penser vieillir à ses côtés. Ça me désolait, car je savais que notre union avait été bénie par le sacrement du mariage. J'étais une fois de plus déchirée entre mes convictions religieuses, qui me dictaient de ne pas rompre ce mariage, et le désespoir qui m'habitait de plus en plus. Je ne pouvais plus endurer le climat pesant dans lequel nous vivions. Je sentais mes forces tant morales que physiques m'abandonner peu à peu.

Il faut dire que nous vivions de plus en plus isolés du monde. Notre entourage avait commencé à s'éloigner de nous. Plusieurs ne pouvaient plus supporter la présence de Jacques et, même s'ils m'aimaient beaucoup, ils préféraient ne pas me voir. Son image de gourou en faisait fuir plus d'un. Je sentais moi-même que son influence sur moi se faisait néfaste et j'avais peur de devenir comme lui et de tomber dans certains excès. Jacques m'avait convaincue, entre autres, de vider la maison de tous les objets qui n'étaient pas vraiment religieux ou à l'image de Dieu, comme des photos, des journaux, des trophées, etc. Il voyait le démon partout et il voulait faire un couvent de notre maison.

Je me souviens qu'il avait été scandalisé lorsqu'il m'avait surprise en train de danser avec Mélanie. On s'amusait pourtant innocemment. Je tentais tout simplement de lui montrer quelques pas de rock'n'roll. Il avait affirmé, en nous voyant, que nous étions toutes les deux possédées par le diable. Cette scène était tellement ridicule que Mélanie et moi n'avions pu nous empêcher d'éclater de rire. Je commençais enfin à me rendre compte qu'il exagérait. Il en était même venu à contrôler ce que je regardais à la télé et ce que j'écoutais sur disques. Il m'imposait de regarder plusieurs fois par semaine des films religieux comme *Les dix commandements, Le roi David* et *Jésus de Nazareth*. Mélanie, qui prenait parfois le temps de s'asseoir avec moi pour me tenir compagnie, en était rendue à connaître par cœur certains dialogues de ces films. Côté musique, je devais me limiter à écouter du classique. Jacques me donnait rarement l'ordre formel de faire ceci ou cela, il usait plutôt de son grand pouvoir de persuasion pour me faire sentir coupable si je ne faisais pas ce qu'il attendait de moi. Le pire c'est qu'il ne prêchait pas par l'exemple puisqu'il ne se gênait pas pour continuer à regarder du sport à la télé.

Mélanie trouvait que je faisais pitié. Elle n'osait cependant pas me le dire. Elle avait constaté que j'avais recommencé à avoir des problèmes avec la nourriture. Je mangeais de moins en moins et je maigrissais à vue d'œil. Je lui répétais sans cesse que j'avais hâte que le Seigneur vienne me chercher. Je me tuais à petit feu sans m'en rendre vraiment compte. Je me retrouvais dans le même creux de vague que 10 ans auparavant, au moment où je vivais les derniers mois de mon mariage avec André. Je me laissais aller, mais Dieu veillait heureusement sur moi sans que je le sache. Mélanie, dans l'espoir de me faire manger, me préparait tous les matins de bons déjeuners. Elle m'a beaucoup aidée à l'époque et, sans le savoir, elle a été mon ange gardien.

Le Seigneur allait m'envoyer bientôt un autre ange gardien qui m'aiderait à voir plus clair en moi et à me libérer une fois pour toute de mes chaînes. Ce beau jeune homme allait changer ma vie.

Chapitre 11

À la recherche de l'absolu

Depuis que j'ai cessé de faire des témoignages de foi, plusieurs personnes ont continué de s'intéresser à ma démarche spirituelle. C'est d'ailleurs pour cette raison que j'ai cru bon, il y a quelques années, de publier un livre entièrement consacré à ce sujet. Même si le propos principal de la biographie que vous lisez actuellement est autre, je tiens à faire quelques mises au point sur le sujet délicat de ma pratique religieuse qui m'a valu, comme je le disais, bien des questions, mais aussi quelques critiques.

Certaines personnes, notamment des journalistes, n'ont pas compris cette période de ma vie consacrée presque exclusivement à Dieu et à la recherche d'une certaine forme d'absolu. Sans vouloir me justifier, je veux cependant expliquer certaines choses qui, je l'espère, vous aideront à mieux comprendre ma démarche spirituelle qui a duré environ 10 ans.

J'ai expliqué dans le chapitre précédent qu'avec la venue de Jacques Pelletier dans ma vie j'ai commencé à m'intéresser plus particulièrement à la pratique religieuse, cherchant différentes façons de témoigner de ma foi et de partager ainsi avec les autres croyants ma démarche spirituelle. Moi qui n'étais pas pratiquante, je me suis mise à assister régulièrement à la messe du dimanche, puis j'ai eu envie de rendre cette pratique quotidienne, et je me suis mise à fréquenter l'église tous les jours. J'ai aussi décidé d'aller régulièrement aux vêpres, en plus de réciter le chapelet à la maison.

Parallèlement à cette pratique religieuse intensive, j'ai accepté de livrer des témoignages de foi tant dans les églises que dans les communautés religieuses où l'on m'invitait fréquemment. Au début, j'éprouvais un peu de difficulté à parler en public de mes convictions religieuses, mais peu à peu ma gêne et ma nervosité se sont estompées et j'ai pris du plaisir à ce genre de rencontres, au cours desquelles je donnais aussi un tour de chant. J'ai aussi eu envie de participer à des retraites fermées, ce qui m'a permis de rencontrer des prêtres avec qui je pouvais discuter de ma foi et poser toutes les questions que je jugeais utiles à l'approfondissement de ma spiritualité.

Mes convictions religieuses et ma dévotion ne m'ont cependant jamais empêchée de dire ce que je pensais ni de critiquer à l'occasion le clergé quand je n'étais pas d'accord avec certaines positions qui me semblaient trop radicales. Dans ce sens, je ne peux pas dire que j'aimais tout particulièrement les groupes de prière. C'est probablement ce malaise persistant qui m'a éloignée peu à peu des milieux religieux dans lesquels j'ai passé cette période de ma vie. En disant la vérité dans mes différents témoignages, j'ai sans doute heurté la sensibilité de quelques prêtres qui n'appréciaient pas toujours les critiques que je formulais. Je reprochais à certains d'entre eux de trop vouloir forcer les gens à prier. Je voulais qu'on les laisse choisir librement, sans mettre de pression et sans leur faire de reproches. J'abordais aussi des sujets d'actualité comme le divorce et l'avortement sans m'imposer aucune censure et en affirmant dans mes mots ce que j'en pensais vraiment.

Je ne voudrais pas condamner toutes les maisons de retraite dans lesquelles je me suis rendue à plusieurs reprises. J'y ai trouvé des gens formidables qui m'ont fait grandir dans ma foi. Ils m'ont aidée à comprendre qu'il ne fallait pas confondre l'Église et les prêtres. Ces derniers sont avant tout des hommes et s'il leur arrive de faire des erreurs, aussi graves soient-elles, il faut apprendre à leur pardonner. De toute façon, leurs erreurs ne sont pas directement imputables à l'Église, qui est celle du Christ et qui existe depuis plus de 2 000 ans.

Parmi les belles rencontres que j'ai faites à cette époque, il y a celle d'une femme qui assistait quotidiennement comme moi à la messe, à l'église Saint-Antoine. Au fil de nos rencontres, nous avons commencé à nous faire des confidences. Cette ancienne religieuse montrait une très grande écoute et une belle ouverture d'esprit. C'est sans doute pour cette raison que j'ai voulu lui raconter quelques petits bouts de ma vie. Elle comprenait beaucoup de choses et s'arrangeait toujours pour que je me sente à l'aise avec elle. Elle se rendait bien compte du genre de vie que je menais à ce moment-là et elle comprenait les motivations qui me poussaient vers une pratique religieuse aussi intense. Il lui arrivait de me dire que j'étais plus croyante et surtout plus pratiquante que bien des bonnes sœurs qu'elle avait connues. Selon elle, tout ce qui me manquait, c'était le voile. Je me suis dit, en l'écoutant, que c'était sans doute pour cette raison que tant de communautés religieuses me contactaient pour que je rencontre leurs membres. On m'avait même expliqué que dans certaines résidences et certains couvents où je me rendais, on plaçait des haut-parleurs dans les chambres des religieuses trop vieilles ou trop malades pour venir entendre mes témoignages de foi.

•

Il m'est déjà arrivé de me faire dire que j'étais une capotée de la religion. Habituellement les gens qui portaient ce genre de jugement sur moi n'étaient pas véritablement au courant de ma démarche spirituelle. Ils se fiaient aux rumeurs pour me juger et me condamner d'avance, sans avoir pris la peine de me contacter pour que je puisse leur expliquer mon point de vue.

Je me souviens qu'un jour une jeune fille de 16 ans est venue me parler lors d'une retraite à laquelle je participais. Elle semblait me faire confiance surtout parce que j'étais une laïque comme elle. Elle m'a raconté que ses parents voulaient l'envoyer voir un psychiatre parce qu'ils l'avaient surprise dans sa chambre en train de réciter son chapelet. Elle m'a aussi expliqué qu'ils s'inquiétaient parce leur fille ne se sentait pas prête à coucher avec son petit ami. Ils lui avaient suggéré de prendre la pilule, lui disant de ne pas s'inquiéter si elle tombait malgré tout enceinte car ils paieraient pour la faire avorter. Ils lui avaient même proposé de lui louer un appartement pour qu'elle puisse emménager avec son *chum*. Ses parents semblaient convaincus qu'elle n'était pas normale et ils paniquaient à l'idée qu'elle puisse avoir tant de convictions religieuses. Son témoignage touchant m'a fait comprendre que, tout comme moi, cette jeune fille était victime de l'incompréhension de certains. Dans son cas, c'était pire, puisqu'il s'agissait de ses parents.

J'ai tenté de la rassurer du mieux que j'ai pu, lui disant qu'elle était dans le bon chemin et qu'elle avait le droit de décider par elle-même de ce qu'elle voulait faire de sa vie. Le problème pour cette jeune fille c'était que ses parents avaient peur. Ils réagissaient mal devant une situation qu'ils ne comprenaient pas. En l'écoutant, j'en suis venue à penser que le manque de communication et de compréhension de certains parents vis-à-vis de leurs enfants expliquait probablement une partie des suicides de jeunes qu'on dénombre chaque année. Je sais par contre que les problèmes de certains jeunes qui se droguent, qui boivent, qui deviennent violents ou qui songent au suicide sont très complexes et qu'ils ne s'expliquent pas seulement par des relations parents-enfants difficiles. C'est pourquoi j'ai toujours essayé de les comprendre au lieu de les juger.

Même si certaines rencontres étaient parfois pénibles, car la souffrance humaine ne semble pas avoir de limites, j'aimais parler aux gens et échanger avec eux. À Baie-Comeau, une autre jeune femme était venue me voir après avoir écouté mon témoignage de foi. Elle m'avait confié que son père avait abusé d'elle sexuellement. Elle ne voulait pas aller voir un prêtre, car elle avait peur qu'il provoque une confrontation entre elle et son agresseur. En écoutant toutes ces confidences souvent plus poignantes les unes que les autres, j'étais fière de sentir que je pouvais au moins offrir à ces gens un minimum d'écoute. Je m'en fichais d'être moi-même parfois victime du jugement des autres, car je savais que j'avais raison d'agir ainsi et de poursuivre ma recherche spirituelle, en dialoguant avec les gens.

Malgré tout ce qu'on a pu en dire, je ne me sens pas coupable lorsque je repense à cette partie de ma vie où la pratique religieuse m'était essentielle. Si j'allais à l'église ou si je récitais le chapelet à la maison, c'est que ça répondait à un besoin et que j'avais du temps pour le faire. Je ne me croyais pas meilleure que les autres en agissant ainsi, mais chaque fois que j'assistais à la messe je sentais au plus profond de moi une lumière bienfaisante m'envahir.

Aujourd'hui, la messe du dimanche demeure importante pour moi, mais j'ai réduit considérablement les autres formes de pratique religieuse. J'ai désormais d'autres priorités, même si ma foi demeure intacte. Je consacre plus de temps à ma carrière, en sachant que mes chansons peuvent faire du bien aux gens, peut-être autant que mes prières. Ma démarche spirituelle se transforme peu à peu et, même si elle est plus discrète, elle m'apporte autant de joie. Je sais maintenant qu'il y a différentes façons de pratiquer sa religion. Je peux le faire en exerçant mon métier de chanteuse, en écrivant ou même en accordant des entrevues. Il suffit que mes propos soient positifs et qu'ils aident certaines personnes en détresse. C'est ma responsabilité d'agir ainsi et de m'assurer que je ne blesse jamais les gens par des paroles inconsidérées.

Depuis quelques années, j'ai trouvé un équilibre qui me rend encore plus heureuse. J'ai appris que l'amour divin pouvait très bien s'accommoder de l'amour humain et que l'un n'empêchait pas l'autre. J'ai compris aussi que je pouvais reprendre ma carrière de façon plus intensive tout en continuant à évoluer dans mes convictions. Mes valeurs premières demeurent les mêmes: je veux d'abord apprendre à m'aimer davantage afin d'être capable de mieux aimer les autres. Aujourd'hui, c'est beaucoup plus clair. Avant je m'oubliais trop pour plaire à mon entourage, et ça créait un déséquilibre qui me minait sur les plans physique et moral. J'ai appris, au cours des dernières années, que si je ne me sentais pas bien à l'intérieur de moi-même, je pouvais difficilement aider les autres. En apprenant à mieux comprendre le processus de l'amour, j'ai découvert qu'il ne faut pas se laisser dominer par ceux qui nous entourent si on veut être en mesure de venir en aide aux plus faibles et aux plus démunis. Il faut savoir faire les bons choix et établir certaines priorités.

Pour moi, Dieu représente d'abord l'honnêteté, la fidélité, le don de soi, en n'oubliant pas cependant que mon premier prochain, c'est moi-même. La pratique religieuse m'a apporté la paix, mais j'ai appris qu'il fallait être sincère pour ne pas se transformer en punaise de sacristie qui passe son temps à prier, oubliant trop souvent de faire le bien autour d'elle. En ce sens, j'ai compris aussi que la pratique religieuse est un complément. L'Église, ce n'est pas seulement un édifice de pierre où il faut se rendre le plus souvent possible, c'est aussi un symbole qui se trouve en chacun de nous et qui nous apprend à aimer sans juger. C'est de cette façon que je veux désormais exprimer ma pensée religieuse. Je crois qu'il faut avoir l'audace de ses convictions, tout en respectant celles des autres. Il ne faut surtout pas imposer ses croyances ou déprécier les gens qui ne pensent pas comme nous.

Dans notre quotidien, il faut toujours agir comme si chaque journée était la dernière que nous devions vivre. Je sais que si j'oublie de sourire à quelqu'un ou si j'élève le ton avec un proche, je n'aurai peut-être pas l'occasion de m'excuser ou de me reprendre. Au fil de mes réflexions, j'ai appris qu'on est souvent très dur envers soi-même et qu'on se juge plus sévèrement que Dieu peut le faire. Il est infiniment bon, et je crois qu'Il trouve que les hommes manquent souvent de compassion envers eux-mêmes. Le Seigneur a dû trouver parfois que je manquais d'indulgence envers moi-même et que je me dépréciais beaucoup trop. C'est sans doute Lui qui m'a permis d'aller si loin dans ma recherche d'absolu afin que je finisse par comprendre le sens que je devais donner à ma vie. Il m'a ainsi permis de revenir à un juste milieu tant dans ma pratique religieuse que dans mes priorités de vie. Grâce à Dieu, j'ai appris à m'aimer et à avoir un peu plus confiance en moi.

C'est le bilan que je retiens de mes 10 ans de pratique religieuse intensive. Le message de Dieu, c'est qu'il faut prendre sa propre croix et accepter de la porter jusqu'au bout, tout en évitant de porter celle des autres, car ça devient alors une charge beaucoup trop lourde. Je me suis rendu compte avec humilité que je n'étais pas Jésus et que je ne pouvais pas sauver l'âme de tous les hommes. En évitant certains excès, j'ai pu mieux intégrer ma foi dans mon vécu quotidien. Je vais essayer désormais de fleurir là où Dieu m'a plantée, avec le talent et la voix qu'il m'a prêtés. Ma voie dans le show-business est déjà tracée, et j'entends désormais y consacrer toute l'énergie nécessaire pour m'y épanouir.

Je sais maintenant que je n'ai plus besoin de passer autant de temps dans les églises pour accomplir ma destinée. Je peux le faire aussi bien dans une salle de spectacle ou dans un studio d'enregistrement. Pendant des années, je suis allée chercher un bagage spirituel qui m'aidera pour le reste de ma vie. Je sais que je ne le perdrai jamais et j'en suis reconnaissante au Seigneur. J'ai la chance d'avoir conservé ma voix et, à 51 ans, je me sens plus en forme que jamais pour relever de nouveaux défis. J'ai hérité d'un talent particulier et je n'ai pas le droit de le garder enfoui en moi. Je dois le partager avec mon public. Aujourd'hui, je comprends les choses différemment. J'ai appris à accepter les applaudissements sans craindre de succomber au péché d'orgueil. Je les vois pour ce qu'ils sont et je les reçois comme un cadeau de Dieu et du public qui continue à m'aimer.

J'ai décidé de pratiquer la foi de mes grands-parents et probablement des vôtres. C'est une foi plus discrète et empreinte de simplicité. Je préfère désormais prier seule dans ma chambre, à l'abri des regards indiscrets et en contact plus direct avec le Seigneur. Ma foi demeure aussi forte et elle est le soutien qui guide ma vie. Je suis passée à autre chose sans renier quoi que ce soit de cette étape de ma vie et je me sens prête à être enfin heureuse.

Chapitre 12

Ma rencontre avec Carl William

Je me souviens comme si c'était hier de ma première rencontre avec le jeune chanteur Carl William. C'était le 13 octobre 1993, dans le studio où j'enregistrais la chanson *Un jour à la fois*. C'est le directeur musical Dave Taillon, décédé il y a environ un an, qui nous a présentés. Il savait que Carl m'admirait depuis longtemps et il s'est dit que ça lui ferait probablement plaisir de me rencontrer. Même si nous avons peu parlé, je l'ai immédiatement trouvé sympathique et surtout j'ai senti qu'il était honnête et intègre, deux qualités que j'apprécie toujours chez les personnes que je côtoie.

Le fait que nous fassions le même métier et que nous connaissions à peu près les mêmes personnes dans l'industrie du disque aurait sans doute pu nous rapprocher davantage si j'avais été du genre à fréquenter les gens du milieu. Comme ce n'était pas le cas, nos rapports se sont arrêtés là, et nous nous sommes perdus de vue dans les mois qui ont suivi. Il faut dire que je m'investissais tellement dans ma pratique religieuse que j'avais peu de temps à consacrer à autre chose.

En 1994, alors que je me consacrais à l'écriture de mon premier livre, il m'arrivait de me réfugier dans un centre commercial de Saint-Bruno, plus précisément dans un petit café où je pouvais réfléchir et travailler au contenu de mon ouvrage. Un jour que je m'y étais rendue, j'ai vu une affiche annonçant que Carl William serait bientôt sur place pour signer des autographes, en guise de promotion pour un disque qu'il venait de lancer. J'ai dit à Jacques que j'aimerais assister à cet événement car j'avais quelque chose à remettre à Carl. C'était un dessin au pastel de la Vierge que j'avais réalisé. Je dessinais beaucoup à l'époque. Lorsque Carl m'a vue arriver à sa séance d'autographes, il a pensé qu'il s'agissait d'une blague de *Surprise sur prise*. En fait, il n'a pas cru le gérant du magasin lorsque celui-ci l'a avisé de ma présence. Il m'a confié qu'il était tellement étonné que je sois là qu'il s'attendait à voir arriver Marcel Béliveau, derrière moi, pour lui dire que tout cela était une farce. Il m'a par ailleurs dit que mon dessin lui plaisait beaucoup. Je n'étais pas au courant que ça n'allait pas très bien pour lui sur le plan psychologique à cette époque-là, mais je savais intuitivement que c'était une bonne chose que j'aie pensé à lui faire ce cadeau à ce moment précis de sa vie. Ça l'a d'autant plus touché que la Vierge que j'avais dessinée avait une larme qui coulait sur sa joue et que ça lui rappelait son propre chagrin.

Un peu plus tard, à la fin de 1994, je lui ai fait parvenir mon livre dédicacé. Carl a attendu cinq mois avant de me téléphoner pour me remercier et surtout pour me dire que ça n'allait vraiment pas bien. Il avait peur d'être au bord d'un *burnout*. Je ne voulais surtout pas qu'il se laisse aller. Mon âme de missionnaire me poussait à en savoir plus long sur lui afin de pouvoir l'aider à s'en sortir. En jasant au téléphone, j'ai appris que lui et ses parents gardaient des handicapés à la maison. Cette générosité m'avait beaucoup impressionnée, et j'ai voulu en apprendre plus sur Carl et sa famille.

Nous avions à peine raccroché que j'ai repris le récepteur pour lui téléphoner à mon tour et lui demander s'il avait une objection à ce que Jacques et moi allions lui rendre une petite visite le lendemain. J'ai fait ce geste sans trop réfléchir, sur le coup de l'émotion. Quelque chose me disait dans mon cœur que je devais agir ainsi et, comme Jacques était d'accord, nous y sommes allés. J'ai aimé sa famille dès notre première rencontre. J'ai trouvé les parents de Carl à la fois simples et sympathiques. Sa mère semblait aimer rire et communiquait bien sa joie de vivre. Elle n'était pas beaucoup plus âgée que moi. Jacques a sympathisé rapidement avec eux lui aussi. Je crois que ça nous faisait du bien à tous les deux de fréquenter des gens différents de ceux que nous avions côtoyés depuis tant d'années. Avec eux, nous ne parlions pas que de foi et de religion, et ça nous changeait un peu les idées.

J'aimais bien quitter de temps à autre l'ambiance austère de notre maison pour passer du temps avec Carl et ses parents. Pendant que Jacques leur piquait une jasette, moi je m'entretenais avec Carl de showbiz. On aurait dit que ces conversations me sortaient peu à peu de ma coquille. J'avais été surprise d'apprendre qu'à 26 ans Carl ne voulait plus chanter. Je trouvais cela d'autant plus dommage qu'il avait une superbe voix (il l'a toujours). J'étais cependant mal placée pour le juger puisque j'avais moi-même mis ma carrière en veilleuse pour entreprendre mon long cheminement de foi. Nous partagions les mêmes vues sur le milieu artistique, regrettant qu'il soit si dur et si superficiel. Nous échangions beaucoup là-dessus, et je commençais à prendre conscience que nous pourrions nous aider mutuellement à reprendre confiance en notre talent et à tirer profit de notre expérience commune du show-business.

L'idée nous est venue que nous pourrions faire ensemble ce duo dont Carl m'avait parlé en 1993 lors de notre première rencontre dans un studio d'enregistrement. Nous savions que nos voix se marieraient bien et nous avions envie de tenter l'expérience. Content de pouvoir éventuellement travailler avec moi, Carl a suggéré au cours d'une rencontre ultérieure que je lance une nouvelle compilation de mes succès. Il est venu avec ses parents à la maison, et c'est là que j'ai appris que ça faisait un bon bout de temps qu'il travaillait secrètement sur ce projet. En discutant avec lui, j'ai constaté avec stupéfaction qu'il connaissait mon répertoire aussi bien, sinon mieux que moi. J'ai aussi appris, ce soir-là, qu'il m'admirait depuis très longtemps et qu'il avait suivi ma carrière de très près. Sa mère m'a raconté qu'il était fou de moi depuis sa plus tendre enfance. Il écoutait mes disques à deux ans et il semble même que, lorsqu'il entendait une de mes chansons à la radio, il se réveillait dans son berceau. À trois ans, il a appris par cœur une de mes chansons.

Même si je n'étais pas particulièrement emballée à l'idée de lancer un nouvel album de compilation puisque je l'avais déjà fait dans le passé, je me suis laissé convaincre. Je me disais que ce serait peut-être une bonne façon d'aider Carl à se sortir de son état dépressif. Je savais que j'aurais du plaisir à travailler avec lui, car nous ne cessions de nous trouver des points communs. Finalement, tout le monde était content de ce projet, même Jacques qui voyait là une façon d'accroître nos revenus.

Carl avait, quant à lui, fait cette proposition d'une façon totalement désintéressée. Il ne voulait visiblement pas s'enrichir à mes dépens. Pour lui, l'important était de m'aider à proposer le meilleur produit possible. Il semblait tellement emballé par ce projet que, chaque fois que je le rencontrais, il me communiquait son enthousiasme. Il s'amusait comme un fou en fouillant dans mes bandes musicales. On aurait dit un enfant dans un magasin de jouets ou dans une confiserie. Je le voyais parfois trembler d'émotion en touchant mon matériel. Ça ne l'empêchait pas, cependant, d'être très mature, sur les plans personnel et professionnel. C'est lui qui a suggéré qu'on vende cet album double intitulé *La grande collection* par la poste. J'avais de plus en plus de plaisir à travailler avec Carl, mais notre relation était purement professionnelle et amicale. Il n'était pas question d'amour, car j'étais mariée et je ne pouvais m'imaginer en train de tromper Jacques avec Carl. De plus, je le trouvais bien jeune, je me disais qu'il aurait pu être mon fils ou même le petit ami de cœur de Mélanie, qui n'était pas beaucoup moins âgée que lui. Je me souvenais avoir déclaré dans le passé que je ne comprenais pas ces femmes qui tombaient en amour avec des hommes beaucoup plus jeunes qu'elles. Je ne savais pas que la vie peut parfois nous réserver des surprises...

Jacques et moi avons donc commencé à fréquenter régulièrement Carl et sa famille. Nous nous voyions d'autant plus souvent que l'idée d'un album de duos avec Carl s'était confirmée. Nous profitions de nos rencontres, devenues presque quotidiennes, pour mêler le travail et le plaisir. Jacques aimait de plus en plus la compagnie des parents de Carl, avec qui il s'était trouvé plein d'affinités. Nous les avions d'ailleurs invités à assister à mon dernier témoignage de foi, à Valleyfield. Pendant ce temps, Carl et moi discutons surtout métier et nous conseillions mutuellement. Il arrivait à Carl de m'accompagner dans les magasins de musique pour que nous choisissions ensemble les chansons de notre prochain disque de duos. Il travaillait toujours sur la production de mon album double de compilation.

Même s'il tolérait l'implication grandissante de Carl dans ma carrière sur disque, Jacques tenait à ce que ce soit bien clair qu'il avait toujours son mot à dire. C'est ainsi qu'à mon insu il a dit un jour à Carl que, s'il acceptait que ce dernier se mêle du côté artistique de ma carrière, il voulait absolument en garder le contrôle financier. Jacques a même dit à Carl de ne pas me parler des coûts de production de mon disque, et ce, même si c'est moi qui les défrayais tous. Carl s'est immédiatement senti coincé dans cette situation et il était vraiment mal à l'aise de devoir me cacher des choses. Alors que je le questionnais un après-midi sur les dépenses entourant mon album, Carl n'a pu se retenir plus longtemps et m'a avoué devant Jacques que ce dernier lui avait interdit de me parler de l'aspect financier de ce projet. Carl a poursuivi en disant qu'il ne savait plus quoi faire ni comment réagir.

Ce que Carl ne savait pas à ce moment-là, c'est que bien avant son aveu j'avais déjà décidé que je ne voulais plus que Jacques se mêle de ma carrière, et encore moins de mes finances. Le soir même, j'ai mis les choses au clair avec Jacques, lui disant qu'il n'était pas question qu'il prenne le contrôle de ma carrière d'une façon ou d'une autre. J'ai rajouté que j'avais suffisamment d'expérience pour m'occuper de mes affaires et qu'il était normal que je m'y consacre. Je n'acceptais pas qu'il veuille me cacher des choses, surtout s'il s'agissait de questions d'argent. Jacques, qui avait toujours un caractère aussi bouillant, était tellement furieux contre moi qu'il a saisi la première chose qu'il a pu trouver — c'était un œuf — et, sous le coup de la colère, me l'a lancée à la tête. Il m'a heureusement ratée de peu et l'œuf en question est allé s'écraser sur le frigo. J'ai dû réparer les dégâts et nettoyer à toute vitesse, car Carl devait arriver d'une minute à l'autre. Mélanie, qui avait assisté à la scène, ne s'est pas gênée pour dire à Jacques qu'il n'était pas correct avec moi.

Dès que Carl est arrivé, il n'a pu que constater que j'avais pleuré. J'ai prétexté la fièvre des foins pour éviter qu'il me questionne à ce sujet. Lorsque j'ai commencé à interroger Carl sur le financement de mon album, Jacques s'est à nouveau fâché, réaffirmant que c'était lui qui s'occupait de cet aspect de ma carrière. Carl a dû intervenir et prendre position en ma faveur contre Jacques qui, devant la tournure des événements, s'est tu. Nous avons ensuite quitté la maison pour aller acheter des disques, et Jacques m'a avoué devant Carl, dans le camion, qu'il n'avait pas été gentil avec moi et qu'il n'aurait pas dû s'emporter ainsi. Jacques et moi vivions alors les derniers mois de notre mariage, mais nous ne le savions pas encore.

•

Sachant que j'étais fatiguée et que j'avais besoin d'un peu de changement dans ma vie, Mélanie, qui s'inquiétait pour ma santé, m'a suggéré de prendre des vacances avec Jacques et d'accompagner Carl et sa famille, qui devaient bientôt partir pour Wildwood. Au début, je n'ai pas voulu. Ça faisait 10 ans que je n'avais pas enfilé un maillot de bain. En raison de mes convictions religieuses, j'avais renoncé à montrer mes jambes et à m'afficher en jupe trop courte ou en short (encore moins en maillot).

Mélanie a tellement insisté que j'ai changé d'idée. Elle a aussitôt ordonné à Jacques de m'emmener à Wildwood. Je ne pouvais plus supporter le climat de tension qui régnait à la maison et je me fiais au jugement de Mélanie. La décision de partir pour le New Jersey a été d'autant plus facile à prendre que Jacques, qui aimait décidément de plus en plus la famille de Carl, était ravi à la perspective de passer quelques semaines au soleil avec eux. Il était surtout heureux de pouvoir s'adonner au jeu, en participant à des bingos et en misant, à mon insu, dans les machines à sous qui n'étaient pas loin de l'endroit où nous serions logés.

Mélanie m'a surprise juste avant de partir en vacances alors que j'étais en train d'essayer de coudre mon maillot de bain pour qu'il dévoile le moins possible ce corps que je voulais cacher. Tout cela allait se révéler inutile, car ce maillot était beaucoup trop grand pour moi. Quelques jours après mon arrivée à Wildwood, une grosse vague m'a fait perdre la partie du haut, dévoilant mes seins, à ma plus grande honte. Le père de Carl a assisté à la scène et l'a racontée à Carl qui était absent à ce moment précis. Le Seigneur m'a-t-il ainsi punie d'avoir voulu être trop pudique? Ce geste reflétait l'état d'esprit qui m'habitait encore à cette époque où mes convictions religieuses, malgré tout ce qui arrivait dans ma vie, demeuraient fermes et inébranlables. J'avais même posé comme condition à ma participation à ce voyage qu'on puisse trouver là-bas une église où je pourrais aller à la messe chaque jour.

Rendue à Wildwood, je me suis assurée de mettre le réveille-matin tous les jours afin de me lever à temps pour assister à l'office religieux. Je me rendais ensuite à la plage pour attendre que les autres me rejoignent. Il fallait me voir, marchant seule sur le sable chaud, traînant péniblement mon fardeau qui se composait d'un gros *cooler*, d'une chaise et d'un parasol. Jacques avait tellement hâte de disparaître pour le reste de la journée qu'il ne se donnait même pas la peine de m'aider à m'installer sur la plage. Il se contentait de m'y conduire avec le camion, puis de s'en aller aussitôt que j'avais refermé la portière. Je ne savais pas qu'il se précipitait de la sorte pour passer le plus d'heures possible à jouer aux machines à sous. Pour ne pas éveiller mes soupçons, il m'avait affirmé qu'il passait ses journées à pêcher dans quelque coin tranquille. S'il a voulu me cacher cela, c'est qu'il savait que je n'étais pas d'accord avec son penchant pour le jeu. Nous nous étions déjà chicanés à ce sujet quelques mois plus tôt quand j'avais appris qu'il jouait en cachette. Je l'avais menacé de cesser de faire des témoignages de foi s'il n'arrêtait pas son petit manège immédiatement. Je ne me voyais pas inciter les gens à prier et à bien se conduire alors que mon mari avait un sérieux problème de jeu. Quelques jours plus tard, alors que nous récitions le chapelet à la maison, il s'était arrêté soudainement pour me dire qu'il venait d'avoir une sorte d'illumination et de ressentir une chaleur intérieure: il savait que Dieu l'avait désormais guéri de son goût du jeu. Toujours aussi naïve, je l'avais cru et ne lui en avais plus reparlé. Toutefois, je m'étais dit en moi-même que si un jour j'obtenais la preuve qu'il avait recommencé à dépenser mon argent au jeu, je le quitterais aussitôt.

En plus de jouer secrètement dans les machines à sous le jour, Jacques accompagnait la mère de Carl au bingo le soir. Se sentant sans doute un peu coupable de me laisser si souvent seule, Jacques a eu l'idée saugrenue de demander à Carl de m'inviter un soir au restaurant pour me faire passer le temps. Il a fait cela sans m'en parler et sans me demander ce que j'en pensais. Lorsque j'ai été mise au courant, je n'étais évidemment pas très contente et j'ai dit à Jacques que j'étais capable de faire mes propres invitations. Si mon mari avait agi ainsi, c'est qu'il ne voulait surtout pas que je sorte seule pendant qu'il n'était pas là.

Placée devant le fait accompli, j'ai finalement accepté d'accompagner Carl ce soir-là. Chemin faisant, je lui ai demandé, sans trop savoir pourquoi, s'il me le dirait s'il apprenait un jour que Jacques me trompait ou me nuisait d'une façon ou d'une autre. Je voulais ainsi vérifier, maladroitement, si Carl serait assez franc et s'il se rangerait de mon côté, en cas de besoin. Nous avons également discuté des problèmes de jeu de Jacques. Les parents de Carl lui avaient affirmé que, d'après eux, mon mari avait une double personnalité, qu'il agissait différemment selon qu'il était ou non en ma compagnie. C'est ainsi que j'ai appris qu'il blasphémait souvent lorsque je n'étais pas là, alors qu'en ma présence il n'aurait jamais osé le faire. Les confidences de Carl m'ont laissée perplexe et ont surtout confirmé les doutes que j'avais déjà au sujet de mon mari.

Un autre soir où Jacques était aller jouer au bingo avec les parents de Carl, celui-ci m'a invitée à l'accompagner au cinéma. J'ai malheureusement plus ou moins apprécié le film, car j'ai passé la soirée à avoir peur que nous nous touchions puisque nous étions assis l'un à côté de l'autre. Je craignais surtout de ressentir quelque chose physiquement et que ça réveille mes sens endormis depuis trop longtemps. Carl m'a dit un peu plus tard que je n'avais rien à craindre et que même s'il était déjà attiré par moi à ce moment-là, il n'aurait jamais osé me toucher ou faire un geste déplacé. Il me connaissait assez bien pour savoir que j'aurais immédiatement mis fin à nos relations, aussi innocentes fussent-elles, et que je me serais éloignée de lui à jamais.

Au retour, Carl m'a pris la main pour m'aider à traverser la rue et j'ai immédiatement senti une véritable décharge électrique. J'avais même failli m'écrouler sous le coup de l'émotion. Carl m'a confié plus tard qu'il avait éprouvé la même chose. Il était en train de se passer quelque chose entre nous, mais nous repoussions tout cela de peur de tout gâcher. La mère de Carl commençait toutefois à se douter que notre relation jusque-là innocente risquait de prendre bientôt un autre tour. Elle a deviné avant nous que nous étions en train de tomber amoureux l'un de l'autre.

Un jour, nous nous sommes retrouvés tous les trois assis serrés dans l'une de ces immenses chaises de *lifeguard*. J'étais plutôt mal à l'aise, car je m'étais retrouvée coincée entre Carl et sa mère. Nous avons alors vu un couple s'embrasser passionnément. Troublée, je n'arrivais pas, malgré mes efforts, à détacher mon regard de la scène, tout en n'arrêtant pas de dire à Carl de ne pas regarder. Encore une fois, je luttais sans trop m'en rendre compte contre l'éveil de mes sens. Mes sentiments étaient de plus en plus confus. Loin de la maison et du milieu religieux dans lequel je baignais depuis 10 ans, je ne pouvais faire autrement que de m'ouvrir à un monde différent de celui que j'avais fréquenté depuis les débuts de mon mariage avec Jacques.

J'avais de plus en plus de difficulté à savoir ce que je voulais vraiment. Un jour où Carl m'avait invitée à marcher avec lui sur le fameux Boardwalk, je n'ai pas eu le courage de lui dire en face que je préférais ne pas l'accompagner, car encore une fois j'avais peur de mes réactions. Je me sentais tellement mal à l'aise que je me suis confiée à Jacques, qui en a parlé au souper. Carl a semblé à la fois déçu et surpris de ma réaction: «Pourquoi tu ne me l'as pas dit que tu ne voulais pas venir avec moi?» Il ne comprenait pas ce qui se passait entre nous et ne savait rien de mon questionnement intérieur tant à son sujet qu'à propos de la vie que je menais avec Jacques.

•

Je suis revenue de Wildwood dans l'auto de Carl avec une amie qui nous accompagnait pour les vacances, alors que Jacques était dans notre camion avec les parents de Carl. Nous avions convenu que ce serait plus pratique, car ça nous donnerait le temps de répéter nos chansons. Nous nous étions dit que je changerais de voiture aux douanes. Pendant ce long trajet du retour, Carl et moi étions un peu mélancoliques. Nous avions l'impression tous les deux, sans nous l'être dit, que c'était la dernière fois que nous nous voyions. Nous nous fixions constamment dans les yeux sans toutefois nous dire un mot. Je commençais à me rendre compte que je l'aimais, mais en même temps je me disais que c'était un amour impossible.

Lorsque j'ai changé de voiture pour terminer le trajet avec Jacques, j'ai commencé à dire mon chapelet et j'ai demandé au Seigneur de me faire un signe s'il acceptait que je me sépare de Jacques, en raison des nouveaux sentiments qui naissaient en moi à l'égard de Carl. J'étais croyante et je respectais le sacrement du mariage. Je ne voulais pas, en me séparant à nouveau, aller contre la volonté de Dieu. En priant, j'ai dit au Seigneur: «Si tu ne veux pas que je revoie Carl et sa famille, aide-moi à m'éloigner d'eux.»

Nous étions à peine de retour à Longueuil que je m'ennuyais déjà de Carl. Lui et moi avions passé de si beaux moments ensemble à Wildwood que j'étais déçue que ça soit déjà terminé. Ces vacances m'avaient redonné le goût de vivre, et je n'avais plus du tout envie que le Seigneur vienne me chercher (comme je l'avais répété si souvent à Mélanie peu avant de partir à Wildwood). S'il décidait, malgré tout, de le faire, je souhaitais maintenant que ce soit le plus tard possible. Ce séjour avec Carl au New Jersey avait été pour moi un véritable électrochoc qui m'avait aidée à me sortir de ma léthargie.

À mon retour de vacances, j'ai pris conscience que plus rien n'allait entre Jacques et moi. J'avais perdu le peu de confiance que j'avais pu avoir en lui. Trop de signes, trop de confidences sur son penchant secret pour le jeu me faisaient penser qu'il m'avait menti lorsqu'il m'avait affirmé qu'il en était guéri. La mère de Carl m'avait d'ailleurs confié que Jacques avait commencé à lui emprunter de l'argent pour jouer dans les machines à sous. Mes parents m'avaient eux aussi mise en garde contre Jacques. Carl se montrait toujours discret à son sujet, mais mon intuition me disait que quelque chose n'allait pas et que ça ne pouvait pas continuer ainsi.

Sur l'insistance de sa mère, Carl s'est finalement décidé à me parler. Je lui avais déjà demandé de me prévenir s'il découvrait que quelque chose n'allait pas avec

Jacques, mais il ne se sentait pas la force de parler contre mon mari, car il avait peur que ses confidences se retournent contre lui et que je lui reproche de vouloir briser mon couple. Il a donc choisi, dans un premier temps, de parler à Mélanie, en espérant qu'elle accepte de me faire le message.

Carl est venu chercher ma fille chez moi, sous prétexte de la conduire au métro de Longueuil. Cette rencontre aurait dû attirer mon attention, mais je n'y ai vu que du feu. J'ai trouvé normal que Carl, qui était devenu un ami de la famille, voie Mélanie. Ce jour-là, il lui a raconté tout ce qu'il savait sur Jacques, sa double vie de joueur solitaire loin de moi et d'homme pieux lorsqu'il était à mes côtés, sa manie de sacrer lorsque je n'étais pas là et qu'il se retrouvait avec les parents de Carl. Il a aussi appris à Mélanie que Jacques s'était vanté de pouvoir me ruiner à tout moment s'il lui en prenait l'envie. Carl a enfin confirmé que mon mari jouait aux machines à sous et qu'il y dépensait mon argent. Mélanie ne s'est pas montrée plus surprise qu'il ne le faut en écoutant les confidences de Carl et s'est contentée de lui dire: «Enfin quelqu'un qui voit clair.» Il faut dire que Mélanie était beaucoup plus objective que moi en ce qui concernait mon mari et qu'elle avait pu l'observer durant les 10 années qu'il venait de passer avec moi. Elle avait compris depuis longtemps que Jacques n'exerçait pas une bonne influence et qu'il me manipulait, en se servant de son ascendant sur moi.

Même si elle était contente d'apprendre enfin la vérité au sujet de Jacques et qu'elle avait hâte que j'en sache autant qu'elle, Mélanie a refusé de servir de messager entre Carl et moi, et lui a vivement recommandé de me parler face à face. Mélanie savait que j'avais confiance en Carl et que je le croyais suffisamment intègre pour me dire toute la vérité, même si cela pouvait me faire mal. Mélanie m'a téléphoné immédiatement après sa rencontre avec Carl et m'a dit que je devais accepter de le rencontrer au plus vite car il avait des choses importantes à me dire: «Carl va revenir à la maison sans moi. Il faut que tu l'écoutes sans prendre trop mal ce qu'il va te dire.» Mélanie m'a affirmé que c'était pour mon bien et que je n'avais pas à m'inquiéter. À 20 ans, ma fille était capable de comprendre bien des choses et elle se sentait, je crois, soulagée que la vérité sorte enfin au grand jour.

Je me demandais bien ce qui se passait, mais dès qu'il est entré chez moi je n'ai pu m'empêcher de demander à Carl: «Est-ce que ce que tu as à me dire concerne mon couple?» Carl n'a pas répondu directement. Il m'a plutôt répété que c'est moi qui lui avais expressément demandé de me prévenir si quelque chose n'allait pas avec Jacques. Visiblement nerveux, il m'a dit qu'il risquait gros en se montrant aussi franc avec moi. Il m'a aussi rappelé que nous préparions un album ensemble et qu'il craignait que j'arrête tout quand j'apprendrais ce qu'il avait à me dire. Du même souffle, il a ajouté qu'il ne pouvait plus se taire et qu'il fallait que je sache la vérité sur mon mari une fois pour toutes, sinon il l'aurait sur la conscience pour le reste de sa vie.

Je voulais qu'il me raconte tout immédiatement, mais Carl a préféré attendre un peu car Jacques devait rentrer bientôt. Il m'a donné rendez-vous chez lui en soirée, alors que Jacques serait au bingo avec ses parents. Il ne voulait rien précipiter et préférait avoir tout son temps pour bien m'expliquer les choses. Nous avons convenu que Jacques me laisserait chez Carl avant le bingo. Toute sa famille s'était arrangée pour nous laisser seuls.

Lorsque je me suis retrouvée face à Carl, je n'ai pu m'empêcher de lui répéter la question qui me brûlait les lèvres et que je lui avais posée plus tôt dans la journée: «Est-ce que ce que tu vas me dire risque de briser mon couple?» Carl m'a répondu que ce n'était pas son intention, mais que je devais absolument savoir ce qui se passait dans mon dos. Il savait au fond qu'il n'y avait rien à briser puisque Jacques et moi n'avions jamais formé un vrai couple. Carl a à peine commencé à me raconter tout ce qu'il avait déjà dit plus tôt à Mélanie qu'il s'est mis à pleurer à chaudes larmes. Je ne comprenais pas trop ce qui lui prenait et j'ai tenté tant bien que mal de le consoler. Je savais qu'à 26 ans c'était un jeune homme sensible, mais je me demandais bien ce qui pouvait tant le chagriner. Il m'a expliqué plus tard qu'il avait terriblement peur de me faire mal et surtout de me perdre à jamais en me disant toute la vérité sur Jacques. Comme il était déjà très attaché à moi, il se sentait déchiré intérieurement.

Le moins qu'on puisse dire c'est qu'il y avait de l'émotion dans l'air. Je me suis d'ailleurs mise à pleurer à mon tour. Plus Carl parlait et plus je me rendais compte que je m'étais fait avoir une nouvelle fois. Lorsque Carl a eu terminé de me dire tout ce qu'il avait à me confier, je n'ai pu m'empêcher de crier: «Je le laisse.» Carl a eu beau tenter de me calmer, me répétant que là n'était pas le but de sa franchise, j'étais bien décidée à aller jusqu'au bout. Comme ç'avait été le cas avec mon premier mari, j'avais attendu d'avoir des preuves irréfutables avant de vouloir quitter Jacques et, maintenant que je les avais, je n'avais pas l'intention de poursuivre plus longtemps une relation qui ne menait nulle part et qui, encore une fois, était basée sur le mensonge et l'hypocrisie. J'ai revu en un instant tout le mal qu'il m'avait fait, toutes les tromperies dont j'avais été victime, tous les mensonges qu'il m'avait racontés sur sa participation à la guerre du Vietnam. J'étais maintenant convaincue qu'il n'y était jamais allé, car j'avais su peu à peu qu'il n'avait aucun document, aucune photo, aucune décoration qui aurait pu prouver qu'il disait vrai à ce sujet. Carl et moi nous sommes quittés ce soir-là profondément troublés. Avant de partir, je lui ai répété qu'à la suite de ce que je venais d'apprendre au sujet de Jacques, ce n'était plus qu'une question de temps avant que je ne me sépare.

•

Deux ou trois jours avant que je ne me décide à quitter Jacques, j'ai téléphoné à Carl en pleine nuit pour lui demander si je pouvais compter sur son aide pour m'enfuir de la maison lorsque le moment serait venu. Je voulais le faire en cachette, car j'avais vraiment peur de la réaction de Jacques, surtout à cause des armes qu'il gardait cachées dans la maison. Je me suis dit qu'il pouvait devenir violent s'il apprenait que je le quittais et je craignais qu'il décide de me tuer ou de se suicider devant moi, pour me rendre encore plus coupable. Afin d'éviter des problèmes, j'étais donc prête, encore une fois, à quitter une maison que j'avais entièrement payée seule. Décidément, je répétais une fois de plus le même modèle, mais je n'avais pas vraiment le choix, car j'avais beaucoup trop peur d'être harcelée par Jacques si je restais là et que je l'obligeais à partir. Je le connaissais assez bien pour savoir qu'il n'aurait pas lâché le morceau aussi facilement. J'étais prête à tout perdre plutôt que d'avoir à subir plus longtemps sa présence.

En communiquant ainsi avec Carl, je voulais surtout qu'il m'aide à transporter tout ce que je voulais emporter. J'avais déjà pris la précaution, la veille, de passer chez le notaire pour m'assurer que tous mes papiers étaient en ordre et que Jacques ne pourrait pas prendre ce qui m'appartenait. Comme je m'y attendais, Carl s'est empressé de me dire que je pouvais compter sur lui. Dans les jours qui ont suivi, il m'a aidée à préparer mon départ. Nous avons aussi rencontré ma sœur Diane. Je voulais que Carl fasse sa connaissance, car c'était elle qui, après tout, m'avait présenté Jacques. En apprenant la nouvelle de ma séparation prochaine, Diane a pleuré, sans doute parce qu'elle se sentait un peu coupable d'avoir placé sur ma route cet homme qui m'a finalement procuré plus de peine que de joie. Elle a proposé de nous aider, avec son fils et son mari, dans mon déménagement.

Nous avons donc commencé tous ensemble à planifier ma fuite. Nous savions que Jacques pouvait avoir des réactions imprévisibles, et personne ne voulait courir le risque qu'il s'en prenne à moi dans un moment de colère. La mère de Carl m'a proposé de m'installer dans leur maison dès que j'aurais quitté Jacques. J'ai accepté son offre, car je ne fréquentais pas beaucoup mes propres parents à cette époque puisqu'ils s'étaient éloignés de moi à cause de Jacques. J'aurais pu trouver une autre solution temporaire pour me loger, mais je savais que chez les parents de Carl j'allais me sentir en sécurité, et surtout que je pourrais côtoyer Carl tous les jours et ainsi compter sur son appui pour traverser la période difficile qui m'attendait.

On a donc tout organisé pour que je puisse quitter la maison dans la journée du 1ᵉʳ septembre 1995, pendant que Jacques serait au bingo avec la mère et l'une des tantes de Carl. J'ai vu Carl à plusieurs reprises au cours des trois jours qui ont précédé mon départ, mais Jacques ne s'est douté de rien puisqu'il était normal que je passe beaucoup de temps avec lui pour la préparation de mon nouvel album. Le matin venu, on a loué un camion de déménagement et tous sont venus attendre au coin de la rue. Tout était réglé au quart de tour. Au dernier moment, tout a cependant failli tomber à l'eau, car Jacques ne voulait plus aller au bingo. Il a téléphoné à la mère de Carl pour lui dire qu'il lui devait trop d'argent et qu'il préférait s'abstenir pour cette fois. «Mom» (comme l'appelait affectueusement Jacques) ne s'est heureusement pas laissé démonter et a insisté pour qu'il l'accompagne, en lui disant que ce n'était pas grave et qu'elle pouvait lui avancer un peu plus d'argent. Jacques s'est finalement laissé convaincre. Il m'a donné un bec puis est sorti de la maison comme si de rien n'était. Moi, je savais que je ne le reverrais plus et que je serais à nouveau libre dans quelques heures. Malgré ma joie teintée d'angoisse, je n'ai rien laissé paraître. Je ne me sentais pas coupable de partir ainsi et surtout je n'avais aucune peine. Je savais que cet homme qui m'avait menti pendant tant d'années disparaîtrait définitivement de ma vie dès que j'aurais franchi la porte de ma demeure.

Aussitôt que Jacques a quitté la maison, le camion que nous avions loué s'est posté devant chez moi. Nous étions 9 ou 10 pour effectuer mon déménagement le plus rapidement possible. La veille, j'avais préparé tout ce que je voulais emporter, comme Carl m'avait demandé de le faire. J'ai aussi effectué le jour même du déménagement, avec ma sœur Diane, tous mes changements d'adresse. Pendant qu'on déménageait mes effets, le père de Carl, à qui j'avais remis un double des clés de mon camion (que Jacques avait pris pour aller au bingo), s'est rendu au stationnement où il était garé pour le ramener chez lui pendant que Jacques était dans la salle. Tout tombait pile. Mélanie avait aussi voulu s'impliquer et elle s'occupait de transporter son linge, pendant que Carl orchestrait les déplacements de chacun afin que tout se fasse dans l'ordre et le plus efficacement possible. La maison que je possédais alors était un semi-détaché, et la voisine, qui s'entendait bien avec Jacques, nous regardait, l'air de se demander ce que nous faisions là. Le déménagement a duré moins de trois heures. Avant de partir, j'ai pris soin de vider le chargeur du fusil de Jacques, espérant qu'il n'y avait pas de cartouches cachées ailleurs dans la maison (j'ai finalement décidé à la dernière minute d'emporter le fusil de Jacques avec moi). Que ce soit justifié ou non, j'étais terrifiée à l'idée qu'il veuille s'en prendre à moi. On a transporté tous mes effets chez les parents de Carl et on a tout rangé dans le garage, puis on a ramené le camion loué à son propriétaire.

Nous avions demandé à une personne que Jacques ne connaissait pas de lui remettre à un moment précis, dans la salle de bingo, une lettre de ma part lui expliquant sommairement les raisons de mon départ, en plus d'une somme de cent dollars pour qu'il soit en mesure de revenir à la maison puisque mon camion ne serait plus là quand il quitterait les lieux. J'avais aussi déposé dans l'enveloppe l'alliance qu'il m'avait donnée lors de notre mariage. Dès que le dernier tour de bingo est arrivé, la mère de Carl a prétexté accompagner sa sœur aux toilettes.

La personne que nous avions choisie est aussitôt allée à la rencontre de Jacques pour lui remettre le tout.

Jacques est donc retourné à ma maison de Longueuil en taxi. Sitôt arrivé, il a téléphoné chez les parents de Carl. La mère de Carl lui a répondu et lui a donné plus de détails sur ce qui venait de se passer. Dans les jours qui ont suivi, Jacques a essayé de voir ma sœur Diane, qui lui a vite fait comprendre que, tout comme moi, elle ne voulait plus rien savoir de lui. Elle a confirmé que tout était fini entre lui et moi et qu'il devait en prendre son parti.

•

Je me suis installée comme convenu chez les parents de Carl. Ce dernier m'a emmenée voir ses avocats pour que je puisse entreprendre, le plus rapidement possible, les procédures de divorce. Ç'a été assez complexe, principalement parce que j'avais permis à Jacques de rester dans ma maison. J'ai dû expliquer aux avocats que j'avais agi parce que j'avais trop peur de lui pour l'obliger à partir et que j'avais cru plus sécuritaire pour moi de m'en éloigner. Jacques est finalement resté dans ma maison pendant huit mois, évidemment sans payer un sou. J'ai dû accepter de lui verser la somme de 10 000 $, pour acheter la paix et pouvoir enfin reprendre ma demeure.

J'ai passé les deux semaines suivantes à essayer de remettre un peu d'ordre dans mes papiers; tout était pêlemêle puisque Jacques ne s'en était pas vraiment occupé. Un matin, la mère de Carl, assise auprès de moi, a semblé vouloir me dire quelque chose. Après quelques secondes d'hésitation, elle s'est enfin décidée à parler: «Je sais que tu aimes mon garçon et je pense qu'il serait temps que tu le

lui dises.» Je me suis sentie un peu bousculée par cette remarque et j'ai tenté de faire comprendre à la mère de Carl
que je n'étais pas prête à lui confirmer si tôt que je l'aimais.
Pour le moment, j'occupais sa chambre, qu'il m'avait gentiment prêtée pour s'installer ailleurs, et j'avais envie
d'avoir un peu plus de temps pour réfléchir aux derniers
événements et me remettre de mes émotions.

J'étais d'autant plus hésitante que je trouvais Carl
bien jeune. Les 18 ans qui nous séparaient m'effrayaient
un peu. J'aurais voulu que les choses se passent à un
rythme moins accéléré. Je me demandais s'il ne valait pas
mieux, dans un premier temps, entretenir une relation
d'amitié avec lui, quitte à voir par la suite vers quoi ça
pourrait nous mener. Je le considérais plus comme un
confident que comme un amant potentiel, et ce, même si
je savais plus ou moins consciemment que j'éprouvais une
attirance physique pour lui. Pour le moment, je me sentais incapable de précipiter les choses. Devant ma réaction prudente, la mère de Carl s'est tournée vers son fils,
qui n'a pas apprécié qu'elle veuille exercer ce genre de
pression sur moi. Il avait conscience du stress que je vivais à ce moment-là. Carl avait aussi peur que je pense
que lui et sa famille s'étaient ligués pour précipiter ma séparation d'avec Jacques dans le but non avoué que je
m'installe en couple avec lui le plus vite possible.

Je savais évidemment que ce n'était pas le cas et que
Carl m'avait aidée de façon totalement désintéressée, sans
rien attendre en retour. Nous ne nous étions même jamais
embrassés, lui et moi, et, comme je venais à peine de me
séparer, j'avais d'autres priorités dans ma vie que de me
précipiter dans une nouvelle relation amoureuse. Je voulais d'abord consacrer toutes mes énergies à régler les

derniers détails de mon divorce afin de pouvoir passer éventuellement à autre chose.

Malgré tous ces changements récents dans ma vie, je continuais d'aller à la messe et de prier tous les jours dans ma chambre. Je tentais de m'accrocher à ma foi dans ces moments de tourmente qui traversaient à nouveau mon existence. J'avais besoin de ce contact quotidien avec le Seigneur pour qu'Il me guide dans toutes les décisions que j'aurais bientôt à prendre, sur le plan personnel aussi bien que sur le plan professionnel.

•

Carl m'a invitée un soir à aller au cinéma avec lui, sa sœur et le copain de cette dernière. Sans que je le sache, il avait choisi ce moment-là pour me dire qu'il m'aimait depuis très longtemps. J'ai d'abord refusé de l'accompagner, car je ne me sentais pas particulièrement en forme pour ce genre de sortie. Puis je me suis dit que je devrais lui faire ce petit plaisir après tout le mal qu'il s'était donné pour moi. Tout s'est finalement passé le plus simplement du monde. Avant de me faire sa grande déclaration, Carl a décidé de prendre tout son entourage à témoin de son bonheur et il en a parlé à toute sa famille. Il a même téléphoné à ma fille, Mélanie, qui s'est immédiatement réjouie de cette nouvelle, lui recommandant même de me le dire le plus rapidement possible. Elle a trouvé tout cela très *cool* et a même réussi à donner encore plus confiance à Carl, lui disant qu'elle me connaissait bien et qu'elle était convaincue que je l'aimais moi aussi.

Au moment de faire sa grande déclaration d'amour, Carl a pris soin de me regarder droit dans les yeux. Il m'a dit en souriant: «Chantal, j'ai quelque chose d'important à te dire. Je t'aime.» Je lui ai répondu sans la moindre hésitation: «Moi aussi, Carl, je t'aime.» Je lui ai demandé ensuite de m'embrasser. À ma grande surprise, il s'est contenté de me donner un bec sur la joue. J'ai trouvé ça bien correct. Il m'a pris la main, et nous n'avons pas ajouté un mot de plus. Sa sœur et son copain, qui avaient assisté discrètement à la scène, semblaient ravis de la tournure des événements. Sa sœur n'a d'ailleurs pu s'empêcher de dire à son ami: «Regarde, ils s'aiment d'amour.»

Le lendemain, alors que Carl et moi étions assis sur le divan un peu plus collés que d'habitude, j'ai remarqué que sa mère nous regardait d'un drôle d'air. Curieusement, elle ne semblait pas contente du spectacle qui s'offrait à ses yeux. C'était pourtant elle qui m'avait demandé d'accélérer les choses avec son fils en lui disant que je l'aimais. Étonnée de sa réaction, je suis allée voir le père de Carl pour essayer de comprendre ce qui se passait et pour savoir ce qui n'allait pas avec Rose (la mère de Carl). Il m'a répondu de ne pas trop m'en faire, car elle était un peu dépressive. Voulant en savoir un peu plus, je lui ai demandé s'il pensait que ça allait durer longtemps. À ma grande surprise, il m'a répondu: «Elle en a pour au moins trois ou quatre ans.»

J'étais pour le moins perplexe, car je ne me voyais pas côtoyer la mère de Carl quotidiennement en ayant à supporter constamment ses regards courroucés et ses silences pour le moins embarrassants. Quand j'ai appris qu'elle avait décidé de passer quelques jours chez sa sœur, je me suis dit que ça allait sans doute lui faire du bien et qu'elle reviendrait de meilleure humeur. Ce fut tout le contraire. Lorsqu'elle est revenue à la maison, elle avait l'air encore plus fâchée contre nous qu'au moment de son départ. Nous avons compris que quelque chose n'allait pas lorsque nous avons surpris les parents de Carl au restaurant en compagnie de Jacques Pelletier. Ils semblaient en pleine conversation avec lui. Le choc fut d'autant plus grand que nous ne savions pas qu'ils avaient repris contact avec l'homme que je venais de quitter. Nous avons réussi à sortir du restaurant sans qu'ils nous voient. J'étais totalement effondrée à la suite de cette trahison, et ça ne me tentait évidemment pas de retourner chez les parents de Carl.

Carl trouvait tout comme moi la situation intenable et il m'a immédiatement proposé que, dans un premier temps, je prenne un appartement seule. Carl m'a expliqué qu'il ne voulait rien brusquer entre nous et qu'il n'avait surtout pas l'intention de profiter de la situation pour s'installer en couple avec moi. Il voulait me laisser le temps de me remettre de mes émotions afin d'éviter que je commette la même erreur qu'avec Jacques – j'avais accepté que celui-ci vive avec moi quelques semaines seulement après notre première rencontre.

Carl insistait pour qu'on se donne du temps afin d'approfondir nos sentiments et de régler tout ce qu'il y avait à régler dans nos vies. En repartant sur des bases solides, il savait que nous nous donnions plus de chances de réussite. Il me prouvait une fois de plus par ses paroles sensées que malgré sa jeunesse il avait beaucoup de maturité et de jugement. Il m'a dit qu'il louerait lui aussi un appartement, car il ne voulait plus vivre avec ses parents après ce qui venait de se passer. Malgré la valeur de ses arguments, je n'étais pas d'accord avec le fait que nous louions chacun un appartement. Je savais que de toute façon nous passerions tout notre temps ensemble. C'était de l'argent dépensé pour rien. Je sentais aussi le besoin qu'il soit toujours à mes côtés. J'ai réussi à le convaincre d'habiter avec moi et heureusement qu'il en a été ainsi, car nous n'étions pas au bout de nos peines.

Chapitre 13

Le bonheur retrouvé

Carl et moi avons loué un condo à Laval. Nous avons dû accélérer les choses, car la mère de Carl, à son retour de chez sa sœur, nous a carrément mis à la porte. Elle m'a lancé: «Quand pars-tu?» d'un ton qui ne laissait aucune place à la discussion. Même si le bail de la maison où ils habitaient était au nom de Carl, il était inconcevable pour lui de mettre ses parents dehors, d'autant plus qu'ils gardaient avec eux des handicapés.

La mère de Carl lui a dit d'un ton tout aussi menaçant: «C'est moi ou Chantal.» Carl n'a eu d'autre choix que de lui répondre qu'il partait avec moi. Sa mère l'a très mal pris et elle l'a menacé: s'il quittait la maison, il ne serait plus jamais le bienvenu. C'était la première fois que Carl affrontait ainsi sa mère, et il a montré beaucoup de courage et de détermination. Il lui a répondu: «Si c'est ce que tu veux, ce sera comme ça.» Sept ans plus tard, les ponts n'ont pas été rétablis entre eux. Ce n'est pas moi qui ai empêché Carl de renouer avec ses parents mais, comme ils ne lui ont jamais donné de nouvelles depuis qu'ils l'ont chassé, il a préféré se tenir loin d'eux.

On a donc dû déménager et louer un camion pour la deuxième fois en quelques semaines. En tout, nous avons déménagé à quatre reprises cette année-là. Nous avons pris mes effets et ceux de Carl et sommes entrés dans notre condo le 15 octobre 1995. Nous nous sommes installés en couple envers et contre tous et, heureusement pour nous, tout a bien fonctionné immédiatement. Nous nous étions dit, en quittant les parents de Carl, que notre cohabitation n'était pas un engagement formel. Nous voulions nous donner du temps pour observer l'évolution de notre relation, en nous disant que si ça ne marchait pas, nous pourrions nous quitter sans drame et sans nous faire de mal, en essayant de demeurer bons amis. Nous nous sommes ainsi sentis libres, sans contrainte et sans obligation.

Le plus merveilleux dans notre histoire, c'est que nous avons su laisser la vie suivre son cours. Après tous les drames que nous avions vécus, c'était réconfortant de penser que nous pouvions compter l'un sur l'autre, en étant à la fois des amis et des amoureux, et bientôt des partenaires professionnels. Dans ma tête, j'avais pris la décision de ne plus jamais me faire avoir par un homme. On aurait dit qu'après tant de souffrances et de déceptions, j'avais enfin pris conscience de certaines choses. Il faut dire que Carl m'aidait beaucoup en me laissant libre de faire ce que je voulais. C'était la première fois en 44 ans d'existence que ça m'arrivait. Je ne sais pas si c'est en raison de son jeune âge et du fait que les hommes de sa génération sont moins contrôlants, mais c'était naturel pour lui d'agir ainsi et de me respecter en tant que personne responsable de son propre destin et de ses propres décisions. Grâce à lui, tout se réveillait en moi. Il me faisait redevenir la petite fille libre et heureuse que j'avais été dans mon enfance. Il m'apportait une extraordinaire sécurité émotive, sans rien exiger en retour. Je savais que grâce à lui je pourrais trouver tôt ou tard ce bonheur que j'avais tant cherché durant toute ma vie d'adulte.

Nous nous donnions une chance en tant que couple, et je me disais que ce serait tant mieux si ça marchait et tant pis si ça ne marchait pas. Je savais intuitivement que Carl serait toujours dans ma vie d'une façon ou d'une autre. J'ai deviné très tôt que nous étions des âmes sœurs, que nous partagions la même passion de vivre et le même goût du travail bien fait.

•

À l'annonce de ma deuxième séparation, les médias ont évidemment voulu s'emparer de l'affaire. Notre histoire était juteuse aux yeux de certains journalistes et éditeurs de journaux, car elle risquait de faire vendre beaucoup de copies. C'est sans doute pour cela que certains d'entre eux n'ont pas hésité à offrir de l'argent à Carl (jusqu'à 15 000 $) pour avoir des scoops sur notre couple. Carl a évidemment refusé de s'enrichir à mes dépens. Comme je l'ai déjà dit, Carl est un homme intègre qui, dès le début de notre relation, a tout fait pour défendre mes intérêts, et ce, en toutes circonstances. Malheureusement, d'autres proches se seraient montrés moins scrupuleux et auraient accepté de l'argent (sans que j'en aie la preuve), pour nous descendre dans certains médias, que ce soit à la radio ou dans les journaux. La propre mère de Carl est allée déblatérer contre son fils et contre moi à l'émission *Vedettes en direct* de CKVL, animée à l'époque par Serge Bélair. Elle n'a pas hésité à me reprocher en ondes de lui avoir volé son fils, alors que c'est elle qui nous avait chassés de chez elle.

Ils voulaient tous se faire confirmer que Carl et moi avions eu une idylle pendant que j'étais encore mariée à Jacques. On a fait les premières pages de différents journaux au moins une trentaine de fois en quelques mois. C'était un véritable délire. Si nous avons pu donner notre version des faits dans certaines entrevues, ce ne fut malheureusement pas toujours possible. C'est ainsi que des propos de Jacques Pelletier et de certains membres de la famille de Carl nous ont fait beaucoup de tort. Nous avons dû, à un moment donné, réagir devant la tournure des événements et la tempête médiatique que ça provoquait. Je me souviens que le journaliste Pierre Plante, du magazine *7 Jours,* avait été très correct avec nous et qu'il nous avait permis de remettre les choses en perspective. Nous avons pu, grâce à lui, dire enfin la vérité sur notre relation. Je veux aussi remercier le journaliste Érick Rémy, qui travaillait à l'époque à *Vedettes en direct,* qui s'est excusé un an plus tard auprès de nous pour la façon injuste dont nous avions été traités sur les ondes de CKVL. D'autres ne se sont pas gênés, cependant, pour faire du sensationnalisme à nos dépens en mettant en évidence notre différence d'âge. J'avais alors 44 ans et Carl, 26 ans, et cet écart semblait en déranger plus d'un.

Cette controverse a soulevé les passions dans les médias, mais le public s'est montré beaucoup plus nuancé. On a senti très peu de réprobation de la part de nos fans; bien au contraire, la plupart d'entre eux n'ont pas cessé de nous soutenir depuis sept ans que nous sommes ensemble. Lorsque nous nous produisions en spectacle à cette époque, les gens venaient nous voir pour nous encourager à continuer ensemble tant dans notre vie personnelle que dans notre vie professionnelle. Nous sentons cet appui indéfectible de notre public de façon encore plus forte aujourd'hui. Plus les années passent et plus les gens semblent comprendre l'amour sincère qui nous unit, Carl et moi.

La tempête semble aujourd'hui calmée, mais elle a longtemps fait rage, surtout au début de notre vie de couple. La mère de Carl s'est particulièrement acharnée contre nous dans les médias. Les parents de Carl ne semblaient vraiment pas nous pardonner notre départ. J'ai même retrouvé dans mes vêtements, après mon déménagement, du sel dont se servent certains exorcistes dans l'église catholique pour chasser le démon de ceux qui sont possédés. J'ai su par la suite que c'était Jacques qui aurait fourni ce sel à la mère de Carl, qui en aspergeait allègrement mes draps avant que je ne parte de chez elle. Le père de Carl n'était pas en reste, puisqu'il lui a dit le jour de son départ: «Je te bénis, *câlice*, parce que tu t'en vas avec un démon.» La mère de Carl nous détestait tellement qu'elle nous a même téléphoné un jour pour nous souhaiter d'avoir un démon comme enfant. Elle nous a aussi lancé «la malouk», une sorte de mauvais sort italien qui devait nous apporter le malheur. Elle a envoyé à Carl, un peu plus tard, une lettre d'environ 20 pages dans laquelle elle reniait son fils et m'accusait, entre autres, d'être une mauvaise mère pour Mélanie.

Lorsque je vivais sous son toit, j'avais tenté de faire comprendre à la mère de Carl qu'il était normal qu'il quitte un jour ses parents pour faire sa vie, mais elle n'avait rien voulu entendre. Pour elle, je lui ai fait perdre son bâton de vieillesse en m'installant en couple avec son fils. Étant moi-même maman, j'ai toujours su que je devais laisser Mélanie vivre sa propre vie, même si parfois j'aimerais la voir plus souvent. Il semble que sur ce point précis comme sur tant d'autres, la mère de Carl et moi n'avons jamais eu la même opinion.

À la suite de tous ces témoignages contre nous, j'ai commencé à recevoir des lettres de critiques. Certaines personnes allaient jusqu'à m'écrire que j'irais en enfer en raison de mon attitude inacceptable. Les plus fanatiques, qui semblaient se trouver parmi ceux qui étaient venus entendre mes témoignages de foi, me reprochaient d'être devenue une sorte de Marie-Madeleine des temps modernes. Selon eux, je menais une vie de pécheresse avec mes deux séparations et mon union libre avec un jeune homme. J'ai remarqué alors que certains grands pratiquants nous jugeaient très facilement et manquaient ainsi de charité chrétienne. Les gens normaux étaient moins sévères et montraient une plus grande ouverture d'esprit. Tout cela était évidemment difficile à supporter mais, heureusement, je n'étais pas seule, et la présence de Carl me rassurait dans l'adversité et me donnait la force de combattre ceux qui nous voulaient du mal. Je savais que, malgré toutes les critiques que certains pouvaient m'adresser, je n'avais rien à me reprocher. Je me disais que ceux qui nous attaquaient le plus violemment étaient sans doute jaloux de notre amour. J'avais trop longtemps tenu compte de l'opinion des autres pour gérer ma vie et j'avais décidé qu'il n'en serait plus ainsi.

Toute cette controverse aurait pu nous éloigner, Carl et moi, mais ça nous a, au contraire, rapprochés. Nous avons toujours pu compter l'un sur l'autre, et c'est ce qui a sauvé notre couple. Toute cette merde a duré près d'une année, en fait jusqu'à ce que mon deuxième divorce soit prononcé. Aujourd'hui j'en ris, mais à l'époque Carl et moi avons beaucoup pleuré devant tant de méchanceté.

Pendant ce temps, mon papa a fait une crise cardiaque. J'ai appris qu'il essayait de reprendre contact avec moi depuis un certain temps, car il était très inquiet de tout ce qui m'arrivait. Carl et moi sommes allés le visiter à l'hôpital. Lorsqu'il m'a vue devant lui, il s'est écrié: «Voilà la moitié de ma guérison qui arrive.» Même si nous n'étions pas vraiment en froid, lui et moi, ce triste événement nous a permis de nous rapprocher. Maintenant que Jacques était sorti de ma vie, il n'y avait plus d'obstacles à ce que nous puissions nous voir plus régulièrement. Vu les relations tendues qui existaient entre nous et la famille de Carl, ça nous faisait du bien de sortir de notre isolement en reprenant contact avec mes parents. Mon père nous a raconté qu'il avait eu bien de la difficulté à trouver notre nouvelle adresse et notre nouveau numéro de téléphone, car il cherchait le nom Carl William dans le bottin, alors que le vrai nom de Carl est Mario Lamarche.

•

Appuyé en cela par la mère de Carl, Jacques a voulu, pendant les procédures de divorce, ravoir ses armes que nous avions toujours en notre possession par mesure de précaution. Mon avocate s'y est fortement opposée. Je crois que ce qui a fait le plus de mal à Carl pendant toutes ces procédures, c'est que sa propre mère se soit résolument rangée du côté de Jacques. Même si c'est moi qu'elle visait, elle lui a fait indirectement un tort immense.

J'ai obtenu mon divorce en mai 1996. J'étais enfin libre de consacrer mon temps à quelque chose de plus constructif. C'est ainsi que Carl et moi avons décidé de produire notre album composé principalement de duos. Il a été mis sur le marché en 1997, plus précisément le 14 février, jour de la Saint-Valentin.

Pour nous remettre de nos récentes émotions, nous avons pris des vacances bien méritées. Nous savions que 1997 serait une grosse année pour nous sur le plan professionnel et nous voulions être en forme. Nous n'avons malheureusement pas pu profiter pleinement de ces vacances, car nous avons dû faire face une fois encore à certaines autres tracasseries de la mère de Carl dont je préfère ne pas parler.

Ce nouveau stress arrivait à un bien mauvais moment, puisque c'est pendant ces vacances que je suis tombée enceinte. J'avais alors 45 ans, et même si ce n'était pas planifié, j'étais très contente de porter à nouveau la vie en moi. Carl était aussi heureux que moi. Nous sentions que cette grossesse allait nous rapprocher encore plus sur le plan amoureux, alors que nous l'étions déjà sur le plan professionnel avec l'enregistrement de notre album de duos. Je me souviens que nous avons pleuré de joie lorsque le test de grossesse a confirmé que j'attendais un bébé. J'ai malheureusement fait une fausse couche quelques semaines plus tard. J'ai perdu cet enfant sans doute parce que j'étais très fatiguée, après la série d'événements que j'avais traversés au cours des mois précédents.

Nous avons bien sûr été attristés par cette perte, mais nous nous sommes dit que ça ne changerait rien à l'amour que nous avions l'un pour l'autre et que nous pourrions toujours nous reprendre. Cette grossesse était arrivée très tôt dans ma relation avec Carl et, malgré ma déception, j'ai pris la chose avec philosophie, me disant que je n'étais pas due à ce moment-là pour être maman une seconde fois. J'ai accepté cela, et Carl aussi. Nous étions, une fois de plus, sur la même longueur d'onde. Que ce soit face à l'adversité ou dans nos décisions professionnelles, Carl et moi ne formions plus qu'une seule et même entité. Depuis sept ans, nous sommes d'ailleurs presque toujours d'accord et, quand ce n'est pas le cas, nous en discutons pour trouver une solution à notre différend et pour que tout s'arrange entre nous. Il nous suffit bien souvent de nous regarder dans les yeux pour que tout soit clair. J'ai eu l'impression, dès le début de notre relation, que je connaissais Carl depuis toujours et que nous étions faits pour vivre ensemble.

•

Nous nous sommes fiancés le 31 décembre 1995. Nous avons, pour l'occasion, organisé une petite fête dans notre condo et y avons invité mes parents, mon frère, mes sœurs et ma fille, Mélanie, avec leurs conjoints respectifs. Deux tantes de Carl se sont aussi jointes à cette petite fête. Carl m'avait dit qu'il voulait que ce soit moi qui décide par la suite si nous allions nous épouser ou non. Il était conscient que je pouvais avoir des réserves à me marier une troisième fois, après deux échecs pour le moins cuisants, et il ne voulait surtout pas me forcer la main. Il tenait absolument à ce que ça vienne de moi et que je lui confirme de vive voix mon intention de l'épouser. Lorsque j'ai dit à Carl que je voulais qu'on se marie, il a tenu à savoir si j'acceptais qu'il me fasse sa demande en mariage publiquement. Il voulait que nous puissions ainsi partager avec nos fans non seulement nos malheurs mais aussi nos moments de grand bonheur. J'ai dit oui, car, au fond, ça ne me dérangeait pas puisque ma vie avait toujours été publique. J'appréciais, par ailleurs, le fait qu'il ait pris la peine de me consulter avant d'agir, contrairement à ce qui s'était passé pour mon premier mariage télévisé, alors que j'avais été placée devant le fait accompli.

Carl s'est cependant gardé le privilège de choisir le lieu, la date et l'événement médiatique pour me demander officiellement en mariage. Il a finalement décidé de le faire dans la populaire émission *Bla bla bla*, animée par Danielle Ouimet et diffusée alors chaque jour au Réseau TVA. Il a tout préparé secrètement en collaboration avec l'animatrice et l'équipe de production. Officiellement (c'est du moins la raison qu'on m'avait donnée pour me réserver la surprise), nous avions accepté de participer à cette émission pour le lancement de notre nouvel album de duos pendant un spécial de la Saint-Valentin, diffusé le 14 février 1997.

Carl avait enregistré, sans me le dire, un topo de deux minutes dans lequel il expliquait pourquoi il m'aimait. À la fin de la diffusion de ce topo, nous étions extrêmement nerveux tous les deux. Carl m'a ensuite demandé en studio devant toute l'équipe et devant des milliers de téléspectateurs: «Chantal, veux-tu m'épouser?» En retenant mes larmes, j'ai évidemment répondu après un certain moment, car l'émotion m'étreignait: «Oui.»

Nous nous sommes mariés à la fin de la même année, soit le 13 décembre 1997, au Palais de justice de Laval, après près de deux ans de cohabitation. Mon père et une tante de Carl nous ont servi de témoins. J'avais choisi, pour l'occasion, une belle robe blanche, longue et ajustée. Carl portait, pour sa part, une chic redingote qui lui donnait fière allure. La réception a eu lieu au Château Royal dans une salle au nom prédestiné: «Roma», puisqu'il s'agissait d'une noce à l'italienne. Nous avions invité une trentaine de personnes pour la cérémonie civile, principalement des membres de ma famille proche, dont mes parents, une de mes deux sœurs, Mélanie et son copain, trois des tantes de Carl et quelques amis. Un repas de cinq services a été proposé aux 200 convives de la noce qui a suivi. Pour le côté musical, il y a avait un petit orchestre composé de nos amis Dave et Steve Taillon. Carl et moi avions préparé chacun de notre côté quelques chansons-surprises que nous avons interprétées, l'un pour l'autre. Ce fut somme toute une noce très agréable qui s'est poursuivie jusqu'aux petites heures du matin. On a dansé, on a ri, on a pleuré. Toute la gamme des émotions y est passée, comme c'est souvent le cas dans toute bonne noce dont l'un des partenaires a des origines italiennes.

Nous avons ensuite fait un beau voyage de noces en Floride. J'ai d'ailleurs fêté cette année-là mon anniversaire dans le camion qui a servi à nous rendre là-bas. Nous nous sommes amusés comme des enfants, car nous nous sentions libérés d'une énorme pression. Nous sommes allés voir, entre autres, les Studios Universal. Nous étions surtout heureux d'en être arrivés là, malgré toutes les embûches qu'on avait placées sur notre route.

Alors que certains de nos proches avaient prédit que notre relation ne durerait pas un hiver, nous nous apprêtions, Carl et moi, après deux années de vie commune, à poursuivre une union qui avait encore plus de valeur à nos yeux puisqu'elle était maintenant officielle. Carl m'a rappelé à un moment donné que, 10 ans plus tôt, il m'avait téléphoné pour me témoigner son admiration. Il avait alors à peine 17 ans et, même si notre conversation était restée strictement sur le plan professionnel, je m'en souvenais encore très bien. Il m'avait fait si bonne impression que j'avais eu envie de l'inviter à manger, pour en savoir davantage sur ses rêves professionnels. À l'époque, ça n'avait pas été possible, car Jacques contrôlait déjà mes allées et venues. Carl m'a aussi dit, pendant notre voyage de noces, que tout petit il répétait à tout son entourage que si un jour il se mariait ce serait avec moi. Le moins qu'on puisse dire, c'est que son idée était faite depuis longtemps.

●

Depuis que nous vivons ensemble, il nous est bien sûr arrivé d'avoir des conflits comme la plupart des couples. C'était, selon moi, parfaitement normal, avec tout le stress que nous avons vécu, surtout au début de notre union. Nos conflits étaient le plus souvent engendrés par notre entourage. Ils venaient rarement de l'intérieur de notre couple. Lorsque nous avons compris cela, bien des choses ont changé. Avec ses origines en partie italiennes, du côté de sa mère, Carl a un tempérament latin et il est soupe au lait. Il peut s'emporter facilement et il est le premier à l'admettre. Alors qu'avec mes deux premiers maris, je me querellais rarement, j'accepte d'avoir de temps à autre de petites chicanes avec Carl, car je sais que nous nous aimons et que notre amour n'est jamais égratigné par cela. Je reconnais aussi que nous sommes deux artistes, deux êtres sensibles, deux émotifs écorchés par la vie, ce qui justifie sans doute les flammèches qu'il y a parfois entre nous. De toute façon, tous ces petits conflits ont l'avantage de nous permettre de nous réconcilier et de faire ainsi la preuve de notre amour.

Nous avons tous les deux un caractère fort et, comme j'ai décidé de ne plus laisser qui que ce soit diriger ma vie, il peut arriver que nous ayons des discussions musclées, mais quand l'amour reste présent dans le couple, ce n'est jamais bien grave. Après avoir été soumise toute ma vie à la volonté de mes proches, je commence avec Carl à reprendre confiance en moi. Il m'encourage d'ailleurs à toujours dire ce que je pense et à m'affirmer au besoin. C'est la première fois que l'homme qui vit à mes côtés me donne une telle liberté, et j'ai bien l'intention d'en profiter.

Depuis deux ans, on peut dire que les choses se sont replacées pour nous, et nous pouvons enfin nous tourner vers l'avenir. Nous méritons d'être heureux, et je compte bien y mettre du mien pour que tout continue à bien aller entre nous deux. Pour y arriver, nous avons dû accepter de nous éloigner de certaines personnes qui avaient été proches de nous dans le passé, mais qui n'acceptaient pas vraiment notre relation. Ça a été difficile, mais je comprends aujourd'hui que c'était essentiel à la survie de notre couple.

Lorsque Carl est entré dans ma vie, il m'a appris à penser à moi avant de toujours penser aux autres et de vouloir leur donner tout ce que j'ai. Je le faisais sans doute pour acheter l'amour des miens, mais Carl m'a expliqué que ce n'était pas nécessaire et qu'il y avait d'autres façons de montrer mon attachement aux gens. Carl a voulu que je commence à me gâter. Ceux qui nous côtoyaient seulement pour mon argent se sont éloignés peu à peu. Les autres qui m'aimaient vraiment et qui ne me fréquentaient pas pour en tirer un profit matériel sont, quant à eux, restés dans notre entourage.

Je dois dire que près de 80 % de mes chicanes avec Carl étaient causées par cette manie que j'avais de toujours vouloir donner tout ce que j'avais aux autres. Que ce soit de l'argent, des vêtements, des cadeaux, des provisions, ça n'arrêtait jamais et ça exaspérait Carl qui se rendait bien compte que le bonheur et l'amour véritables ne s'achètent pas. Il a dû user de beaucoup de patience pour que je comprenne enfin le message qu'il voulait me passer. J'étais comme une aveugle qui, du jour au lendemain, voit clair. C'était trop de lumière en un seul coup et j'étais éblouie. Je devais prendre le temps de discerner le vrai contour des choses et de bien comprendre la réalité qui m'entourait. Dans mon cheminement, il m'arrivait de perdre patience et de dire à Carl qu'il voyait du mal partout. Après un certain temps, je devais cependant admettre qu'il avait presque toujours raison. Malgré sa jeunesse, Carl possède une grande maturité face aux êtres et aux choses qui nous entourent. Il m'a appris à ne pas jouer à l'autruche et surtout à ne plus me laisser exploiter par qui que ce soit.

Malgré tout le bien que je peux en dire, je sais bien toutefois que Carl n'est pas le bon Dieu en personne. Moi aussi je peux lui apprendre des choses, et ma propre expérience de la vie peut nous aider à évoluer en tant que personnes et en tant que couple. Carl est un passionné et il parle fort, surtout s'il est convaincu d'avoir raison. Il lui est même arrivé à quelques reprises de faire ses valises. Je ne pouvais m'empêcher de rire en le voyant réagir ainsi, car je savais que s'il m'aimait vraiment il se contenterait de bouder quelques heures, sans jamais partir. Il n'a d'ailleurs jamais franchi le seuil de la porte. Je me rendais compte, en assistant à ses petites colères, qu'en raison de son âge Carl avait moins de vécu que moi.

Mais il y a eu une fois où les choses auraient pu tourner mal entre nous. C'était à l'été 1998. J'étais alors plus ou moins influencée par une personne très proche de moi qui tentait sans que je m'en rende compte de m'éloigner de Carl, en semant le doute dans mon esprit. Elle ne cessait de me répéter que ce n'était pas normal que Carl et moi, on se chamaille si souvent. Elle prétendait que ça ne se passait pas ainsi lorsqu'un couple s'aimait vraiment. Même si j'avais fait des progrès depuis que je vivais avec Carl, j'avais encore, au plus profond de moi, une partie qui restait vulnérable. Je ne savais pas ce qu'elle voulait au fond. Je ne le saurai jamais, mais toujours est-il que j'ai décidé, cette fois-là, de quitter notre condo pendant que Carl était absent pour passer quelques jours avec cette personne à qui j'aurais donné le bon Dieu sans confession.

Alors que je m'étais rendue chez elle pour qu'elle m'aide à mieux comprendre Carl afin que je puisse régler nos différends et me rapprocher ainsi de lui, elle n'avait rien trouvé de mieux à me dire que: «Tu l'aimes encore celui-là, après tout ce qu'il t'a fait.» J'ai été tellement surprise de sa remarque que je n'ai pu m'empêcher de lui répondre spontanément: «Mais il ne m'a pas fait grand-chose.» Loin de se laisser démonter, cette conseillère matrimoniale improvisée m'a dit le plus sérieusement du monde que je devais quitter Carl avant qu'il ne soit trop tard. J'ai répondu: «Non, non et non. Ce n'est pas ce que je veux. En réalité, j'ai hâte que Carl me téléphone pour qu'on s'explique.» La discussion prenait une direction que je n'avais décidément pas prévue. Je me suis heureusement ouvert les yeux à temps, avant que je ne fasse une gaffe majeure que j'aurais probablement regrettée toute ma vie. Quand je pense que j'ai failli me laisser convaincre de quitter mon mari, à ce moment-là, j'en tremble encore. C'est une fois de plus, mon instinct et mon amour pour Carl qui m'ont sauvée.

Pendant ce temps, Carl se désespérait dans notre condo. Je me rends compte aujourd'hui que cette fois-là je l'ai profondément blessé, car il n'aurait jamais pensé que j'aurais choisi de me confier à cette personne-là. Quand je suis partie pour ces trois jours, dans ma tête, ce n'était pas un départ définitif. J'avais tout simplement besoin de prendre un petit recul pour réfléchir à l'avenir de notre couple et trouver des solutions pour améliorer mes relations avec Carl. Il a cru pour sa part que je le quittais pour toujours. C'est probablement en raison de ce malentendu qu'il a tellement souffert. Il m'a confié plus tard que pour lui ç'avait été trois jours de véritable cauchemar.

Carl savait où j'étais allée me réfugier, mais comme il pensait que j'avais pris des arrangements avec cette personne pour que nous nous séparions lui et moi définitivement, il était profondément blessé dans son orgueil. Il n'était pas question qu'il me téléphone pour implorer mon retour. Le moins qu'on puisse dire, c'est qu'il avait très mal pris la chose. Il m'a avoué qu'il n'a presque pas dormi pendant mon absence et que même notre chien était excessivement nerveux, probablement parce qu'il sentait que quelque chose de très grave était en train de se produire.

Si j'ai tant tardé à donner de mes nouvelles à Carl, c'est que je ne me rendais pas compte qu'il réagissait si mal à mon départ. Je me sentais cependant tellement déçue de la tournure des événements que j'ai eu droit à un mal de tête carabiné. Je me suis finalement décidée à lui téléphoner, car je savais dorénavant que plus personne ne pourrait m'influencer. C'était au petit matin, vers 5 h. Je lui ai demandé un peu naïvement si je le réveillais. Il m'a dit d'un ton plutôt froid: «Qu'en penses-tu mam...?» Son orgueil l'a empêché de compléter le petit mot doux qu'il voulait me dire. Il n'a pas pu m'avouer non plus qu'il était content de mon appel (il ne me l'a confié que plus tard). Il s'est finalement décidé à me dire: «Tu sais mam... Chantal que je t'aime.» Il a failli dire encore une fois «mamour», l'un des surnoms d'amour dont il aimait bien m'affubler de temps à autre. Je n'ai pu m'empêcher de sourire, lui disant qu'il pouvait le prononcer, ce fameux mot. Nous avons ri, et la tension a commencé à tomber entre nous. Carl a finalement admis que je lui avais beaucoup manqué et il a immédiatement accepté de venir me chercher comme je le lui demandais.

En apprenant que je partais, la personne qui m'avait hébergée n'était pas du tout contente, mais je m'en fichais. Cette épreuve m'avait permis de mieux discerner autour de moi les gens qui me veulent vraiment du bien. La première chose que j'ai dite à Carl en franchissant la porte de notre condo a été: «C'est ici chez nous, et je me sens bien.» Cette épreuve nous a finalement beaucoup rapprochés.

•

Je suis tellement convaincue de l'amour de Carl que je n'ai pas vraiment peur qu'il me quitte un jour. Je sais qu'après deux tentatives infructueuses, j'ai enfin trouvé le bon compagnon de vie. Il n'y a pas de cachette entre nous, pas d'hypocrisie. Carl est un grand livre ouvert avec moi, et je l'apprécie. Il faut dire qu'il y a une réelle attirance physique et amoureuse entre nous et que c'est la première fois que ça m'arrive. Après sept ans de vie commune, j'aime toujours autant faire l'amour avec lui, car je sais qu'il ne me considère pas comme un simple objet sexuel. Je suis convaincue que nous partageons des sentiments qui sont vrais. C'est ça, le véritable amour.

Au fil des ans, j'ai acquis la certitude que nous sommes maintenant deux en un et que nous formons un tout homogène tant sur le plan physique que spirituel. Nous nous complétons merveilleusement bien. Ce qu'il lui manque, je l'ai, et vice-versa. Malgré les années qui nous séparent, j'ai l'impression d'avoir le même âge que Carl. Au début de notre relation, il m'arrivait de penser à notre écart de 18 ans. J'avais peur de vieillir physiquement trop vite pour lui. À présent, cette crainte s'est estompée. Je sais que Carl m'aime d'un amour profond et sincère et qu'il souhaite mon bonheur, d'abord et avant tout. Il m'a donné un merveilleux cadeau en m'apprenant à m'accepter comme je suis et à ne plus vouloir me changer pour plaire à un homme. Je sais que lorsqu'il me parle, il ne ment pas. J'apprécie d'autant plus cette qualité chez lui que c'est celle que j'ai toujours le plus recherchée chez les gens.

Grâce à Carl, j'ai appris à faire confiance à mon partenaire, et c'est ce qui m'a permis de pouvoir enfin commencer à me confier et à parler de mes sentiments, sans crainte d'être jugée. Je peux me permettre de tout dire à Carl et sur le ton que je veux, car je sais qu'il peut le prendre. Je peux à la limite l'envoyer promener, si quelque chose ne fait pas mon affaire, puisque c'est le premier à me pousser dans cette nouvelle affirmation de moi-même. Cette franchise nous fait parfois mal à tous les deux, car je ne suis pas encore très habituée à dire de la bonne façon et sur le ton juste ce que je pense et ce que je ressens. J'apprends peu à peu à ouvrir mon cœur, sans mettre de gants blancs, et je le fais en toute confiance. Je sais que Carl va pouvoir tout encaisser de ma part à la condition que moi aussi je sois sincère. Il n'est évidemment pas question que je lui balance des mots blessants à la tête pour le seul plaisir de lui faire mal. Ce n'est pas dans ma nature d'agir ainsi. J'ai été trop souvent blessée dans ma vie pour vouloir faire volontairement de la peine à la personne que j'aime.

J'apprécie que dans notre vie quotidienne, même dans les choses les plus banales, nous ayons une belle complicité. Comme nous sommes ensemble 24 heures sur 24, il est important qu'on n'en vienne pas à se taper sur les nerfs. On fait le même métier, on habite le même appartement. On aime les mêmes choses, que ce soit pour ce qui est des films, de la musique ou même des restaurants. S'il nous arrive de ne pas avoir les mêmes goûts, nous nous complétons, comme c'est le cas par exemple pour la décoration. Moi, ça ne me passionne pas vraiment de décorer une maison, alors que ça intéresse Carl.

Le fait d'être allés, en 1999, nous installer pour quelque temps à Nashville nous a permis de prendre un certain recul face à nos proches. Nous avons constaté alors que nous n'avions jamais de problèmes lorsque nous nous retrouvions seuls. Nous avons appris, au cours de cette période, à mieux dialoguer afin d'éviter les frustrations et les quiproquos qui peuvent faire tellement de mal.

Nous avons aussi appris à ne pas accumuler de problèmes dans notre couple et surtout à ne jamais nous coucher fâchés. Il faut réagir rapidement lorsqu'il y a une tension quelconque, afin qu'elle ne devienne pas une montagne infranchissable.

Après toutes les tempêtes que nous avons traversées, je souhaite que nous soyons ensemble encore longtemps. Nous avons connu le pire au début de notre vie amoureuse et nous espérons sincèrement qu'il est maintenant derrière nous. Si nous sommes encore ensemble aujourd'hui, c'est que quelque chose de très fort nous unit.

•

Alors que l'arrivée de Jacques dans ma vie avait marqué le début de mon long cheminement de foi, celle de Carl a accéléré mon retour dans le showbiz. Après avoir recommencé à enregistrer des disques, il était temps que je pense à un retour éventuel sur scène. Si on excepte les tours de chants que je donnais dans les églises, à l'intérieur de mes témoignages de foi, il y avait une éternité que je n'étais montée sur une scène. Au seuil de mes 50 ans, je ne me sentais guère l'énergie pour le faire. C'est la présence de Carl à mes côtés qui m'a permis de revenir sur ma décision de ne plus jamais faire de spectacles. Qu'il soit chanteur lui aussi et que nous puissions donner des shows ensemble, sur les mêmes scènes, a été l'élément déclencheur de mon retour.

Je crois sincèrement que c'est Dieu qui a mis Carl sur ma route, non seulement pour que je sois enfin heureuse sur le plan personnel, mais aussi pour que je puisse reprendre la mission professionnelle qui m'est destinée, soit celle de faire mon métier de chanteuse tant en studio d'enregistrement qu'à la télévision et sur scène. Carl m'a redonné le goût de chanter, il m'a communiqué sa passion du métier. En enregistrant avec lui notre album de duos, j'ai vu que nos voix se mêlaient bien en studio et j'ai été certaine que ce serait la même chose en spectacle.

Lorsque je suis remontée sur scène pour la première fois, ça faisait plus de 25 ans que je n'avais pas donné de spectacle. Il faut dire que mon vieux répertoire ne m'inspirait pas tellement pour reprendre une carrière sur scène. C'est le fait de trouver de nouvelles chansons avec Carl et d'en écrire qui m'a convaincue que j'avais quelque chose de vraiment inédit à offrir à mon public. Avec Carl, j'ai constitué un nouveau répertoire plus moderne, plus rythmé et plus conforme à la femme que j'ai toujours été. Je me sens jeune dans ma tête et, même si je continue à faire sur scène deux pots-pourris de mes anciens succès pour faire plaisir à un public qui me suit depuis mes débuts, j'interprète du nouveau matériel qui me permet de rejoindre les jeunes qui viennent de plus en plus nombreux à nos spectacles.

C'est étonnant à dire, mais j'ai réappris à aimer la scène. Je m'y sens à l'aise et j'ai envie de continuer à en faire le plus longtemps possible, tant que ma voix ne me lâchera pas. Si un jour, je ne peux plus continuer à chanter, j'aimerais rester dans le showbiz et travailler dans l'ombre. Je suis revenue pour rester. Je suis plus créative que jamais. Carl m'a initiée à tous les nouveaux courants musicaux et techniques. Nous avons beaucoup appris lors de nos séjours aux États-Unis. Nous avons d'ailleurs de nombreux projets ensemble pour le marché anglophone. Je dois avouer que je n'ai jamais été aussi motivée. Carl est pour moi une source d'inspiration constante. Il y a tellement de choses que nous voulons accomplir au cours des prochaines années. Nous avons la même vision du métier, et la gloire pour la gloire, ça ne nous intéresse pas, ni l'un ni l'autre.

Tout comme pour ma vie personnelle, je n'ai pas de regret que tout cela arrive si tard dans mon existence. Je me dis que si ça s'est passé de cette façon, c'est qu'il devait en être ainsi. Rien n'arrive pour rien. J'ai fait ce que j'avais à faire dans le passé, comme j'essaie de faire ce que j'ai à faire aujourd'hui. Une chose me frappe cependant, et j'en suis très heureuse, c'est de constater combien le public m'est resté fidèle et qu'il ne m'a pas oubliée, après tant d'années d'absence. Il faut voir les réactions positives des gens partout où l'on va donner nos spectacles!

Depuis 1997, Carl et moi avons donné en moyenne une vingtaine de *shows* par année au Québec, et les demandes affluent pour les mois à venir. J'ai aussi effectué en 1999 et en 2000 une tournée de spectacles dans plusieurs grandes villes américaines auprès d'un public issu des communautés haïtiennes qui vivent là-bas et auprès desquelles j'ai toujours été très populaire. J'ai continué aussi à lancer des albums: *Portrait d'une vie* en 1998, *Les grands succès vol. 1 et 2*, et *Chants de paix et d'inspiration* en 2001. On a mis sur le marché, en 2002, plusieurs compilations: *Mes toutes premières chansons*, *Tu as un ami*, *20 chansons pour collectionneur* et *Les saisons de la vie*. J'ai aussi un nouveau disque qui vient tout juste d'être lancé et qui s'intitule *Aujourd'hui*. Je dois avouer que je suis très fière de ce 43e album en carrière, qui m'a permis de retrouver l'enthousiasme de mes débuts.

•

Je suis très optimiste face à l'avenir. Ma vie, c'est un puzzle dont tous les morceaux ont fini par trouver leur place. Qu'il s'agisse de ma foi, de ma vie amoureuse, de mes autres relations affectives avec mes proches, ou de ma carrière, une synthèse s'est faite. Tout a fini par se mettre en place, comme par miracle. Quand on a franchi le cap de la cinquantaine, on apprécie encore plus tout ce qui nous arrive de bien dans notre vie. À 51 ans, j'ai un bagage de connaissances et d'expériences plus grand que celui que j'avais à 20 ans. J'ai construit des choses dont je suis fière et je n'ai pas l'impression d'avoir gâché quoi que ce soit. C'est parfois amusant de constater qu'à mon âge, les gens semblent me prendre plus au sérieux.

J'ai appris, au fil des ans, que c'est la souffrance qui nous fait avancer dans la vie. Les joies nous reposent, et il faut en avoir si on veut être heureux, mais la douleur et les peines ont aussi leur raison d'être. C'est pourquoi je ne regrette pas les mauvaises choses qui me sont arrivées ni les erreurs que j'ai commises. C'est lorsque je m'en suis sortie que j'ai le plus appris. J'ai accepté mes souffrances, car elles m'ont enrichie. Je me dis aujourd'hui que, si j'ai eu à subir autant d'épreuves dans ma vie, c'est que le Seigneur savait que je pouvais les accepter, les affronter et surtout les surmonter.

Conclusion

Tenter d'illustrer sa vie par des écrits peut nous conduire sur des chemins épineux et parfois très incommodants. Lorsqu'un cœur est pacifié par l'amour et qu'il doit s'engager sincèrement, c'est à ce moment que tout peut devenir éprouvant. On aurait alors le désir de tout dissimuler pour qu'aucune vie ne risque d'être entachée. J'ai dû m'interroger à maintes reprises, en cherchant à m'incarner en chacun des personnages de mon livre ou, si l'on veut, de ma vie. Ce fut une besogne parfois pénible et, pourtant, la réponse était bien enracinée dans mon cœur.

C'est seulement lorsque j'ai lâché prise face à tout ce branle-bas infernal dans ma tête qu'il y a eu une clarté soudaine accompagnée d'une quiétude étonnante. Une libération s'est également accomplie en moi. Ce fut semblable à un documentaire-télé, et j'ai pu visionner l'histoire de ma vie. Mes joies, mes peines, mon enfance, mon adolescence, ma carrière et mes trois mariages, tout est repassé devant mes yeux, de mon passé le plus lointain jusqu'à aujourd'hui.

Cinquante ans à me préoccuper du sort des plus démunis, des détenus, des malades, des gens abandonnés à leur propre sort. Cinquante ans à devoir supporter la cruauté d'un monde plus souvent qu'autrement indifférent et égoïste. Cinquante ans à aimer ma famille, malgré toutes les intempéries. Cinquante ans à lutter pour la justice en ce monde, au risque d'être répudiée et déshonorée. Cinquante ans à rechercher mes propres faiblesses, à m'éplucher de fond en comble, pour éviter de chagriner qui que ce soit. Cinquante ans à me blâmer de ne pas m'être améliorée suffisamment. Cinquante ans de sourires, pour balayer la poussière sur ma route. Cinquante ans à n'avoir jamais regretté d'avoir souffert parfois sans raison valable. Cinquante ans à excuser les méchants. Cinquante ans et aucune aigreur, aucune colère ne me sont resté collées à la peau.

Mes cinquante ans m'ont apporté une maturité qui m'a fait comprendre que tout mal concourt au bien, et ce, autant dans ma vie privée que dans ma carrière de chanteuse. Le pardon fut mon empire et mon erre d'aller. Voilà ma réponse. J'ai voulu m'engager sur la voie de la vérité, de la sincérité et de la tempérance en écrivant cet ouvrage. Chaque mot laissera une empreinte sous mes pas, et j'espère que ce livre fera un peu de bien en adoucissant l'écho de plusieurs vies.

Il n'y a plus aucune confusion en moi. J'acquiesce déjà aux mille et une controverses qui me livreront peut-être en pâture à mes ennemis. Ceux qui liront cette biographie avec le cœur d'un petit enfant recueilleront les plus belles perles du monde. Quant aux autres... je laisse à Dieu le pouvoir qui lui revient!

Discographie

Table des matières

les entreprises nahema présentent

deux voix... une scène

CHANTAL PARY
CARL WILLIAM

Théâtre St-Denis II
18 mai 2003
514-790-1111

Voici l'affiche du spectacle que Carl et moi donnerons au Théâtre St-Denis II.
Nous attendons cet événement avec fébrilité!